U0572050

:: 中華文化促進會主持編纂

:: 國家"十一五"重點圖書出版規劃項目

:: 中國社會科學院哲學社會科學創新工程學術出版資助項目

出品人 王石 段先念

今注本二十四史

隋書

唐 魏徵等 撰

馬俊民 張玉興 主持校注

一四　傳〔五〕

中國社會科學出版社

隋書　卷六一

列傳第二十六

宇文述　雲定興

　　宇文述，[1]字伯通，代郡武川人也。[2]本姓破野頭，役屬鮮卑俟豆歸，[3]後從其主爲宇文氏。父盛，[4]周上柱國。[5]述少驍鋭，便弓馬。年十一時，有相者謂述曰：“公子善自愛，後當位極人臣。”周武帝時，[6]以父軍功，起家拜開府。[7]述性恭謹沈密，周大冢宰宇文護甚愛之，[8]以本官領護親信。及帝親總萬機，召爲左宫伯，[9]累遷英果中大夫，[10]賜爵博陵郡公，[11]尋改封濮陽郡公。

　　[1]宇文述：人名。傳另見《北史》卷七九。生平亦可見出土《宇文述墓誌》。〔參見賀華《隋〈宇文述墓誌〉述略》，《碑林集刊》（第十三輯），陝西人民美術出版社 2008 年版，第 262 頁〕

　　[2]代郡：治所在今山西大同市東北。　武川：即武川鎮，北魏六鎮之一。在今内蒙古武川縣西烏蘭不浪東土城子（參見陳寅恪《魏晉南北朝史講演録》，貴州人民出版社 2007 年版，第 268 頁；唐長孺《魏晉南北朝史三論》，武漢大學出版社 1993 年版，第 191

頁）。按，《宇文述墓誌》作“遼西貝城人”。

[3]鮮卑：古族名。東胡族的一支。秦漢時游牧於今西拉木倫河與洮兒河之間，附於匈奴。北匈奴西遷後，進入匈奴故地，併其餘衆，實力漸盛。魏晉南北朝時，有慕容、乞伏、禿髮、宇文、拓跋等部先後在今華北及西北地區建立政權。内遷的鮮卑人多轉向農業生產，漸與漢人及其他各族相融和。傳見《後漢書》卷九〇、《三國志》卷三〇。　侯豆歸：人名。亦稱逸豆歸、侯豆歸，鮮卑宇文部首領。

[4]盛：人名。即宇文盛。北周太祖宇文泰之子，天和中，進爵爲越王。傳見《周書》卷一三、《北史》卷五八。

[5]周：即北周（557—581），都長安（今陝西西安市西北郊）。　上柱國：官名。周齊交戰之際，北周始置十一等勳官，以酬戰士。上柱國爲勳官第一等。正九命。（參見王仲犖《北周六典》卷九《勳官第二十》，中華書局1979年版，第571頁）

[6]周武帝：即北周武帝宇文邕。紀見《周書》卷五、六，《北史》卷一〇。

[7]開府：官名。全稱開府儀同三司，武帝建德四年改稱開府儀同大將軍。北周十一等勳官的第六等。九命。

[8]大冢宰：官名。全稱大冢宰卿。西魏恭帝三年（556）仿《周禮》建六官，置大冢宰卿一人，正七命。爲天官冢宰府最高長官。掌邦治，以建邦之六典佐皇帝治邦國。北周沿置，然其權力却因人而異，若有“五府總於天官”之命，則稱冢宰，能總攝百官，實爲大權在握之宰輔；若無此命，即稱太宰，與五卿並列，僅統本府官。　宇文護：人名。西魏權臣宇文泰之侄，北周建立，宇文護專政。傳見《周書》卷一一，《北史》卷五七有附傳。

[9]左宮伯：官名。全稱爲左宮伯中大夫。北周仿《周禮》建六官，左宮伯爲天官府屬官，掌侍衛之禁，更直於内。臨朝在前侍之首，行軍則夾路軍。正五命。（參見王仲犖《北周六典》卷二《天官府第七》，第47頁）

[10]英果中大夫：官名。南朝梁時有英果將軍，爲戎號之一。北周置英果中大夫，執掌不詳。正五命。

[11]博陵郡公：爵名。北周十一等爵的第五等。正九命。

　　高祖爲丞相，[1]尉迥作亂相州，[2]述以行軍總管率步騎三千，[3]從韋孝寬擊之。[4]軍至河陽，[5]迥遣將李儁攻懷州，[6]述別擊儁軍，破之。又與諸將擊尉惇於永橋，[7]述先鋒陷陣，俘馘甚衆。[8]平尉迥，每戰有功，超拜上柱國，進爵褒國公，[9]賜縑三千匹。[10]

[1]高祖：隋文帝楊堅的廟號。紀見本書卷一、二，《北史》卷一一。　丞相：官名。爲大丞相的簡稱。周靜帝授楊堅左大丞相。後去左、右之號，獨以楊堅爲大丞相，實爲控制朝政的權臣。

[2]尉迥：人名。即尉遲迥，北周太祖宇文泰之甥，周宣帝時任大前疑、相州總管。傳見《周書》卷二一、《北史》卷六二。相州：北周時治所在今河北臨漳縣西南，大象二年（580）移治今河南安陽市南。

[3]行軍總管：出征軍統帥名。北周至隋時所置的統領某部或某路出征軍隊的軍事長官。根據需要其上還可置行軍元帥以統轄全局。屬臨時差遣任命之職，事罷則廢。

[4]韋孝寬：人名。西魏、北周名將，西魏時韋孝寬指揮玉璧之戰粉粹了東魏高歡進攻，西魏實力得以壯大，北周時又數獻平齊之策，多被采納，因功官至大司空、上柱國，封鄖國公。傳見《周書》卷三一、《北史》卷六四。

[5]河陽：縣名。北周時治所不詳，隋開皇十六年（596）復置，屬河内郡，治所在今河南孟州市南。

[6]李儁：人名。事略見《北史》卷四一《楊文思傳》。　懷州：治所在今河南沁陽市。

［7］尉惇：人名。即尉遲惇。尉遲迴之子。事見《周書》卷二一、《北史》卷六二《尉遲迴傳》。　永橋：鎮名。在今河南陝縣西。

［8］馘：古代戰時割取所殺敵人的左耳，用以計功。亦即指所割下的左耳。

［9］襃國公：爵名。北周十一等爵的第四等。正九命。

［10］縑：雙絲的淡黄色絹。

　　開皇初，[1]拜右衛大將軍。[2]平陳之役，[3]復以行軍總管率衆三萬，自六合而濟。[4]時韓擒、賀若弼兩軍趣丹陽，[5]述進據石頭，[6]以爲聲援。陳主既擒，[7]而蕭瓛、蕭巖據東吳之地，[8]擁兵拒守。述領行軍總管元契、張默言等討之，[9]水陸兼進。落叢公燕榮以舟師自海至，[10]亦受述節度。上下詔曰："公鴻勳大業，名高望重，奉國之誠，久所知悉。金陵之寇，[11]既已清蕩，而吴、會之地，[12]東路爲遥，蕭巖、蕭瓛，並在其處。公率將戎旅，撫慰彼方，振揚國威，宣布朝化。以公明略，乘勝而往，風行電掃，自當稽服。若使干戈不用，黎庶獲安，方副朕懷，公之力也。"

［1］開皇：隋文帝楊堅年號（581—600）。

［2］右衛大將軍：官名。隋中央軍事機關十二衛中有左右衛，長官爲大將軍，掌領外軍宿衛宮禁。正三品。隋煬帝時，改左右衛爲左右翊衛，仍置大將軍，品秩不變。

［3］陳：即南朝陳（557—589），都建康（今江蘇南京市）。

［4］六合：縣名。治所在今江蘇南京市六合區。

［5］韓擒：人名。即韓擒虎。唐人因避李虎諱，而省"虎"

字。傳見本書卷五二，《北史》卷六八有附傳。　賀若弼：人名。
傳見本書卷五二，《北史》卷六八有附傳。　丹陽：郡名。治所在
今江蘇南京市。

[6]石頭：一名石首城，簡稱石城。在今江蘇南京市西清涼山。

[7]陳主：即陳後主陳叔寶。紀見《陳書》卷六、《南史》卷
一〇。

[8]蕭瓛（huán）：人名。本書卷七九、《北史》卷九三、《周
書》卷四八有附傳。　蕭巖：人名。南朝後梁皇帝蕭琮的叔父。
《周書》卷四八、《北史》卷九三有附傳。

[9]元契：人名。北周任開府儀同三司，入隋爲大將軍、行軍
總管，隨宇文述擊陳吳州刺史蕭瓛。　張默言：人名。隋初爲行軍
總管，其他事迹不詳。

[10]落叢公：爵名。全稱爲落叢郡公。隋九等爵的第四等。從
一品。　燕榮：人名。傳見本書卷七四、《北史》卷八七。

[11]金陵：戰國楚築金陵城於今江蘇南京市清涼山上，後人用
金陵作爲今南京市的別稱。南朝陳定都於建康（今江蘇南京市），
故隋文帝以金陵代指陳朝。

[12]吳、會之地：地區名。本爲東漢吳、會稽二郡的合稱，後
世以此指代二郡所領太湖流域和錢塘江以東以至福建廣大地區。

　　陳永新侯陳君範自晋陵奔瓛，[1]并軍合勢。見述軍
且至，瓛懼，立栅於晋陵城東，又絕塘道，留兵拒述。
瓛自義興入太湖，[2]圖掩述後。述進破其栅，迴兵擊瓛，
大敗之，斬瓛司馬曹勒义。[3]前軍復陷吳州，[4]瓛以餘衆
保包山，[5]燕榮擊破之。述進至奉公埭，[6]蕭巖、陳君範
等以會稽請降。[7]述許之，二人面縛路左，吳、會悉平。
以功拜一子開府，[8]賜物三千段，拜安州總管。[9]

[1]永新侯：爵名。或爲郡侯或爲縣侯，不詳。陳九等爵的第三等。第三品。　陳君範：人名。《陳書》卷二八、《南史》卷六五有附傳。　晉陵：郡名。治所在今江蘇常州市。

[2]義興：郡名。治所在今江蘇宜興市。　太湖：湖名。即今江蘇、浙江二省交界的太湖。

[3]司馬：此爲蕭瓛軍府佐官。　曹勒义：人名。具體事迹不詳。

[4]吳州：治所在今江蘇蘇州市。

[5]包山：一作苞山，又名洞庭山。即今江蘇蘇州市西南太湖中洞庭西山。

[6]奉公埭（dài）：地名。在今浙江杭州市蕭山區西。埭即堤埧。

[7]會稽：郡名。治所在今浙江紹興市。

[8]開府：官名。全稱爲開府儀同三司。隋置十一等散實官，加文武官之有德聲者，並不理事。開府爲第六等。正四品。隋煬帝改制時，改爲從一品。

[9]安州：治所在今湖北安陸市。　總管：官名。北周置諸州總管，隋承繼，又有增置。全稱爲總管刺史加使持節。總管的統轄範圍可達數州至十餘州，成一軍政管轄區。隋文帝在并、益、荆、揚四州置大總管，其餘州置總管。總管分上、中、下三等，品秩爲流内視從二品、正三品、從三品。

時晉王廣鎮揚州，[1]甚善於述，欲述近己，因奏爲壽州刺史總管。[2]王時陰有奪宗之志，請計於述，述曰："皇太子失愛已久，[3]令德不聞於天下。大王仁孝著稱，才能蓋世，數經將領，深有大功。主上之與内宫，咸所鍾愛，四海之望，實歸於大王。然廢立者，國家之大事，處人父子骨肉之間，誠非易謀也。然能移主上者，

唯楊素耳。[4]素之謀者，唯其弟約。[5]述雅知約，請朝京
師，與約相見，共圖廢立。"晋王大悦，多齎金寶，資
述入關。述數請約，盛陳器玩，與之酣暢，因而共博，
每佯不勝，所齎金寶盡輸之。約所得既多，稍以謝述。
述因曰："此晋王之賜，令述與公爲歡樂耳。"約大驚
曰："何爲者?"述因爲王申意。約然其説，退言於素，
素亦從之。於是素每與述謀事。晋王與述情好益密，命
述子士及尚南陽公主，[6]前後賞賜不可勝計。及晋王爲
皇太子，以述爲左衛率。[7]舊令，率官第四品，上以述
素貴，遂進率品爲第三，其見重如此。

[1]晋王廣：即隋煬帝楊廣，開皇元年被立爲晋王。紀見本書
卷三、四，《北史》卷一二。　揚州：治所在今江蘇揚州市。

[2]壽州：治所在今安徽壽縣。

[3]皇太子：即隋文帝長子楊勇。傳見本書卷四五、《北史》
卷七一。

[4]楊素：人名。傳見本書卷四八，《北史》卷四一有附傳。

[5]約：人名。即楊約。本書卷四八、《北史》卷四一有附傳。

[6]士及：人名。即宇文士及。隋任鴻臚少卿，後入唐，貞觀
中官至中書令。傳見《舊唐書》卷六三、《新唐書》卷一〇〇。
南陽公主：隋文帝長女。傳見本書卷八〇、《北史》卷九一。

[7]左衛率：官名。爲太子左衛長官。領掌東宮宮禁宿衛。煬
帝大業三年（607）改名左侍率。正四品。

煬帝嗣位，拜左衛大將軍，[1]改封許國公。[2]大業三
年，[3]加開府儀同三司，每冬正朝會，輒給鼓吹一部。[4]
從幸榆林，[5]時鐵勒契弊歌稜攻敗吐谷渾，[6]其部攜散，

遂遣使請降求救。帝令述以兵屯西平之臨羌城，[7]撫納降附。吐谷渾見述擁強兵，懼不敢降，遂西遁。述領鷹揚郎將梁元禮、張峻、崔師等追之，[8]至曼頭城，[9]攻拔之，斬三千餘級。乘勝至赤水城，[10]復拔之。

[1]左衛大將軍：官名。隋中央軍事機關十二衛中有左右衛，長官爲大將軍，掌領外軍宿衛宮禁。正三品。隋煬帝大業三年，改左右衛爲左右翊衛，仍置大將軍，品秩不變。

[2]許國公：爵名。隋九等爵的第三等。從一品。

[3]大業：隋煬帝楊廣年號（605—618）。

[4]鼓吹：演奏鼓吹樂的樂隊。

[5]榆林：郡名。治所在今內蒙古准格爾旗東北黃河南岸十二連城。

[6]鐵勒：古族名。漢稱丁零。後音變爲狄歷、敕勒、鐵勒等。因所用車輪高大亦稱高車。傳見本書卷八四、《北史》卷九九、《舊唐書》卷一九九下。（另參段連勤《丁零、高車與鐵勒》，廣西師範大學出版社2006年版）　契弊歌稜：人名。事迹不詳。按，本書《鐵勒傳》、《北史·鐵勒傳》有“契弊歌楞”，不知是否一人。　吐谷（yù）渾：古族名。本遼東鮮卑之種，姓慕容氏，西晉時西遷至群羌故地，北朝至隋唐時期游牧於今青海北部和新疆東南部地區。傳見本書卷八三、《晉書》卷九七、《魏書》卷一〇一、《周書》卷五〇、《北史》卷九六、《舊唐書》卷一九八、《新唐書》卷二二一上。

[7]西平：郡名。治所在今青海樂都縣。　臨羌城：城名。西漢置臨羌縣，治所在今青海湟源縣東南，隋大業時屬西平郡，其地約在今湟源縣。

[8]鷹揚郎將：官名。隋文帝初，置左右衛等衛府，各領軍坊、鄉團，以統軍卒。後改置驃騎將軍府，每府置驃騎、車騎二將軍，

上轄於衛府大將軍，下設大都督、帥都督、都督領兵。煬帝大業三年改驃騎府爲鷹揚府，改驃騎將軍爲鷹揚郎將，職能依舊。正五品。　梁元禮：人名。隋任鷹揚郎將，其他事迹不詳。　張峻：人名。隋任鷹揚郎將，事略見本書卷六三《衛玄傳》。　崔師：人名。隋任鷹揚郎將，其他事迹不詳。

[9]曼頭城：城名。其地疑在今青海共和縣西南一帶。

[10]赤水城：城名。其地在今青海興海縣東南黃河西岸。

　其餘黨走屯丘尼川，[1]述進擊，大破之，獲其王公、尚書、將軍二百人，[2]前後虜男女四千口而還。渾主南走雪山，[3]其故地皆空。帝大悦。明年，從帝西幸，巡至金山，[4]登燕支，[5]述每爲斥候。時渾賊復寇張掖，[6]進擊走之。還至江都宮，[7]敕述與蘇威常典選舉，[8]參預朝政。

[1]丘尼川：地名。今地不詳。

[2]王公：吐谷渾官名。品秩不詳。　尚書：吐谷渾官名。品秩不詳。　將軍：吐谷渾官名。品秩不詳。

[3]渾主：指當時吐谷渾首領伏允。　雪山：即今甘肅、青海界上的祁連山。

[4]金山：在今青海西寧市西北。

[5]燕支：山名。在今甘肅山丹縣東南。

[6]張掖：郡名。治所在今甘肅張掖市。

[7]江都宮：宮殿名。隋煬帝置，在今江蘇揚州市西。

[8]蘇威：人名。傳見本書卷四一，《北史》卷六三有附傳。

　述時貴重，委任與蘇威等，其親愛則過之。帝所得遠方貢獻及四時口味，輒見班賜，中使相望於道。[1]述善於供奉，俯仰折旋，容止便辟，宿衛者咸取則焉。又有巧思，凡有所裝飾，皆出人意表。數以奇服異物進獻宮掖，由是帝彌悦焉。時述貴倖，言無不從，勢傾朝廷。左衛將軍張瑾與述連官，[2]嘗有評議，偶不中意，述張目叱之，瑾惶懼而走，文武百僚莫敢違忤。然性貪鄙，知人有珍異之物，必求取之。富商大賈及隴右諸胡子弟，[3]述皆接以恩意，呼之爲兒。由是競加饋遺，金寶累積。後庭曳羅綺者數百，家僮千餘人，皆控良馬，被服金玉。述之寵遇，當時莫與爲比。

　　[1]中使：帝王宮廷中派出的使者，多由宦官充任。
　　[2]左衛將軍：官名。隋初中央軍事機關十二衛中有左右衛，掌宮掖禁禦，督攝仗衛。各置大將軍爲長官，並置將軍二人副之，協理府事。大業三年，隋煬帝改革官制，將左右衛改爲左右翊衛。仍置將軍，從三品。　張瑾：人名。隋煬帝時任左驍衛大將軍。事略見《通鑑》卷一八〇《隋紀》煬帝大業三年、卷一八一《隋紀》煬帝大業八年。
　　[3]隴右：地區名。泛指隴山以西地區，約當今甘肅隴山、六盤山以西和黃河以東一帶。　胡：古代稱北方和西方的少數民族爲胡。

　　及征高麗，[1]述爲扶餘道軍將。[2]臨發，帝謂述曰："禮，七十者行役以婦人從，公宜以家累自隨。古稱婦人不入軍，謂臨戰時耳。至於營壘之間，無所傷也。項籍虞姬，[3]即其故事。"述與九軍至鴨綠水，[4]糧盡，議欲班師。諸將多異同，述又不測帝意。會乙支文德來詣

其營，[5]述先與于仲文俱奉密旨，[6]令誘執文德。既而緩
縱，文德逃歸，語在《仲文傳》。述內不自安，遂與諸
將渡水追之。時文德見述軍中多飢色，欲疲述衆，每鬬
便北。述一日之中七戰皆捷，既恃驟勝，又內逼羣議，
於是遂進，東濟薩水，[7]去平壤城三十里，[8]因山爲營。
文德復遣使僞降，請述曰：“若旋師者，當奉高元朝行
在所。”[9]述見士卒疲敝，不可復戰，又平壤嶮固，卒難
致力，遂因其詐而還。衆半濟，賊擊後軍，於是大潰，
不可禁止，九軍敗績，一日一夜，還至鴨淥水，行四百
五十里。初，度遼九軍三十萬五千人，[10]及還至遼東
城，[11]唯二千七百人。帝大怒，以述等屬吏。至東
都，[12]除名爲民。

[1]高麗：古國名。高句麗之別稱。傳見本書卷八一、《周書》
卷四九、《北史》卷九四、《舊唐書》卷一九九上、《新唐書》卷二
二〇。

[2]扶餘道：特區名。即以扶餘爲中心的戰爭特區。隋朝在戰
爭中於地方設置的特區，稱“道”。

[3]項籍：人名。即項羽。紀見《史記》卷七，傳見《漢書》
卷三一。　虞姬：項羽寵姬。事見《史記·項羽本紀》。

[4]鴨淥水：即今中、朝界鴨綠江。

[5]乙支文德：人名。高句麗大將。事略見《通鑑》卷一八一
《隋紀》煬帝大業八年。

[6]于仲文：人名。傳見本書卷六〇，《北史》卷二三有附傳。

[7]薩水：即今朝鮮清川江。

[8]平壤城：城名。爲隋時古高句麗國都城，舊址在今朝鮮平
壤市大同江南岸。

〔9〕高元：人名。即高麗王元。事見本書卷八一、《北史》卷九四《高麗傳》。

〔10〕遼：水名。即今內蒙古、遼寧的遼河。

〔11〕遼東城：城名。隋大業八年置遼東郡，治所在今遼寧新民市東北遼浜塔。遼東城概屬此郡。

〔12〕東都：都城名。隋煬帝營建的東都洛陽，漢洛陽城在今河南洛陽市白馬寺東洛河北岸，隋洛陽在漢城址西十八里，跨洛河南北、瀍水東西。

明年，帝有事遼東，[1]復述官爵，待之如初。從至遼東，與將軍楊義臣率兵復臨鴨淥水。[2]會楊玄感作亂，[3]帝召述班師，令馳驛赴河陽，發諸郡兵以討玄感。時玄感逼東都，聞述軍將至，懼而西遁，將圖關中。[4]述與刑部尚書衛玄、左禦衛將軍來護兒、武衛將軍屈突通等躡之。[5]至閿鄉皇天原，[6]與玄感相及。述與來護兒列陣當其前，遣屈突通以奇兵擊其後，大破之，遂斬玄感，傳首行在所。賜物數千段。復從東征，至懷遠而還。[7]

〔1〕遼東：地區名。指遼水以東地區，此指高麗國。

〔2〕楊義臣：人名。傳見本書卷六三、《北史》卷七三。

〔3〕楊玄感：人名。傳見本書卷七〇，《北史》卷四一有附傳。

〔4〕關中：地區名。其地約今河南靈寶市及其以西陝西關中盆地和丹江流域。

〔5〕刑部尚書：官名。隋初尚書省下設都官曹，其長官稱都官尚書。開皇三年改稱刑部尚書，職掌國家法律、刑獄事務。統都官、刑部、比部、司門四曹。正三品。　衛玄：人名。傳見本書卷

六三、《北史》卷七六。 左禦衛將軍：《北史》卷七九《來護兒傳》載來護兒爲左驍衛大將軍。本書卷六四《來護兒傳》載其歷任的官職包括仁壽時右禦衛將軍、大業時右驍衛大將軍、遼東之役前轉右翊衛大將軍後又轉左翊衛大將軍。但未見他曾任職左禦衛將軍。再查《通鑑》卷一八二《隋紀》大業九年，載來護兒爲右驍衛大將軍。楊玄感作亂爲大業九年，故此時來護兒官職應爲右翊衛大將軍。 來護兒：人名。傳見本書卷六四、《北史》卷七六。武衛將軍：官名。隋中央軍事機關十二衛中有左右武衛，各置大將軍爲長官，又置將軍二人副之。掌領外軍宿衛宮禁。從三品。 屈突通：人名。隋唐名將，參與鎮壓楊玄感叛亂及隋末農民起義，後降唐，爲貞觀時凌煙閣二十四功臣之一。傳見《舊唐書》卷五九、《新唐書》卷八九。

[6]閿（wén）鄉：縣名。治所在今河南靈寶市。 皇天原：地名。一名董杜原。在今河南靈寶市西北。

[7]懷遠：鎮名。隋煬帝與高麗作戰所用的米糧儲存於此。一說在今遼寧遼中縣附近，一說即今遼寧黑山縣東姜家屯北古城子。

突厥之圍雁門，[1]帝懼，述請潰圍而出。樊子蓋固諫不可，[2]帝乃止。及圍解，車駕次太原，[3]議者多勸帝還京師，帝有難色。述因奏曰：“從官妻子多在東都，便道向洛陽，[4]自潼關而入可也。”[5]帝從之。是歲，至東都，述又觀望帝意，勸幸江都，[6]帝大悅。

[1]突厥：古族名、國名。廣義包括突厥、鐵勒諸部落，狹義專指突厥。公元六世紀時游牧於金山（今阿爾泰山）以南，因金山形似兜鍪，俗稱“突厥”，遂以名部落。西魏廢帝元年（552），土門自號伊利可汗，建立突厥汗國，樹庭於鬱督軍山（今杭愛山東段，鄂爾渾河左岸）。隋開皇二年西面可汗達頭與大可汗沙鉢略不

睦，分裂爲西突厥、東突厥兩個汗國。傳見本書卷八四、《周書》卷五〇、《北史》卷九九、《舊唐書》卷一九四、《新唐書》卷二一五。　雁門：郡名。治所在今山西代縣。

[2]樊子蓋：人名。傳見本書卷六三、《北史》卷七六。

[3]太原：郡名。治所在今山西太原市西南古城營東。

[4]洛陽：古都名。漢魏故城在今洛陽市白馬寺東洛水北岸，隋煬帝營建東京，在漢魏故城西十八里洛河兩岸。

[5]潼關：地名。在今陝西潼關縣東北楊家村附近。

[6]江都：郡名。治所在今江蘇揚州市。

　　述於江都遇疾，中使相望，帝將親臨視之，群臣苦諫乃止。遂遣司宮魏氏問述曰：[1]“必有不諱，欲何所言？”述二子化及、智及，[2]時並得罪于家，述因奏曰：“化及臣之長子，早預藩邸，願陛下哀憐之。”帝聞，泫然曰：“吾不忘也。”及薨，帝爲之廢朝，贈司徒、尚書令、十郡太守，[3]班劍四十人，[4]輼輬車，[5]前後部鼓吹，謚曰恭，帝令黃門侍郎裴矩祭以太牢，[6]鴻臚監護喪事。[7]子化及，別有傳。

[1]司宮：官名。蓋爲内宮宮官，多宦者爲之。　魏氏：全名不清，事迹不詳。

[2]化及：人名。即宇文化及。傳見本書卷八五，《北史》卷七九有附傳。　智及：人名。即宇文智及。本書卷八五、《北史》卷七九有附傳。

[3]司徒：官名。贈官。正一品。　尚書令：官名。贈官。正二品。

[4]班劍：天子賜予有功之臣的木製且刻飾花紋的禮儀用劍。

既可作爲上朝佩劍代替真劍，又可作爲儀仗佩飾。以劍首飾物的不同區分等級。

[5]輼（wēn）輬（liáng）車：古代的一種卧車。

[6]黃門侍郎：官名。隋門下省置給事黃門侍郎四人，爲副長官，協助長官審查詔令，簽署章奏，有封駁之權。大業三年，隋煬帝改革官制，減給事黃門侍郎員，並去給事之名。正四品。 裴矩：人名。傳見本書卷六七，《北史》卷三八有附傳。 太牢：古代帝王、諸侯祭祀社稷時，牛、羊、豕三牲全備爲太牢，亦作大牢。

[7]鴻臚：官署名。掌諸侯王及少數民族首領的迎送、接待、朝會、封授等禮儀以及贊導郊廟行禮、管理郡國計吏等事務。開皇三年曾廢鴻臚寺，十二年復置。長官爲鴻臚卿。

雲定興者，[1]附會於述。初，定興女爲皇太子勇昭訓，[2]及勇廢，除名配少府。[3]定興先得昭訓明珠絡帳，私賂於述，自是數共交游。定興每時節必有賂遺，并以音樂干述。述素好著奇服，炫耀時人。定興爲製馬韉，[4]於後角上缺方三寸，以露白色。世輕薄者争放學之，謂爲許公缺勢。[5]又遇天寒，定興曰："入内宿衛，必當耳冷。"述曰："然。"乃製袂頭巾，令深袝耳。[6]又學之，名爲許公袝勢。述大悦曰："雲兄所作，必能變俗。我聞作事可法，故不虚也。"

[1]雲定興：人名。《北史》卷七九有附傳。
[2]定興女：雲氏爲楊勇昭訓，有寵，生長寧王儼、平原王裕、安城王筠。其事略見本書卷四五、《北史》卷七一《房陵王勇傳》。
昭訓：内命婦名。爲皇太子内命婦之一。

　　〔3〕少府：官署名。隋煬帝分太府寺置少府監，統左尚、右尚、内尚、司織、司染、鎧甲、弓弩、掌冶等署。長官稱少府監、少監，尋改爲令、少令。並司織、司染爲織染署，廢鎧甲、弓弩二署。

　　〔4〕馬韉（jiān）：襯托馬鞍的墊子。

　　〔5〕許公：爵名。即許國公。煬帝嗣位，宇文述爵封許國公。

　　〔6〕袙（pà）：頭巾或帳子。

　　後帝將事四夷，[1]大造兵器，述薦之，因敕少府工匠並取其節度。述欲爲之求官，謂定興曰：“兄所製器仗並合上心，而不得官者，爲長寧兄弟猶未死耳。”[2]定興曰：“此無用物，何不勸上殺之。”述因奏曰：“房陵諸子，[3]年並成立。今欲動兵征討，若將從駕，則守掌爲難；若留一處，又恐不可。進退無用，請早處分。”帝從之，因鴆殺長寧，又遣以下七弟分配嶺表，[4]仍遣間使於路盡殺之。五年，大閱軍實，帝稱甲仗爲佳。述奏曰：“並雲定興之功也。”擢授少府丞。[5]尋代何稠爲少監，[6]轉衛尉少卿，[7]遷左禦衛將軍，[8]仍知少府事。十一年，授左屯衛大將軍。[9]

　　〔1〕夷：古族名。中國古代對東方各族的泛稱，亦稱東夷，或用以泛指異族人。

　　〔2〕長寧：爵名。全稱爲長寧郡王。隋九等爵的第二等。從一品。此長寧郡王爲廢太子楊勇的長子楊儼。本書卷四五、《北史》卷七一有附傳。

　　〔3〕房陵：爵名。即廢太子楊勇。隋文帝死，太子楊廣僞造高祖敕書，賜楊勇死，追封爲房陵王。

[4]嶺表：地區名。即五嶺以南的地區。五嶺，史籍記載有出入，大致爲越城、都龐、萌渚、騎田、大庾五座山，在湘、贛、粤、桂等區邊境。

[5]少府丞：官名。隋少府寺屬官，協助長官處理署内事務。從五品。

[6]何稠：人名。傳見本書卷六八、《北史》卷九〇。　少監：官名。隋少府寺副長官，尋改稱少令。從四品。

[7]衛尉少卿：官名。隋九寺中有衛尉寺，負責宮門守衛工作。長官衛尉卿，副長官爲少卿，置一人，正四品上。隋文帝開皇三年廢衛尉寺入太常及尚書省。十三年復置，掌軍器、儀仗、帳幕之事，而以監門衛掌宮門。隋煬帝改制時，增員二人，品秩降爲從四品。

[8]左禦衛將軍：官名。隋煬帝時對隋初中央軍事機關十二衛進行了調整，加置左右禦衛，負責皇帝的宿衛，置大將軍爲長官，將軍爲副長官，協理府事。從三品。

[9]左屯衛大將軍：官名。隋初中央軍事機關十二衛中有左右領軍府，掌十二軍籍帳、差科、辭訟之事。不置將軍，唯有長史、司馬等屬官。煬帝大業三年，改左右領軍府爲左右屯衛府，各置大將軍爲長官，總理府事。正三品。

　　凡述所薦達，皆至大官。趙行樞以太常樂户，[1]家財億計，述謂爲兒，多受其賄。稱其驍勇，起家爲折衝郎將。[2]

　　[1]趙行樞：人名。《北史》卷七九有附傳。　太常：官署名。即太常寺，隋九寺之一，掌宗廟禮儀，兼掌選試博士。統郊社、太廟、太祝、諸陵等署。　樂户：古代專事吹彈歌舞，供統治階級取樂的人户。身份低賤，不屬於良民。

[2]折衝郎將：官名。隋左右備身府屬官，掌領驍果，參與護衛皇帝。正四品。

郭衍

郭衍，[1]字彥文，自云太原介休人也。[2]父崇以舍人從魏武帝入關，[3]其後官至侍中。[4]衍少驍武，善騎射。周陳王純引爲左右，[5]累遷大都督。[6]時齊氏未平，[7]衍奉詔於天水募人，[8]以鎮東境，得樂徙千餘家，屯於陝城。[9]拜使持節、車騎大將軍、儀同三司。[10]每有寇至，輒率所領禦之，一歲數告捷，頗爲齊人所憚。王益親任之。

[1]郭衍：人名。傳另見《北史》卷七四。

[2]介休：縣名。治所在今山西介休市。

[3]崇：人名。即郭崇。事略見《通鑑》卷一五五《梁紀》高祖武皇帝大通四年。“崇”字底本原脱，中華本據《北史·郭衍傳》補，今從補。　舍人：官名。北魏置五等散官，其中九品散官比舍人。　魏武帝：北魏孝武帝元脩的謚號。紀見《魏書》卷一一、《北史》卷五。

[4]侍中：官名。爲西魏門下省長官。

[5]陳王純：即宇文純。北周太祖宇文泰之子，建德三年（574）進爵爲陳王。傳見《周書》卷一三、《北史》卷五八。

[6]大都督：官名。周齊交戰之際，北周始置十一等勳官，以酬戰士。大都督爲勳官第九等。八命。

[7]齊：即北齊（550—577），亦稱高齊，都鄴（今河北臨漳縣西南鄴鎮東）。

[8]天水：郡名。治所在今甘肅天水市。

[9]陝城：地名。在今河南陝縣西南。

[10]使持節：漢朝官員奉使外出時，或由皇帝授予節杖，以提高其威權。魏、晉以後，凡重要軍事長官出征或出鎮時，加使持節，可誅殺二千石以下官員。皇帝派遣大臣出巡或祭吊等事時，也使持節，以表示權力和尊崇。　車騎大將軍：軍號名。儀同府長官軍號，以車騎將軍中資深者爲車騎大將軍。金印紫綬。典京師兵衛，掌宮衛。北周爲九命。　儀同三司：勳官名。北周府兵制中儀同府長官加此勳官名，不掌具體事務。九命。

建德中，[1]周武帝出幸雲陽，[2]衍朝於行所，[3]時議欲伐齊，衍請爲前鋒。攻河陰城，[4]授儀同大將軍。[5]武帝圍晋州，[6]慮齊兵來援，令衍從陳王守千里逕。[7]又從武帝與齊主大戰於晋州，追齊師至高壁，[8]敗之。仍從平并州，[9]以功加授開府，封武强縣公，[10]邑一千二百户，[11]賜姓叱羅氏。宣政元年，[12]爲右中軍熊渠中大夫。[13]

[1]建德：北周武帝宇文邕年號（572—578）。

[2]雲陽：郡名。治所在今陝西涇陽縣西北。

[3]朝：底本作“詞”，今據中華本改。

[4]河陰城：城名。北齊置河陰郡，此河陰城概爲河陰郡，治所在今河南洛陽市東北。

[5]儀同大將軍：官名。周齊交戰之際，北周始置十一等勳官，以酬戰士。始稱儀同三司，爲勳官第八等，九命。武帝建德四年改稱儀同大將軍。品秩不變。

[6]晋州：治所在今山西臨汾市。

[7]千里逕：地名。其地在今山西霍州市東。

[8]高壁：地名。即高壁嶺，又稱韓信嶺。其地在今山西靈石縣東南。

[9]并州：治所在今山西太原市西南。

[10]武強縣公：爵名。北周十一等爵的第六等，命數不詳，非正九命則當是九命。

[11]邑：也稱食邑、封邑。是古代君王封賜給有爵位之人的一種食祿制度，受封者可徵收封地內的民戶租税充作食禄。魏晋以後，食邑分爲虚封和實封兩類：虚封一般僅冠以“邑”或“食邑”之名，這袛是一種榮譽性加銜，受封者並不能獲得實際的食禄收入；而實封一般須冠以“真食”“食實封”等名，受封者可真正獲得食禄收入。

[12]宣政：北周武帝宇文邕年號（578）。

[13]右中軍熊渠中大夫：官名。執掌不詳。正五命。

尉迴之起逆，從韋孝寬戰於武陟，[1]進戰於相州。先是，迴遣弟子勤爲青州總管，[2]率青、齊之衆來助迴。[3]迴敗，勤與迴子惇、祐等欲東奔青州。[4]衍將精騎一千追破之，執祐於陣，勤遂遁走，而惇亦逃逸。衍至濟州，[5]入據其城，又擊其餘黨於濟北，累戰破之，執送京師。超授上柱國，封武山郡公。賞物七千段。密勸高祖殺周室諸王，早行禪代。由是大被親昵。

[1]武陟：縣名。治所在今河南武陟縣南。

[2]勤：人名。即尉遲勤，尉遲迴之侄。事略見《周書》卷二一、《北史》卷六二《尉遲迴傳》。　青州：治所在今山東淄博市東北臨淄鎮北。　總管：官名。周明帝武成元年（559），以都督諸州軍事爲總管。其授總管、刺史，則加使持節諸軍事。總管的統轄範圍可達數州至十餘州，成一軍政管轄區。品秩不詳。

[3]齊：州名。治所在今山東濟南市。

[4]祐：人名。即尉遲迥之子尉遲祐。事略見《周書》卷二一、《北史》六二《尉遲迥傳》。

[5]濟州：治所在今山東茌平縣西南。

開皇元年，敕復舊姓爲郭氏。突厥犯塞，以衍爲行軍總管，領兵屯於平凉。[1]數歲，虜不入。徵爲開漕渠大監。[2]部率水土，鑿渠引渭水，[3]經大興城北，[4]東至于潼關，漕運四百餘里。關內賴之，名之曰富民渠。五年，授瀛州刺史。[5]遇秋霖大水，其屬縣多漂没，民皆上高樹，依大冢。衍親備船栰，并齎糧拯救之，民多獲濟。衍先開倉賑恤，後始聞奏。上大善之，選授朔州總管。[6]所部有恒安鎮，[7]北接蕃境，常勞轉運。衍乃選沃饒地，置屯田，歲剩粟萬餘石，民免轉輸之勞。又築桑乾鎮，[8]皆稱旨。

[1]平凉：縣名。治所在今甘肅平凉市西涇河北。

[2]開漕渠大監：差遣職名。負責開鑿河渠，爲臨時委派，事畢即徹。

[3]渭水：即今黄河中游支流渭河。

[4]大興城：古都名。爲隋國都，其地在今陝西西安市。

[5]瀛州：治所在今河北河間市。

[6]朔州：治所在今山西朔州市。

[7]恒安鎮：在今山西大同市。

[8]桑乾鎮：在今山西山陰縣南。

十年，從晋王廣出鎮揚州。遇江表構逆，[1]命衍爲總管，[2]領精銳萬人先屯京口。[3]於貴洲南與賊戰，[4]敗之，生擒魁帥，大獲舟楫糧儲，以充軍實，乃討東陽、永嘉、宣城、黟、歙諸洞，[5]盡平之。授蔣州刺史。[6]

[1]江表：地區名。指長江以南地區。

[2]總管：即行軍總管。

[3]京口：地名。在今江蘇鎮江市。

[4]貴洲：地名。在今江蘇鎮江市西北大江中。

[5]東陽：縣名。治所在今浙江金華市。　永嘉：縣名。治所在今浙江溫州市。　宣城：縣名。治所在今安徽宣城市宣州區。黟（yī）：縣名。治所在今安徽黟縣。　歙（shè）：縣名。治所在今安徽歙縣。

[6]蔣州：治所在今江蘇南京市清凉山。

衍臨下甚踞，事上姦諂。晉王愛暱之，宴賜隆厚。遷洪州總管。[1]王有奪宗之謀，托衍心腹，遣宇文述以情告之。衍大喜曰：“若所謀事果，自可爲皇太子。如其不諧，亦須據淮海，[2]復梁、陳之舊。[3]副君酒客，其如我何？”王因召衍，陰共計議。又恐人疑無故來往，托以衍妻患瘻，[4]王妃蕭氏有術能療之。[5]以狀奏高祖，高祖聽衍共妻向江都，往來無度。衍又詐稱桂州俚反，[6]王乃奏衍行兵討之。由是大修甲仗，陰養士卒。及王入爲太子，徵授左監門率，[7]轉左宗衛率。[8]高祖於仁壽宮將大漸，[9]太子與楊素矯詔，令衍、宇文述領東宮兵，[10]帖上臺宿衛，門禁並由之。及上崩，漢王起逆，[11]而京師空虛，使衍馳還，總兵居守。

[1]洪州：治所在今江西南昌市。

[2]淮海：地區名。泛指古淮水下游近海地區，約當今江蘇中部和北部一帶。

[3]梁：即南朝梁（502—557），都建康（今江蘇南京市）。

[4]癭（yǐng）：中醫學病名。頸部腫塊。多因鬱怒憂思過度、肝失條達、氣鬱痰凝，血瘀結於頸部，聚而成塊，隨吞咽而上下移動。或生活在山區與飲水有關。

[5]蕭氏：即隋煬帝蕭皇后。傳見本書卷三六、《北史》卷一四。

[6]桂州：治所在今廣西桂林市。　俚：即俚人。古代嶺南地區少數民族的泛稱。亦作里人。東漢至隋唐屢見於史籍，常與僚並稱。主要分布在今廣東西南沿海及廣西東南等地。後來，一部分逐漸融合於漢族，另一部分則移居廣西西部，發展成爲今日的壯族等民族。

[7]左監門率：官名。隋文帝置左、右監門率各一員爲太子左、右監門府之長官，從四品上，掌東宮諸門禁。煬帝大業三年改爲宮門將。

[8]左宗衛率：官名。即太子左宗衛率。隋時太子東宮掌統宗人侍衛太子，置一員。大業三年改爲太子左武侍率。正四品上。

[9]仁壽宮：宮殿名。在今陝西麟游縣西。

[10]東宮：太子所居之宮，也指太子。　兵：底本原脱，今據宋刻遞修本、汲古閣本、中華本補。

[11]漢王：即隋文帝第五子楊諒，開皇元年被立爲漢王。傳見本書卷四五、《北史》卷七一。

　　大業元年，拜左武衛大將軍。[1]帝幸江都，令衍統左軍，改授光禄大夫。[2]又從討吐谷渾，出金山道，[3]納絳二萬餘户。衍能揣上意，阿諛順旨。帝每謂人曰："唯有郭衍，心與朕同。"又嘗勸帝取樂，五日一視事，[4]無得效高祖空自劬勞。帝從之，益稱其孝順。初，新令行，衍封爵從例除。六年，以恩倖封真定侯。[5]七年，從往江都，卒。贈左衛大將軍，賵賜甚厚，諡曰襄。長子臻，[6]武牙郎將。[7]次子嗣本，[8]孝昌縣令。[9]

[1]左武衛大將軍：官名。隋中央軍事機關十二衛中有左右武衛，掌領外軍宿衛宮禁。各置大將軍一人爲長官，總理府事。正三品。

[2]光禄大夫：官名。屬散實官，煬帝大業三年廢特進，改置光禄大夫等九大夫。從一品。

[3]金山道：特區名。其地約今四川綿陽市。隋朝在戰爭中於地方設置的特區，稱"道"。

[4]事：底本原脱，今據宋刻遞修本、汲古閣本、中華本補。

[5]真定侯：爵名。即真定縣侯。隋九等爵的第六等。正二品。

[6]臻：人名。即郭臻。其他事迹不詳。

[7]武牙郎將：官名。煬帝大業三年十二衛護軍改爲武賁郎將後置，爲武賁郎將副貳。從四品。

[8]嗣本：人名。即郭嗣本。事略見《舊唐書》卷一九四、《新唐書》卷二一五《突厥傳》。

[9]孝昌：縣名。治所在今湖北孝感市北。

史臣曰：謇謇匪躬，爲臣之高節，和而不同，事君之常道。宇文述、郭衍以水濟水，如脂如韋，便辟足恭，柔顏取悦。君所謂可，亦曰可焉，君所謂不，亦曰不焉。無所是非，不能輕重，默默苟容，偷安高位，甘素餐之責，受彼己之譏。此固君子所不爲，亦丘明之深恥也。

隋書　卷六二

列傳第二十七

王韶

　　王韶字子相，[1]自云太原晋陽人也，[2]世居京兆。[3]祖諧，[4]原州刺史。[5]父諒，[6]早卒。韶幼而方雅，頗好奇節，有識者異之。在周，[7]累以軍功，官至車騎大將軍、儀同三司。[8]復轉軍正。[9]

　　[1]王韶：人名。傳另見《北史》卷七五。

　　[2]太原：郡名。治所在今山西太原市西南古城營東。　晋陽：縣名。治所在今山西太原市西南古城營。

　　[3]京兆：郡名。治所在今陝西西安市。

　　[4]諧：人名。即王諧。其他事迹不詳。

　　[5]原州：治所在今寧夏固原市。

　　[6]諒：人名。即王諒。其他事迹不詳。

　　[7]周：即北周（557—581），都長安（今陝西西安市西北郊）。

　　[8]車騎大將軍：軍號名。儀同府長官軍號，以車騎將軍中資

深者爲車騎大將軍。金印紫綬。典京師兵衛，掌宮衛。北周爲九命（參見王仲犖《北周六典》卷九《戎號第二十二》，中華書局1979年版，第593頁）。　儀同：官名。周齊交戰之際，北周始置十一等勳官，以酬戰士。儀同三司爲勳官第八等。九命。武帝建德四年（575）改稱儀同大將軍，品秩不變。

[9]軍正：官名。漢時乃軍中司法官員，權頗重。北周時有軍正中大夫，正五命；軍正下大夫，正四命。此處指代不明。

　　武帝既拔晋州，[1]意欲班師，詔諫曰：“齊失紀綱，[2]於兹累世，天獎王室，一戰而扼其喉。加以主昏於上，民懼於下，取亂侮亡，正在今日。[3]方欲釋之而去，以臣愚固，深所未解，願陛下圖之。”帝大悦，賜縑一百匹。[4]及平齊氏，以功進位開府，[5]封晋陽縣公，[6]邑五百户，[7]賜口馬雜畜以萬計。遷内史中大夫。[8]宣帝即位，[9]拜豐州刺史，[10]改封昌樂縣公。

[1]武帝：北周皇帝宇文邕的謚號。紀見《周書》卷五、六，《北史》卷一〇。　晋州：治所在今山西臨汾市。

[2]齊：即北齊（550—577），亦稱高齊，都鄴（今河北臨漳縣西南鄴鎮東）。

[3]今：底本原作“令”，據宋刻遞修本、汲古閣本、殿本、庫本、中華本改。

[4]縑：雙絲的淡黄色絹。

[5]開府：官名。全稱爲開府儀同三司，武帝建德四年改稱開府儀同大將軍。爲北周十一等勳官的第六等。九命。

[6]晋陽縣公：爵名。北周置十一等爵的第六等，命數不詳，非正九命則當是九命。

[7]邑：也稱食邑、封邑。是古代君王封賜給有爵位之人的一種食祿制度，受封者可徵收封地內的民戶租稅充作食祿。魏晉以後，食邑分爲虛封和實封兩類：虛封一般僅冠以"邑"或"食邑"之名，這祇是一種榮譽性加衔，受封者並不能獲得實際的食祿收入；而實封一般須冠以"真食""食實封"等名，受封者可真正獲得食祿收入。

[8]内史中大夫：官名。爲北周春官府屬官，掌王言。正五命。

[9]宣帝：北周皇帝宇文贇的謚號。紀見《周書》卷七、《北史》卷一〇。

[10]豐州：北周時治所在今湖北丹江口市西北。

高祖受禪，[1]進爵項城郡公，[2]邑二千戶。轉靈州刺史，[3]加位大將軍。[4]晋王廣之鎮并州也，[5]除行臺右僕射，[6]賜彩五百匹。韶性剛直，王甚憚之，每事諮詢，不致違於法度。韶嘗奉使檢行長城，其後王穿池起三山，韶既還，自鎖而諫，王謝而罷之。高祖聞而嘉歎，賜金百兩，并後宮四人。

[1]高祖：隋文帝楊堅的廟號。紀見本書卷一、二，《北史》卷一一。

[2]項城郡公：官名。隋九等爵的第四等。從一品。

[3]靈州：治所在今寧夏靈武市西南。

[4]大將軍：官名。隋文帝因改北周之制，置十一等散實官，以酬勤勞，大將軍爲第四等。正三品。

[5]晋王：即隋煬帝楊廣，開皇元年（581）被立爲晋王。紀見本書卷三、四，《北史》卷一二。　并州：治所在今山西太原市西南。

[6]行臺右僕射：官名。隋在大行政區代表中央的機構稱爲行

臺尚書省，多由軍事關係臨時設置。開皇二年，隋文帝置河北道行臺尚書省於并州，長官爲行臺尚書令，由晉王楊廣擔任，負責轄區內的軍政大事。另置左右僕射爲副長官，協理衆事。流内視從二品。

平陳之役，[1]以本官爲元帥府司馬，[2]帥師趣河陽，[3]與大軍會。既至壽陽，[4]與高熲支度軍機，[5]無所擁滯。及剋金陵，[6]詔即鎮焉。晉王廣班師，留詔於石頭防遏，[7]委以後事，歲餘。徵還，高祖謂公卿曰："晉王以幼稚出藩，遂能剋平吳越，[8]綏静江湖，子相之力也。"於是進位柱國，[9]賜奴婢三百口，綿絹五千段。

[1]陳：即南朝陳（557—589），都建康（今江蘇南京市）。

[2]元帥：或爲行軍元帥。隋行軍出征的軍事長官名。總知兵馬，節度諸軍事。多爲戰時臨時指派，戰事結束即撤。　司馬：或爲行軍司馬。爲行軍元帥的幕僚，參與出征作戰的軍事決策。多爲戰時臨時指派，戰事結束即撤。

[3]河陽：縣名。治所在今河南孟州市西南。

[4]壽陽：縣名。治所在今安徽壽縣。

[5]高熲：人名。傳見本書卷四一、《北史》卷七二。

[6]金陵：城名。戰國楚築金陵城於今江蘇南京市清凉山上，後人用金陵作爲今南京市的別稱。南朝陳定都於建康，即今南京市。

[7]石頭：城名。一名石首城，簡稱石城。在今江蘇南京市西清凉山。

[8]吳越：地區名。約爲現在的江南一帶，包括今江蘇、浙江、上海、江西東部、安徽東部及東南部、福建大部。因在春秋戰國時期此地區是吳國和越國的轄地而得名。

[9]柱國：官名。隋文帝因改北周之制，置十一等散實官，以酬勤勞。柱國爲第二等。正二品。

開皇十一年，[1]上幸并州，以其稱職，特加勞勉。其後，上謂韶曰：“自朕至此，公鬚鬢漸白，無乃憂勞所致？柱石之望，唯在於公，努力勉之！”韶辭謝曰：“臣比衰暮，殊不解作官人。”高祖曰：“是何意也？不解者，[2]是未用心耳。”韶對曰：“臣昔在昏季，猶且用心，況逢明聖，敢不罄竭！但神化精微，非駑蹇所逮。加以今年六十有六，桑榆云晚，比於疇昔，昏忘又多。豈敢自寬，以速身累，恐以衰暮，虧紊朝綱耳。”上勞而遣之。秦王俊爲并州總管，[3]仍爲長史。[4]歲餘，馳驛入京，勞弊而卒，時年六十八。高祖甚傷惜之，謂秦王使者曰：“語爾王，我前令子相緩來，如何乃遣馳驛？殺我子相，豈不由汝邪？”言甚悽愴。使有司爲之立宅，曰：“往者何用宅爲，但以表我深心耳。”又曰：“子相受我委寄，十有餘年，終始不易，寵章未極，舍我而死乎！”發言流涕。因命取子相封事數十紙，傳示群臣。上曰：“其直言匡正，裨益甚多，吾每披尋，未嘗釋手。”煬帝即位，[5]追贈司徒、尚書令、靈幽等十州刺史、魏國公。[6]子士隆嗣。[7]

[1]開皇十一年：據本書卷二《高祖紀下》，楊堅幸并州時間應爲開皇十年。開皇，隋文帝楊堅年號（581—600）。

[2]者：底本原缺，據宋刻遞修本、汲古閣本、殿本、庫本、中華本補。

　　[3]秦王俊：隋文帝第三子楊俊，開皇元年被立爲秦王。傳見本書卷四五、《北史》卷七一。　　總管：官名。北周置諸州總管，隋承繼，又有增置。全稱爲總管刺史加使持節。總管的統轄範圍可達數州至十餘州，成一軍政管轄區。隋文帝在并、益、荆、揚四州置大總管，其餘州置總管。總管分上、中、下三等，品秩爲流内視從二品、正三品、從三品。

　　[4]長史：官名。爲州級政府屬官，協助總管、刺史處理州内各項事務。其品秩依其州等級而定，上州長史爲正五品，中州長史爲從五品，下州長史爲正六品。

　　[5]煬帝：隋皇帝楊廣的謚號。紀見本書卷三、四，《北史》卷一二。

　　[6]司徒：官名。贈官。正一品。　　尚書令：官名。贈官。正二品。　　豳：州名。治所在今陝西彬縣。按，宋刻遞修本、汲古閣本、中華本同，殿本、庫本作“幽”。　　魏國公：爵名。隋九等爵的第三等。從一品。

　　[7]士隆：人名。即王士隆。《北史》卷七五有附傳。

　　士隆略知書計，尤便弓馬，慷慨有父風。大業之世，[1]頗見親重，官至備身將軍，[2]改封耿公。[3]數令討擊山賊，往往有捷。越王侗稱帝，[4]士隆率數千兵自江、淮而至。會王世充僭號，[5]甚禮重之，署尚書右僕射。[6]士隆憂憤，疽發背卒。

　　[1]大業：隋煬帝楊廣年號（605—618）。

　　[2]備身將軍：官名。隋初中央軍事機關十二衛中有左右領左右府，掌侍衛左右，供御兵仗。置大將軍爲長官，另置將軍二人爲副長官，協理府事。從三品。隋煬帝大業三年，改左右領左右府爲左右備身府，仍置將軍爲副長官。品秩不變。

[3]耿公：即耿國公。

[4]越王侗：即隋煬帝之孫，元德太子楊昭之子楊侗。大業二年被立爲越王。本書卷五九、《北史》卷七一有附傳。

[5]王世充：人名。傳見本書卷八五、《北史》卷七九、《舊唐書》卷五四、《新唐書》卷八五。

[6]尚書右僕射：官名。此爲越王侗所授偽官。

元巖

元巖，[1]字君山，河南洛陽人也。[2]父禎，[3]魏敷州刺史。[4]巖好讀書，不治章句，剛鯁有器局，以名節自許，少與勃海高熲、太原王韶同志友善。[5]仕周，釋褐宣威將軍、武賁給事。[6]大冢宰宇文護見而器之，[7]以爲中外記室。[8]累遷内史中大夫，[9]昌國縣伯。[10]

[1]元巖：人名。傳另見《北史》卷七五。

[2]河南：郡名。治所在今河南洛陽市東北。　洛陽：縣名。治所在今河南洛陽市。

[3]禎：人名。即元巖之父元禎。

[4]魏：即西魏（535—557），都長安（今陝西西安市西北郊）。　敷州：即鄜州。治所在今陝西黃陵縣西南故邑。

[5]勃海：郡名。治所在今山東陽信縣西南。

[6]釋褐：謂脫去布衣（平民服裝）而換上官服，即做官之意。　宣威將軍：官名。北周置諸戎號，授予有功的大臣，宣威將軍爲其中之一。正四命。　武賁給事：官名。北周置諸散官，並不理事，但爲加官，唯假章綬祿賜班位而已，更不別給車服吏卒，武賁給事爲其中之一。正四命。

[7]大冢宰：官名。全稱爲大冢宰卿。北周天官府長官，掌建邦之六典，輔佐天子治理國家。正七命。　宇文護：人名。西魏權臣宇文泰之侄，北周建立，宇文護專政。傳見《周書》卷一一，《北史》卷五七有附傳。

[8]中外記室：官名。全稱爲都督中外諸軍事府記室參軍。保定元年（561）春，宇文護爲都督中外諸軍事，其府名爲中外府。中外記室爲其僚佐，品秩不詳。

[9]内史中大夫：官名。爲北周春官府屬官，掌王言，參掌擬寫皇帝詔令、參議刑罰爵賞等軍國大事。置二人，正五命。

[10]昌國縣伯：爵名。北周十一等爵的第八等。正七命。

　　宣帝嗣位，爲政昏暴，京兆郡丞樂運乃輿櫬詣朝堂，[1]陳帝八失，言甚切至。帝大怒，將戮之。朝臣皆恐懼，莫有救者。巖謂人曰：“臧洪同日，[2]尚可俱死，其況比干乎！若樂運不免，吾將與之俱斃。”詣閣請見，言於帝曰：“樂運知書奏必死，所以不顧身命者，欲取後世之名。陛下若殺之，乃成其名，落其術内耳。不如勞而遣之，以廣聖度。”運因獲免。後帝將誅烏丸軌，[3]巖不肯署詔。御正顔之儀切諫不入，[4]巖進繼之，脱巾頓顙，[5]三拜三進。帝曰：“汝欲黨烏丸軌邪？”巖曰：“臣非黨軌，正恐濫誅失天下之望。”帝怒，使閹豎搏其面，[6]遂廢于家。

[1]京兆郡丞：官名。爲北周京兆郡副長官，協助京兆尹處理地方事務。品秩不詳。京兆，郡名。治所在今陝西西安市西北。樂運：人名。歷北周、隋。《周書》卷四〇、《北史》卷六二有附傳。　櫬（chèn）：棺材。

　　[2]臧洪同日：指袁紹生擒臧洪，洪忠義，寧死不降，終爲紹所殺。陳容爲洪同鄉，寧願與臧洪同日而死，也不肯投降袁紹，亦被殺。故稱臧洪同日。臧洪，傳見《三國志》卷七。

　　[3]烏丸軌：人名。即北周名將王軌，烏丸爲其所改鮮卑姓。北周官至上大將軍，封郯國公。周宣帝即位不久被殺。傳見《周書》卷四〇、《北史》卷六二。

　　[4]御正：官名。爲北周天官府屬官，有上大夫、中大夫和下大夫，任總絲綸，職在弼諧。凡諸刑罰爵賞，爰及軍國大事，皆須參議。檢《周書》卷四〇《顏之儀傳》知其官爲御正中大夫。中大夫爲正五命。　顏之儀：人名。傳見《周書》卷四〇，《北史》八三有附傳。

　　[5]頓顙（sǎng）：古代一種跪拜禮。行禮之人屈膝下跪，以額頭（顙）觸地，不露面容。多在居喪期間答拜賓客時行之，以示極度悲痛和對弔者的感謝。也在謝罪或投降的場合行之，以示極度惶恐。

　　[6]閹豎：對宦官的蔑稱。

　　高祖爲丞相，[1]加位開府、民部中大夫。[2]及受禪，拜兵部尚書，[3]進爵平昌郡公，邑二千户。巖性嚴重，明達世務，每有奏議，侃然正色，庭諍面折，無所迴避。上及公卿，皆敬憚之。時高祖初即位，每懲周代諸侯微弱，以致滅亡，由是分王諸子，權侔王室，以爲磐石之固，遣晉王廣鎮并州，蜀王秀鎮益州。[4]二王年並幼稚，於是盛選貞良有重望者爲之僚佐。于時巖與王韶俱以骨鯁知名，物議稱二人才具侔於高熲，由是拜巖爲益州總管長史，韶爲河北道行臺右僕射。[5]高祖謂之曰："公宰相大器，今屈輔我兒，如曹參相齊之意也。"[6]及巖到官，法令明肅，吏民稱焉。蜀王性好奢侈，嘗欲取獠口以爲閹人，[7]又欲生剖死囚，取膽爲藥。巖皆不奉教，排閤切諫，王輒謝而止，憚巖爲人，每循法度。蜀中獄訟，巖所裁斷，莫不悦服。其有得罪者，相謂曰："平昌公與吾罪，[8]吾何怨焉。"上甚嘉之，賞賜優洽。

[1]丞相：官名。此爲"左大丞相"或"大丞相"簡稱。北周靜帝大象二年（580）置左、右大丞相，以宗室親王宇文贊爲右大丞相，但僅有虚名；以外戚楊堅爲左大丞相，總攬朝政。旋又去左右之號，獨以楊堅爲大丞相。實爲控制北周朝廷的權臣。

[2]民部中大夫：官名。北周地官府屬官，掌丞司徒教，以籍帳之法，贊計人民之衆寡。置二人，正五命。

[3]兵部尚書：官名。隋兵部長官，掌全國武官選用和兵籍、軍械、軍令之政，下統兵部、職方、駕部、庫部四曹。正三品。

[4]蜀王秀：即隋文帝第四子楊秀，開皇元年被立爲蜀王。傳見本書卷四五、《北史》卷七一。　益州：治所在今四川成都市。

[5]河北道：特區名。即在黄河中下游以北設置的特區。隋朝在統一戰爭中於地方置特區，範圍可包括若干州，稱"道"。

[6]曹參相齊：漢高祖劉邦立長子劉肥爲齊王，以曹參爲相國，輔佐齊王治理國政。漢惠帝元年（前194），除諸侯相國法，更以曹參爲齊丞相。曹參采用黄老之術，相齊九年，齊國安集，被尊爲賢相。曹參，傳見《史記》卷五四、《漢書》卷三九。

[7]獠（lǎo）：古族名。曾活動於今廣東、廣西、湖南、四川、雲南、貴州等地區，多以漁獵爲生，已消失數百年。傳見《魏書》卷一〇一、《周書》卷四九、《北史》卷九五。

[8]平昌公：爵名。即平昌郡公。此指元巖。

十三年，卒官，上悼惜久之。益州父老，莫不殞涕，于今思之。巖卒之後，蜀王竟行其志，漸致非法，造渾天儀、司南車、記里鼓，[1]凡所被服，擬於天子。又共妃出獵，以彈彈人，多捕山獠，以充宦者。僚佐無能諫止。及秀得罪，上曰：“元巖若在，吾兒豈有是乎！”子弘嗣。[2]仕歷給事郎、司朝謁者、北平通守。[3]

[1]渾天儀：亦稱渾儀。中國古代測定天體位置的一種儀器。參本書《天文志》。 司南車：中國古代用來指示方向的車。 記里鼓：中國古代用來計數里程之鼓。以上三物，概爲天子出行時所用，親王等級不可私造。

[2]弘：人名。即元弘。事另見《北史》卷七五《元巖傳》。

[3]給事郎：官名。隋吏部屬官，開皇六年置給事等八郎，武騎等八尉。品秩爲正六品以下，從九品以上，上階爲郎，下階爲尉。大業三年，隋煬帝改制，移吏部給事郎名爲門下之職，位次黃門侍郎之下，掌省讀奉案。四員，從五品。 司朝謁者：官名。隋煬帝大業三年增置謁者臺，長官爲謁者臺大夫，掌受詔勞問，出使慰撫，持節察授，及受冤枉而申奏之。另置司朝謁者二人副之，協理臺事。從五品。 北平：郡名。治所在今河北盧龍縣。 通守：官名。煬帝大業三年以後，諸郡加置通守一員，位次太守，協助掌本郡政務。

劉行本

劉行本，[1]沛人也。[2]父璿，[3]仕梁，[4]歷職清顯。行本起家武陵國常侍。[5]遇蕭脩以梁州北附，[6]遂與叔父璠同歸于周，[7]寓居京兆之新豐。[8]每以諷讀爲事，精力忘疲，雖衣食乏絶，晏如也。性剛烈，有不可奪之志。周大冢宰宇文護引爲中外府記室。

[1]劉行本：人名。《北史》卷七〇有附傳。

[2]沛：縣名。治所在今江蘇沛縣。

[3]瓛：人名。即劉瓛。南朝梁人，具體事迹不詳。

[4]梁：即南朝梁（502—557），都建康（今江蘇南京市）。

[5]武陵國：南朝梁分封的諸侯國之一。天監十三年（514），梁高祖立皇子紀爲武陵郡王，其屬地爲武陵國。　常侍：官名。南朝梁皇弟皇子國、嗣王國、蕃王國皆置常侍官，隨侍皇弟皇子左右。此武陵國常侍爲二班。

[6]蕭脩：人名。南朝梁人，梁元帝時拜湘州刺史。《南史》卷五二有附傳。　梁州：治所在今陝西漢中市東。

[7]瑤：人名。即劉瑤。北周時官任內史中大夫。傳見《周書》卷四二、《北史》卷七〇。

[8]新豐：縣名。治所在今陝西西安市臨潼區東北。

　　武帝親總萬機，轉御正中士，[1]兼領起居注。[2]累遷掌朝下大夫。[3]周代故事，天子臨軒，掌朝典筆硯，持至御坐，則承御大夫取以進之。[4]及行本爲掌朝，將進筆於帝，承御復欲取之。行本抗聲謂承御曰：“筆不可得。”帝驚視問之，行本言於帝曰：“臣聞設官分職，各有司存。臣既不得佩承御刀，承御亦焉得取臣筆。”帝曰：“然。”因令二司各行所職。及宣帝嗣位，多失德，行本切諫忤旨，出爲河內太守。[5]

　　[1]御正中士：官名。全稱爲小御正中士，爲北周天官府屬官，御正爲北周天官府屬官，有上大夫、中大夫和下大夫，任總絲綸，

職在弼諧。凡諸刑罰爵賞，爰及軍國大事，皆須參議。其下設置上士、中士協理政事。正二命。

[2]起居注：皇帝的言行録。魏晉以後設官專修，凡與皇帝有關的朝廷大事皆按日記載，以供國史修撰所據。

[3]掌朝下大夫：官名。北周秋官府屬官，掌内外朝儀。正四命。

[4]承御大夫：官名。全稱爲承御中大夫，蓋爲侍衛皇帝左右之官。正五命。

[5]河内：郡名。治所在今河南沁陽市。

高祖爲丞相，尉迥作亂，[1]進攻懷州。[2]行本率吏民拒之，拜儀同，賜爵文安縣子。[3]及踐阼，徵拜諫議大夫，[4]檢校治書侍御史。[5]未幾，遷黃門侍郎。[6]上嘗怒一郎，於殿前笞之。行本進曰："此人素清，其過又小，願陛下少寬假之。"上不顧。行本於是正當上前曰："陛下不以臣不肖，置臣左右。臣言若是，陛下安得不聽？臣言若非，當致之於理，以明國法，豈得輕臣而不顧也！臣所言非私。"因置笏於地而退，上斂容謝之，遂原所笞者。

[1]尉迥：人名。即尉遲迥。北周太祖宇文泰之甥，周宣帝時任大前疑、相州總管。傳見《周書》卷二一、《北史》卷六二。

[2]懷州：治所在今河南沁陽市。

[3]文安縣子：爵名。北周十一等爵的第九等。正六命。

[4]諫議大夫：官名。隋門下省屬官，掌諫諍議論。從四品下。

[5]檢校：代理。　治書侍御史：官名。隋御史臺副長官，協助御史大夫轄臺中各事，專掌監察、執法。隋文帝時爲從五品，大

業三年增秩爲正五品，五年又降爲從五品。

[6]黃門侍郎：官名。隋門下省置給事黃門侍郎四人，爲副長官，協助長官審查詔令，簽署章奏，有封駁之權。大業三年減給事黃門侍郎員，並去給事之名。正四品。

于時天下大同，四夷内附，行本以党項羌密邇封域，[1]最爲後服，上表劾其使者曰：“臣聞南蠻遵校尉之統，[2]西域仰都護之威。[3]比見西羌鼠竊狗盜，[4]不父不子，無君無臣，異類殊方，於斯爲下。不悟羈縻之惠，[5]詎知含養之恩，狼戾爲心，獨乖正朔。使人近至，請付推科。”上奇其志焉。雍州别駕元肇言於上曰：[6]“有一州吏，受人餽錢三百文，[7]依律合杖一百。然臣下車之始，與其爲約。此吏故違，請加徒一年。”行本駁之曰：“律令之行，並發明詔，與民約束。今肇乃敢重其教命，輕忽憲章。欲申己言之必行，忘朝廷之大信，虧法取威，非人臣之禮。”上嘉之，賜絹百匹。

[1]党項羌：古族名。羌人的一支，分布在今青海東南部河曲和四川松潘以西山谷地帶。從事畜牧業。傳見本書卷八三、《北史》卷九六、《舊唐書》卷一九八、《新唐書》卷二二一。

[2]蠻：古族名。中國古代用以泛指四方的少數民族，有時特指長江中游及其以南地區少數民族。傳見本書卷八二、《後漢書》卷八六、《魏書》卷一〇一、《北史》卷九五、《南史》卷七九。校尉：官名。漢以後管理少數民族地區的長官。

[3]都護：官名。都護意即總監。漢宣帝時設置西域都護，爲駐西域地區的最高長官。其後廢置不常。

[4]西羌：此指党項羌。

[5]羈縻：指籠絡，使不生異心。

[6]雍州別駕：官名。隋都大興城，屬雍州，故雍州地方機構及官員設置略異於普通州郡。別駕爲雍州副長官，從四品。開皇三年四月，隋罷郡，以州統縣，改別駕爲長史。雍州，治所在今陝西西安市西北。　元肇：人名。隋開皇年間爲雍州別駕，其他事迹不詳。

[7]三百文：殿本、庫本、中華本同，宋刻遞修本、汲古閣本及《北史》卷七〇《劉行本傳》作“二百文”。

在職數年，拜太子左庶子，[1]領治書如故。皇太子虛襟敬憚。[2]時唐令則亦爲左庶子，[3]太子昵狎之，每令以弦歌教內人。行本責之曰：“庶子當匡太子以正道，何有嬖昵房帷之間哉！”令則甚慚而不能改。時沛國劉臻、平原明克讓、魏郡陸爽並以文學爲太子所親。[4]行本怒其不能調護，每謂三人曰：“卿等正解讀書耳。”時左衛率長史夏侯福爲太子所昵，[5]嘗於閤內與太子戲。福大笑，聲聞於外。行本時在閤下聞之，待其出，行本數之曰：“殿下寬容，賜汝顏色。汝何物小人，敢爲褻慢！”因付執法者治之。數日，太子爲福致請，乃釋之。太子嘗得良馬，令福乘而觀之。太子甚悅，因欲令行本復乘之。行本不從，正色而進曰：“至尊置臣於庶子之位者，欲令輔導殿下以正道，非爲殿下作弄臣也。”太子慚而止。復以本官領大興令，[6]權貴憚其方直，無敢至門者。由是請托路絶，法令清簡，吏民懷之。未幾，卒官，上甚傷惜之。及太子廢，上曰：“嗟乎！若使劉行本在，勇當不及於此。”無子。

[1]太子左庶子：官名。隋東宮分置門下坊、典書坊，以分統諸局。制比中央門下、内史二省。門下坊置太子左庶子爲長官，掌侍從贊相，駁正啓奏，輔佐太子。置二人，正四品上。

[2]皇太子：此指隋文帝長子廢太子楊勇。傳見本書卷四五、《北史》卷七一。

[3]唐令則：人名。歷北齊、北周、隋，時任楊勇東宮太子左庶子。《北史》卷六七有附傳，事另見《周書》卷三二《唐瑾傳》。

[4]沛國：郡名。治所在今安徽濉溪縣西北。　劉臻：人名。傳見本書卷七六、《北史》卷八三。事亦見《大隋故儀同三司饒陽縣開國伯劉府君（大臻）墓誌》（載劉文《陝西新見隋朝墓誌》一八，三秦出版社 2018 年版）。　平原：郡名。治所在今山東陵縣。明克讓：人名。傳見本書卷五八、《北史》卷八三。事亦見《明克讓墓誌》（載劉文《陝西新見隋朝墓誌》一六）。　魏郡：治所在今河南安陽市。　陸爽：人名。傳見本書卷五八，《北史》卷二八有附傳。

[5]左衞率長史：官名。隋東宮有左衞率，掌東宮禁衞。長史爲府内屬官。從七品。　夏侯福：人名。事略見本書卷四五《房陵王勇傳》、《通鑑》卷一七九《隋紀》文帝開皇二十年。

[6]大興：縣名。治所在今陝西西安市。

梁毗

梁毗，[1]字景和，安定烏氏人也。[2]祖越，[3]魏涇、豫、洛三州刺史，[4]郘陽縣公。[5]父茂，[6]周滄、兗二州刺史。[7]毗性剛謇，頗有學涉。周武帝時，舉明經，[8]累遷布憲下大夫。[9]平齊之役，以毗爲行軍總管長史，[10]剋并州，[11]毗有力焉。除爲別駕，[12]加儀同三司。宣政

中，^[13]封易陽縣子，邑四百户。遷武藏大夫。^[14]

[1]梁毗：人名。傳另見《北史》卷七七。

[2]安定：郡名。治所在今甘肅涇川縣北涇河北岸。　烏氏：縣名。治所在今甘肅涇川縣東北。

[3]越：人名。即梁越。北魏人，其他事迹不詳。

[4]魏：即北魏（386—557），亦稱後魏。初都平城（今山西大同市東北），公元494年遷都洛陽（今河南洛陽市東北白馬寺東）。公元534年分裂爲東魏和西魏兩個政權。東魏（534—550）都於鄴（今河北臨漳縣西南鄴鎮東），西魏（535—557）都於長安（今陝西西安市西北郊）。　涇：州名。治所在今甘肅鎮原縣東南，後移治今甘肅涇川縣北涇河北岸。　豫：州名。治所在今河南汝南縣。　洛：州名。北魏兩置洛州，一是改司州置，治所在今河南洛陽市東北。太和中復名司州。二是北魏太和十一年（487）以荊州改置，治所在今陝西商洛市商州區。

[5]郃（hé）陽縣公：爵名。北魏置諸爵位，縣公爲從第一品。

[6]茂：人名。即梁茂。北周人，其他事迹不詳。

[7]滄：州名。治所在今河北鹽山縣西南。　兗：州名。治所在今山東兗州市。

[8]明經：即通曉經學。古代選舉科目之一。漢代始以明經取士。魏晉以來，行九品中正之法，明經指德行高遠，明於經國之道。隋爲選士科舉科目之一。

[9]布憲下大夫：官名。北周秋官府屬官，掌宣表國家之刑禁。正四命。

[10]行軍總管長史：北周行軍出師，常臨時指派大將爲行軍總管，戰事結束即撤。其僚佐有長史，協助總管處理戰事事宜。

[11]并州：治所在今山西太原市西南。

　　[12]別駕：官名。北周州級屬官，其品秩依州等級而定。此處蓋爲并州別駕，并州爲正八命州，別駕爲正四命。

　　[13]宣政：北周武帝宇文邕年號（578）。

　　[14]武藏大夫：官名。北周夏官府屬官，全稱爲武藏中大夫。正五命。

　　高祖受禪，進爵爲侯。[1]開皇初，置御史官，[2]朝廷以毗鯁正，拜治書侍御史，名爲稱職。尋轉大興令，遷雍州贊治。[3]毗既出憲司，[4]復典京邑，直道而行，無所迴避，頗失權貴心，由是出爲西寧州刺史，[5]改封邯鄲縣侯。在州十一年。先是，蠻夷酋長皆服金冠，[6]以金多者爲豪儁，由此遞相陵奪，每尋干戈，邊境略無寧歲。毗患之。後因諸酋長相率以金遺毗，於是置金坐側，對之慟哭而謂之曰："此物飢不可食，寒不可衣。汝等以此相滅，不可勝數。今將此來，欲殺我邪？"一無所納，悉以還之。於是蠻夷感悟，遂不相攻擊。高祖聞而善之，徵爲散騎常侍、大理卿。[7]處法平允，時人稱之。歲餘，進位上開府。[8]

　　[1]侯：爵名。即易陽縣侯。隋九等爵的第六等。正二品。

　　[2]御史：官名。隋置御史臺，爲國家監察機關，置御史大夫、治書侍御史、侍御史、殿內侍御史、監察御史等官，專司監察百官。

　　[3]贊治：官名。隋文帝改京兆少尹爲司馬，煬帝又改爲贊治，掌通判府事。從四品。

　　[4]憲司：魏晋以來御史的別稱。

　　[5]西寧州：治所在今四川西昌市。

[6]蠻夷：舊時泛稱四方的少數民族。

[7]散騎常侍：官名。隋門下省屬官，掌部從朝直，從三品。煬帝大業三年廢此官。　大理卿：官名。隋置九寺中有大理寺，爲隋中央審判機關，掌審覈刑獄案件。長官爲大理卿，正三品。

[8]上開府：官名。全稱爲上開府儀同三司。隋文帝因改北周之制，置十一等散實官，以酬勤勞，上開府爲第五等。從三品。

毗見左僕射楊素貴寵擅權，[1]百僚震懾，恐爲國患，因上封事曰：“臣聞臣無有作威福。臣之作威福，其害乎而家，凶乎而國。竊見左僕射、越國公素，幸遇愈重，權勢日隆，搢紳之徒，[2]屬其視聽。忤意者嚴霜夏零，阿旨者膏雨冬澍，榮枯由其脣吻，廢興候其指麾。所私皆非忠讜，所進咸是親戚，子弟布列，兼州連縣。天下無事，容息異圖，四海稍虞，必爲禍始。夫姦臣擅命，有漸而來。王莽資之於積年，[3]桓玄基之於易世，[4]而卒殄漢祀，終傾晋祚。季孫專魯，[5]田氏篡齊，[6]皆載典誥，非臣臆說。陛下若以素爲阿衡，[7]臣恐其心未必伊尹也。伏願揆鑒古今，量爲處置，俾洪基永固，率土幸甚。輕犯天顏，伏聽斧鑕。”[8]高祖大怒，命有司禁止，親自詰之。毗極言曰：“素既擅權寵，作威作福，將領之處，殺戮無道。又太子及蜀王罪廢之日，百僚無不震悚，惟素揚眉奮肘，喜見容色，利國家有事以爲身幸。”毗發言謇謇，有誠亮之節，高祖無以屈也，乃釋之。素自此恩寵漸衰。但素任寄隆重，多所折挫，當時朝士無不懾伏，莫有敢與相是非。辭氣不撓者，獨毗與柳彧及尚書右丞李綱而已。[9]後上不復專委於素，蓋由察毗之言也。

[1]左僕射：官名。隋置尚書省總理政事，其主官爲尚書令，另置左、右二僕射副之。開皇三年四月詔左僕射掌判吏部、禮部、兵部三尚書事，御史糾不當者，兼糾彈之。從二品。　楊素：人名。傳見本書卷四八，《北史》卷四一有附傳。

[2]搢紳：亦作“縉紳”“薦紳”。舊時官宦的裝束，亦用爲官宦的代稱。按，宋刻遞修本、中華本同，汲古閣本、殿本、庫本作“縉紳”。

[3]王莽：人名。西漢外戚，篡位稱帝建立新朝。傳見《漢書》卷九九。

[4]桓玄：人名。東晉權臣，桓温之子，篡位稱帝，國號楚。傳見《晉書》卷九九。

[5]季孫：春秋後期魯國掌握實權的貴族“三桓”之一。魯桓公少子季友的後裔。事見《史記》卷三三《魯周公世家》。

[6]田氏：春秋後期齊國當權的大夫田桓子的後裔。公元前386年周室册命田和代替吕氏爲齊侯。事見《史記》卷三二《齊太公世家》。

[7]阿（ē）衡：官名。亦作“保衡”，師保之官，原爲保護教養幼稚之官，後變爲國君輔佐之官。引申爲任國家輔弼之任，宰相之職。一説伊尹名阿衡。

[8]鑕（zhì）：古代腰斬用的墊座。

[9]柳彧：人名。傳見本卷、《北史》卷七七。　尚書右丞：官名。隋尚書省置左右丞各一人，輔助尚書令、左右僕射處理省內事務。文帝時爲從四品，煬帝時增階爲正四品。　李綱：人名。隋文帝時任太子洗馬。傳見《舊唐書》卷六二、《新唐書》卷九九。

煬帝即位，遷刑部尚書，[1]并攝御史大夫事。[2]奏劾宇文述私役部兵，[3]帝議免述罪，毗固諍，因忤旨，遂令張衡代爲大夫。[4]毗憂憤，數月而卒。帝令吏部尚書牛弘弔之，[5]贈縑五百匹。

[1]刑部尚書：官名。隋初尚書省下設都官等六部，其長官稱都官尚書。開皇三年改稱刑部尚書，職掌國家法律、刑獄事務。統都官、刑部、比部、司門四曹。正三品。

[2]御史大夫：官名。隋御史臺長官，專掌監察、執法。從三品。

[3]宇文述：人名。傳見本書卷六一、《北史》卷七九。

[4]張衡：人名。傳見本書卷五六、《北史》卷七四。

[5]吏部尚書：官名。隋尚書省下轄六部之一吏部的長官。職掌全國的官吏任免、考課、升降、調動等事務。統吏部、主爵、司勳、考功四曹。正三品。 牛弘：人名。傳見本書卷四九、《北史》卷七二。

子敬真，[1]大業之世，爲大理司直。[2]時帝欲成光祿大夫魚俱羅之罪，[3]令敬真治其獄，遂希旨陷之極刑。未幾，敬真有疾，見俱羅爲之厲，數日而死。

[1]敬真：人名。即梁敬真。《北史》卷七七有附傳。

[2]大理司直：官名。隋置九寺中有大理寺，爲隋中央審判機關，掌審覈刑獄案件。其屬官有司直，協助大理卿處理府内各項事務，分判獄事。開皇時，員十人，從五品。大業中，增員至十六人，降爲從六品，後增員至二十人。

[3]光祿大夫：官名。隋初置六等散實官授與文武官員中功高德厚者，爲其加官，以示尊崇，並不理事。光祿大夫爲其中之一，分左右，爲第二等，正二品。隋煬帝大業三年改革官制，置九大

夫，仍爲散職，光禄大夫爲第一等，從一品。　　魚俱羅：人名。傳見本書卷六四、《北史》卷七八。

柳彧

柳彧，字幼文，河東解人也。[1]七世祖卓，[2]隨晉南遷，寓居襄陽。[3]父仲禮，[4]爲梁將，敗歸周，復家本土。彧少好學，頗涉經史。周大冢宰宇文護引爲中外府記室，久而出爲寧州總管掾。[5]武帝親總萬機，彧詣闕求試。帝異之，以爲司武中士。[6]轉鄭令。[7]平齊之後，帝大賞從官，留京者不預。彧上表曰："今太平告始，信賞宜明，酬勳報勞，務先有本。屠城破邑，出自聖規，斬將搴旗，必由神略。若負戈擐甲，征扞劬勞，[8]至於鎮撫國家，宿衛爲重。俱稟成算，非專己能，留從事同，功勞須等。皇太子以下，實有守宗廟之功。昔蕭何留守，[9]茅土先於平陽，[10]穆之居中，[11]没後猶蒙優策。不勝管見，奉表以聞。"於是留守並加泛級。[12]

[1]河東：郡名。治所在今山西永濟市西南。　　解：縣名。治所在今山西臨猗縣臨晉鎮東南。

[2]卓：人名。即柳卓。東晉人，其他事迹不詳。

[3]襄陽：郡名。治所在今湖北襄樊市。

[4]仲禮：人名。即柳仲禮。大寶元年（550）爲北周楊忠擊敗被俘。《梁書》卷四三、《南史》卷三八有附傳。

[5]寧州：治所在今甘肅寧縣。　　總管掾：官名。總管掌管州内軍政事務，其僚佐有掾，品秩不詳。

[6]司武中士：官名。北周夏官之屬，參掌皇帝宿衛。品秩不詳。

[7]鄭：縣名。治所在今河南淅川縣東南。

[8]劬（qú）勞：指勞苦勞累。

[9]蕭何：人名。西漢名相。傳見《史記》卷五三、《漢書》卷三九。

[10]茅土：古代皇帝社祭的壇用五色土建成：東方青，南方赤，西方白，北方黑，中央黃。分封諸侯時，把一種顏色的泥土用茅草包好授給受封的人，作爲分得土地的象徵。後稱封諸侯爲授茅土。　平陽：指西漢平陽侯曹參。

[11]穆之：人名。即東晉末、南朝宋的劉穆之。多次在劉裕領兵外出征戰時留守建康，總理內外事務。傳見《宋書》卷四二、《南史》卷一五。

[12]泛級：《北史》卷七七《柳彧傳》作“品級”。

　　高祖受禪，累遷尚書虞部侍郎，[1]以母憂去職。[2]未幾，起爲屯田侍郎，[3]固讓弗許。時制三品已上，門皆列戟。左僕射高熲子弘德封應國公，[4]申牒請戟。或判曰：“僕射之子更不異居，父之戟槊已列門外。尊有壓卑之義，子有避父之禮，豈容外門既設，內閣又施！”事竟不行，熲聞而歎伏。後遷治書侍御史，當朝正色，甚爲百僚之所敬憚。上嘉其婞直，謂或曰：“大丈夫當立名於世，無容容而已。”賜錢十萬，米百石。

[1]尚書虞部侍郎：官名。隋尚書省工部下轄虞部等四曹，掌山澤、苑囿、草木、薪炭、供頓等事務，長官爲侍郎。正六品上。煬帝時改稱尚書虞部郎。

[2]以母憂去職：中國古代，凡父母之喪，需服斬衰居喪三年，以報父母養育之恩。東漢以後，服斬衰之喪者如是現任官員，必須離職成服，歸家守制，叫做“丁艱”或“丁憂”，至喪期結束纔能復職。在特殊情況下，皇帝常會以處理軍國大事的需要爲由，不讓高級官員離職守喪，或者喪期未滿就令提前復職。

[3]屯田侍郎：官名。隋尚書省工部下轄屯田等四曹，掌屯田事，兼掌儀武之事，長官爲侍郎。正六品。煬帝時改稱屯田郎。

[4]高熲：人名。傳見本書卷四一、《北史》卷七二。 弘德：人名。即高熲之子高弘德。事略見本書卷四一、《北史》卷七二《高熲傳》。

于時刺史多任武將，類不稱職。或上表曰：“方今天下太平，四海清謐，共治百姓，須任其才。昔漢光武一代明哲，[1]起自布衣，備知情僞，與二十八將披荊棘，[2]定天下，及功成之後，無所職任。伏見詔書，以上柱國和干子爲杞州刺史，[3]其人年垂八十，鍾鳴漏盡。前任趙州，[4]闇於職務，政由群小，賄賂公行，百姓吁嗟，歌謠滿道。乃云：‘老禾不早殺，餘種穢良田。’古人有云：‘耕當問奴，織當問婢。’[5]此言各有所能也。干子弓馬武用，是其所長，治民蒞職，非其所解。至尊思治，無忘寢興，如謂優老尚年，自可厚賜金帛，若令刺舉，所損殊大。臣死而後已，敢不竭誠。”上善之，干子竟免。有應州刺史唐君明，[6]居母喪，娶雍州長史庫狄士文之從父妹。[7]或劾之曰：“臣聞天地之位既分，夫婦之禮斯著，君親之義生焉，尊卑之教攸設。是以孝惟行本，禮實身基，自國刑家，率由斯道。竊以愛敬之情，因心至切，喪紀之重，人倫所先。君明鑽燧雖改，[8]在文無變，忽劬勞之痛，成宴爾之親，冒此苴縗，[9]命彼褕翟。[10]不義不昵，《春秋》載其將亡，無禮無儀，詩人欲其遄死。士文贊務神州，[11]名位通顯，整齊風教，四方是則，棄二姓之重匹，[12]違六禮之軌儀。[13]請禁錮終身，以懲風俗。」二人竟坐得罪。隋承喪亂之後，風俗頹壞，或多所矯正，上甚嘉之。

[1]漢光武：即東漢皇帝劉秀的諡號。紀見《後漢書》卷一。

[2]二十八將：指輔佐光武帝劉秀建立東漢過程中，戰功顯赫的「雲臺二十八將」。

[3]上柱國：官名。隋文帝因改北周之制，置十一等散實官，以酬勤勞。上柱國爲第二等，從一品。 和干子：人名。北周封渭原公，其他事迹不詳。干，底本作「平」，今據宋刻遞修本、中華本改。 杞州：治所在今河南杞縣。

[4]趙州：治所在今河北隆堯縣東。

[5]耕當問奴，織當問婢：指做事當向內行請教，語出《宋書》卷七七《沈慶之傳》。

[6]應州：治所在今湖北廣水市。 唐君明：人名。事亦見《北齊書》卷一五《厙狄士文》，其他事迹不詳。

[7]州長史：官名。隋州置長史，協助刺史處理州内各項事務。其品秩依州級別可分爲：上州長史正五品、中州長史從五品、下州長史正六品。 厙狄士文：人名。傳見本書卷七四，《北齊書》卷一五、《北史》卷五四有附傳。

[8]鑽燧：指年歲。

[9]苴（jū）縗：指粗麻布製成的喪服。這裏指居喪期間。苴，通「粗」。

[10]褕（yú）翟：指古代王后從王祭先公之服，亦爲三夫人及

以上公妻之命服。此指結婚時的禮服。

[11]贊務：官名。隋初，雍州置牧，其屬官有贊務，從四品。開皇三年罷郡，以州統縣，改贊務爲司馬。大業三年罷州置郡，又罷司馬，唯置贊務一人輔佐郡長官，京兆、河南從四品，上郡正五品，中郡從五品，下郡正六品。其後諸郡各加置通守一人，位次太守。旋又改郡贊務爲郡丞，位在通守下。庫狄士文時任雍州長史，且當時已罷贊務一職，故僅以此官名代指協助管理州內事務。

[12]二姓：指婚姻的男女兩家。

[13]六禮：指中國古代婚禮中的納采、問名、納吉、納徵、請期和親迎。

又見上勤於聽受，百僚奏請，多有煩碎，因上疏諫曰：“臣聞自古聖帝，莫過唐、虞，[1]象地則天，布政施化，不爲叢脞，[2]是謂欽明。語曰：‘天何言哉，四時行焉。’[3]故知人君出令，誠在煩數。是以舜任五臣，[4]堯咨四岳，[5]設官分職，各有司存，垂拱無爲，天下以治。所謂勞於求賢，逸於任使。又云：‘天子穆穆，諸侯皇皇。’[6]此言君臣上下，體裁有別。比見四海一家，萬機務廣，事無大小，咸關聖聽。陛下留心治道，無憚疲勞，亦由群官懼罪，不能自決，取判天旨。聞奏過多，乃至營造細小之事，出給輕微之物，一日之內，酬答百司，至乃日旰忘食，夜分未寢，動以文簿，憂勞聖躬。伏願思臣至言，少減煩務，以怡神爲意，以養性爲懷，思武王安樂之義，念文王勤憂之理。若其經國大事，非臣下裁斷者，伏願詳決，自餘細務，責成所司，則聖體盡無疆之壽，臣下蒙覆育之賜也。”上覽而嘉之。後以忤旨免。未幾，復令視事，因謂或曰：“無改爾心。”以其家貧，敕有司爲之築宅。因曰：“柳或正直士，國之寶也。”其見重如此。

[1]唐：即陶唐氏。傳説唐爲一遠古部落，堯乃其首領，故以唐代指堯帝。詳見《史記》卷一《五帝本紀》。　虞：即有虞氏。傳説虞爲一遠古部落，舜乃其首領，故以虞代指舜帝。詳見《史記·五帝本紀》。

[2]叢脞：細碎之意。按，殿本、庫本、中華本同，宋刻遞修本、汲古閣本作“叢挫”。

[3]天何言哉，四時行焉：語出《論語·陽貨》。

[4]五臣：指舜帝的五個輔臣：禹、稷、契、皋陶和伯益。

[5]四岳：相傳爲堯舜時代的四方部落首領，曾先後推舉舜和禹繼任爲部落聯盟的首領。

[6]天子穆穆，諸侯皇皇：語出《禮記·曲禮》。

右僕射楊素當塗顯貴，[1]百僚懾憚，無敢忤者。嘗以少譴，敕送南臺。素恃貴，坐或床。或從外來，見素如此，於階下端笏整容謂素曰：[2]“奉敕治公之罪。”素遽下。或據案而坐，立素於庭，辨詰事狀。素由是銜之。或時方爲上所信任，故素未有以中之。

[1]右僕射：官名。隋置尚書省總理政事，其主官爲尚書令，另置左、右二僕射副之。開皇三年四月詔右僕射掌判都官、度支、工部三尚書事，又知用度。從二品。

[2]笏：古代大臣朝見時手中所執的狹長板子，用玉、象牙或者竹片製成，以爲指畫、記事之用，也稱“手板”。

或見近代以來，都邑百姓每至正月十五日，作角抵之戲，[1]遞相誇競，至於糜費財力，上奏請禁絕之，曰：“臣聞昔者明王訓民治國，[2]率履法度，動由禮典。非法不服，非道不行。道路不同，男女有別，防其邪僻，納諸軌度。竊見京邑，爰及外州，每以正月望夜，充街塞陌，聚戲朋游。鳴鼓聒天，燎炬照地，人戴獸面，男爲女服，倡優雜技，[3]詭狀異形。以穢嫚爲歡娛，用鄙褻爲笑樂，內外共觀，曾不相避。高棚跨路，廣幕陵雲，袨服靚妝，[4]車馬填噎。肴醑肆陳，[5]絲竹繁會，竭貲破産，競此一時。盡室并孥，無問貴賤，男女混雜，緇素不分。[6]穢行因此而生，盜賊由斯而起。浸以成俗，實有由來，因循敝風，[7]曾無先覺。非益於化，實損於民。請頒行天下，並即禁斷。康哉《雅》《頌》，足美盛德之形容，鼓腹行歌，自表無爲之至樂。敢有犯者，請以故違敕論。”詔可其奏。是歲，持節巡省河北五十二州，[8]奏免長吏贓污不稱職者二百餘人，州縣肅然，莫不震懼。上嘉之，賜絹布二百匹、氈三十領，拜儀同三司。[9]歲餘，加員外散騎常侍，[10]治書如故。仁壽初，[11]復持節巡省太原道十九州。[12]及還，賜絹百五十匹。

[1]角（jué）抵之戲：角抵原是兩個人角力以强弱定勝負的技藝表演，後世的相撲、摔跤即源於此。

[2]王：底本原作“主”，據宋刻遞修本、汲古閣本、中華本改。

[3]倡（chāng）優：古代稱以音樂歌舞或雜技戲謔娛人爲業的藝人。

[4]袨（xuàn）服：黑色的衣服，亦泛指古時盛裝。

[5]醑（xǔ）：美酒。

[6]緇素：原義指黑色和白色。引申爲僧俗兩界，因僧衆常着黑衣，白衣則爲常人之服。

[7]敝：殿本、庫本、中華本同，宋刻遞修本、汲古閣本作“弊”。

[8]持節：官員或使臣奉使外出時持有皇帝授予的節杖，以示其權威。

[9]儀同三司：官名。隋文帝因改北周之制，置十一等散實官，以酬勤勞，開府置僚佐。儀同三司爲第八等。正五品上。

[10]員外散騎常侍：官名。隋門下省屬官，掌步從朝直。正五品上。

[11]仁壽：隋文帝楊堅年號（601—604）。

[12]太原道：特區名。其地約爲今山西一帶。隋初曾在重要的戰略地區設置道，統轄數州。

　　或嘗得博陵李文博所撰《治道集》十卷，[1]蜀王秀遣人求之。或送之於秀，秀復賜或奴婢十口。及秀得罪，楊素奏或以内臣交通諸侯，除名爲民，配戍懷遠鎮。[2]行達高陽，[3]有詔徵還。至晋陽，[4]值漢王諒作亂，[5]遣使馳召或，將與計事。或爲使所逼，初不知諒反，將入城而諒反形已露。或度不得免，遂詐中惡不食，自稱危篤。諒怒，囚之。及諒敗，楊素奏或心懷兩端，以候事變，迹雖不反，心實同逆，坐徙敦煌。[6]楊素卒後，乃自申理，有詔徵還京師，卒於道。有子紹，[7]爲介休令。[8]

［1］博陵：郡名。治所在今河北定州市。　李文博：人名。傳見本書卷五八、《北史》卷八三。

［2］懷遠鎮：軍鎮名。一説在今遼寧遼中縣附近，一説在今遼寧黑山縣東姜家屯東北古城子，今兩縣接壤。

［3］高陽：縣名。治所在今河北高陽縣。

［4］晉陽：縣名。治所在今山西太原市西南古城營。

［5］漢王諒：即隋文帝第五子楊諒，開皇元年被立爲漢王。傳見本書卷四五、《北史》卷七一。

［6］敦煌：郡縣名。治所在今甘肅敦煌市。

［7］紹：人名。即柳紹，隋朝時任介休縣令，其他事迹不詳。

［8］介休：縣名。治所在今山西介休市。

趙綽

趙綽，[1]河東人也，[2]性質直剛毅。在周，初爲天官府史，[3]以恭謹恪勤，擢授夏官府下士。[4]稍以明幹見知，累轉内史中士。[5]父艱去職，哀毀骨立，世稱其孝。既免喪，又爲掌教中士。[6]高祖爲丞相，知其清正，引爲錄事參軍。[7]尋遷掌朝大夫，[8]從行軍總管是云暉擊叛蠻，[9]以功拜儀同，[10]賜物千段。

［1］趙綽：人名。傳另見《北史》卷七七。

［2］河東：郡名。治所在今山西永濟市西南蒲州鎮。

［3］天官府史：官名。爲天官府屬官，掌官書以贊治。品秩不詳。

［4］夏官府下士：官名。爲夏官府屬官，執掌品秩不詳。

［5］轉：宋刻遞修本、汲古閣本、中華本同，殿本、庫本作

"遷"。 内史中士：官名。爲春官府屬官，全稱爲小内史中士，協助内史上大夫掌王言、出納帝命。正二命。

[6]掌教中士：官名。或春官府屬官，執掌不詳。正二命。

[7]録事參軍：官名。即大丞相府録事參軍，爲丞相僚佐，品秩不詳。

[8]掌朝大夫：官名。即掌朝下大夫。

[9]行軍總管：出征軍統帥名。北周至隋時所置的統領某部或某路出征軍隊的軍事長官。根據需要其上還可置行軍元帥以統轄全局。屬臨時差遣任命之職，事罷則廢。 是云暉：人名。北周將領，其他事迹不詳。 蠻：古族名。中國古代用以泛指四方的少數民族，有時特指長江中游及其以南地區少數民族。傳見本書卷八二、《後漢書》卷八六、《魏書》卷一〇一、《北史》卷九五、《南史》卷七九。

[10]儀同：官名。全稱爲儀同三司，爲北周十一等勳官的第八等。九命。武帝建德四年改稱儀同大將軍。品秩不變。

　　高祖受禪，授大理丞。[1]處法平允，考績連最，轉大理正。[2]尋遷尚書都官侍郎，[3]未幾轉刑部侍郎。[4]治梁士彥等獄，[5]賜物三百段，奴婢十口，馬二十匹。每有奏讞，正色侃然，上嘉之，漸見親重。上以盜賊不禁，將重其法。綽進諫曰："陛下行堯、舜之道，多存寬宥。況律者天下之大信，其可失乎！"上忻然納之，因謂綽曰："若更有聞見，宜數陳之也。"遷大理少卿。[6]故陳將蕭摩訶，[7]其子世略在江南作亂，[8]摩訶當從坐。上曰："世略年未二十，亦何能爲！以其名將之子，爲人所逼耳。"因赦摩訶。綽固諫不可，上不能奪，欲綽去而赦之，固命綽退食。綽曰："臣奏獄未決，不敢退朝。"上曰："大理其爲朕特赦摩訶也。"[9]因命左右釋之。

[1]大理丞：官名。隋大理寺屬官，協助大理寺卿處理寺内各項事務。置二人，正七品。隋煬帝改制，將大理寺丞改爲勾檢官，復審已完畢的案件，並增員爲六人，分判獄事。大業五年，增秩爲從五品。

[2]大理正：官名。隋大理寺屬官，爲審案官中級别最高的一種。掌審理具體案件或出使地方復審案件，置一人，正六品下。

[3]尚書都官侍郎：官名。隋初於都官四曹之一都官曹置都官侍郎，爲該曹長官，掌非違得失事。正六品上。開皇三年職掌改爲簿録配没官司奴婢、俘囚等事，加爲從五品。煬帝大業三年諸曹侍郎並改稱"郎"，都官侍郎改名都官郎。

[4]刑部侍郎：官名。隋尚書省都官曹刑部的長官，掌刑法、獄訟之事。置一員。隋初爲正六品上，開皇三年升爲從五品。煬帝大業三年改諸曹侍郎爲郎，刑部侍郎改爲憲部郎。

[5]梁士彦：人名。傳見本書卷四〇、《北史》卷七三。

[6]大理少卿：官名。隋大理寺副長官，協助長官大理卿審覈刑獄案件。置一人，正四品。隋煬帝改制時，增員二人，品秩降爲從四品。

[7]蕭摩訶：人名。南朝陳大將，輔佐陳後主登基有功，加爲侍中、驃騎大將軍、綏建郡公。後降隋。傳見《陳書》卷三一、《南史》卷六七。

[8]世略：人名。即蕭世略。事略見本書卷六三、《北史》卷七五《元壽傳》。

[9]赦：殿本、庫本、中華本同，宋刻遞修本、汲古閣本作"放"。

刑部侍郎辛亹，[1]嘗衣緋褌，[2]俗云利於官，上以爲厭蠱，[3]將斬之。綽曰：“據法不當死，臣不敢奉詔。”上怒甚，謂綽曰：“卿惜辛亹而不自惜也？”命左僕射高潁將綽斬之，[4]綽曰：“陛下寧可殺臣，不得殺辛亹。”至朝堂，解衣當斬，上使人謂綽曰：“竟何如？”對曰：“執法一心，不敢惜死。”上拂衣而入，良久乃釋之。明日，謝綽，勞勉之，賜物三百段。時上禁行惡錢，[5]有二人在市，以惡錢易好者，武候執以聞，[6]上令悉斬之。綽進諫曰：“此人坐當杖，殺之非法。”上曰：“不關卿事。”綽曰：“陛下不以臣愚暗，置在法司，欲妄殺人，豈得不關臣事？”上曰：“撼大木不動者，當退。”對曰：“臣望感天心，何論動木！”上復曰：“啜羹者，熱則置之。天子之威，欲相挫耶？”綽拜而益前，訶之不肯退。上遂入。治書侍御史柳或復上奏切諫，上乃止。上以綽有誠直之心，每引入閤中，或遇上與皇后同榻，[7]即呼綽坐，評論得失。前後賞賜萬計。其後進位開府，[8]贈其父爲蔡州刺史。[9]

[1]辛亹：人名。隋時曾官刑部侍郎、禮部侍郎、太常少卿，事另見唐人張鷟撰《朝野僉載》卷四。

[2]褌（kūn）：有襠的褲子。

[3]厭蠱：以巫術致災禍於人。

[4]斬：宋刻遞修本、汲古閣本、中華本同，殿本、庫本作“殺”。

[5]惡錢：質量低劣的錢幣。以私鑄居多，或剪鑿舊錢而成，但有時政府亦有鑄造，名目繁多。

[6]武候：軍府名。隋中央軍事機關十二衛中有左右武候府，

長官爲大將軍，掌車駕出，先驅後殿，晝夜巡察，執捕奸非，烽候道路，水草所置。巡狩師田，則掌其營禁。隋煬帝時，改左右武候爲左右候衛，仍置大將軍。

[7]皇后：即隋文帝文獻皇后獨孤伽羅。傳見本書卷三六、《北史》卷一四。

[8]開府：官名。全稱爲開府儀同三司。隋置十一等散實官，加文武官之有德聲者，並不理事。開府爲第六等。正四品。隋煬帝改制時，改爲從一品。

[9]蔡州：治所在今河南汝南縣。

時河東薛冑爲大理卿，[1]俱名平恕。然冑斷獄以情，而綽守法，俱爲稱職。上每謂綽曰：“朕於卿無所愛惜，但卿骨相不當貴耳。”仁壽中卒官，時年六十三。上爲之流涕，中使弔祭，[2]鴻臚監護喪事。[3]有二子，元方、元襲。[4]

[1]薛冑：人名。傳見本書卷五六，《北史》卷三六有附傳。

[2]中使：帝王宮廷中派出的使者，多由宦官充任。

[3]鴻臚：官署名。掌諸侯王及少數民族首領的迎送、接待、朝會、封授等禮儀以及贊導郊廟行禮、管理郡國計吏等事務。開皇三年曾廢鴻臚寺，十二年復置。長官爲鴻臚卿。

[4]元方：人名。即趙元方，事迹不詳。　元襲：人名。即趙元襲，事迹不詳。

裴肅

裴肅，[1]字神封，河東聞喜人也。[2]父俠，[3]周民部大夫。[4]肅少剛正，有局度，少與安定梁毗同志友善。仕周，釋褐給事中士，[5]累遷御正下大夫。[6]以行軍長史從韋孝寬征淮南。[7]屬高祖爲丞相，肅聞而歎曰：“武帝以雄才定六合，[8]墳土未乾，而一朝遷革，豈天道歟！”高祖聞之，甚不悦，由是廢于家。

[1]裴肅：人名。《北史》卷三八有附傳。

[2]聞喜：縣名。治所在今山西聞喜縣東北。按，《周書》卷三五、《北史》卷三八《裴俠傳》載爲“解縣”。

[3]俠：人名。即裴俠。北周官任民部中大夫、工部中大夫。傳見《周書》卷三五、《北史》卷三八。

[4]民部大夫：官名。北周地官府屬官，全稱爲民部中大夫。掌承司徒教，以籍帳之法，贊計人民之多寡，即管理全國的户籍、掌握人口數量。置二人，正五命。

[5]釋褐：謂脱去布衣（平民服裝）而換上官服，即做官之意。　給事中士：官名。北周天官府屬官，掌理六經及諸文志，給事於帝左右，六十人。正二命。

[6]御正下大夫：官名。全稱爲小御正下大夫，北周天官府屬官。佐御正上大夫職掌草擬詔册文誥，近侍樞機。凡諸刑罰爵賞，及軍國大事，皆須參議。正四命。

[7]行軍長史：官名。北周至隋時出征軍統帥屬下的幕府僚佐官，位居幕府内衆幕僚之首，掌領幕府行政事務。屬臨時差遣任命之職，事罷則廢。　韋孝寬：人名。北朝名將，歷北魏、西魏、北周。傳見《周書》卷三一、《北史》卷六四。

[8]武帝：即北周皇帝宇文邕的謚號。紀見《周書》卷五、六，《北史》卷一〇。　六合：上下和東西南北四方，即天地四方，泛指天下或宇宙。

開皇五年，授膳部侍郎。[1]後二歲，遷朔州總管長史，[2]轉貝州長史，[3]俱有能名。仁壽中，蕭見皇太子勇、蜀王秀、左僕射高熲俱廢黜，[4]遣使上書曰：“臣聞事君之道，有犯無隱，愚情所懷，敢不聞奏。竊見高熲以天挺良才，元勳佐命，陛下光寵，亦已優隆。但鬼瞰高明，[5]世疵俊異，側目求其長短者，豈可勝道哉！願陛下録其大功，忘其小過。臣又聞之，古先聖帝，教而不誅，陛下至慈，度越前聖。二庶人得罪已久，寧無革心？願陛下弘君父之慈，顧天性之義，各封小國，觀其所爲。若能遷善，漸更增益，如或不悛，貶削非晚。今者自新之路永絶，愧悔之心莫見，豈不哀哉！”書奏，上謂楊素曰：“裴蕭憂我家事，此亦至誠也。”於是徵蕭入朝。皇太子聞之，[6]謂左庶子張衡曰：[7]“使勇自新，欲何爲也？”衡曰：“觀蕭之意，欲令如吳太伯、漢東海王耳。”[8]皇太子甚不悅。頃之，蕭至京師，見上于含章殿，[9]上謂蕭曰：“吾貴爲天子，富有四海，後宮寵幸，不過數人，自勇以下，並皆同母，非爲憎愛，輕事廢立。”因言勇不可復收之意。既而罷遣之。

[1]膳部侍郎：隋初於禮部四曹之一膳部曹置主客侍郎爲該曹長官，正六品上。開皇三年加爲從五品。煬帝大業三年諸曹侍郎並改稱“郎”，膳部侍郎改名膳部郎。掌國家的祭器、酒膳、食料，辨其品數。

[2]朔州：治所在今山西朔州市。　長史：官名。州府上佐之一，佐理一州事務，開皇三年改別駕爲長史。上州正五品，中州從五品，下州正六品。大業三年，隋煬帝罷州置郡，並罷各州長史

一職。

〔3〕貝州：治所在今河北清河縣西北。

〔4〕皇太子勇：即隋文帝長子楊勇，開皇元年被立爲皇太子，二十年廢。傳見本書卷四五、《北史》卷七一。

〔5〕鬼瞰：指鬼神窺望顯達富貴人家，將禍害其滿盈之志。

〔6〕皇太子：此指楊廣。

〔7〕左庶子：官名。隋門下坊置左庶子二員爲長官，掌侍從太子左右，贊相禮儀，駁正啓奏，監省封題，職比朝廷門下省侍中。正四品上。按，本書卷五六《張衡傳》作“右庶子”。　張衡：人名。傳見本書卷五六、《北史》卷七四。

〔8〕吳太伯：姬姓，爲商末周太王古公亶父的長子。詳見《史記》卷三一《吳太伯世家》。　東海王：此爲光武帝子劉强，建武二年（26）被立爲皇太子。其母郭皇后被廢，皇太子常不自安，請爲藩王。後光武帝封其爲東海王，並給予優待。

〔9〕含章殿：宮殿名。隋爲皇帝和皇后所居之寢殿。

未幾，上崩。煬帝嗣位，不得調者久之，蕭亦杜門不出。後執政者以嶺表荒遐，[1]遂希旨授蕭永平郡丞，[2]甚得民夷心。歲餘，卒，時年六十二。夷、獠思之，爲立廟於郁江之浦。[3]有子尚賢。[4]

〔1〕嶺表：地區名。又稱嶺南，即五嶺以南的地區。五嶺，史籍記載有出入，大致爲越城、都龐、萌渚、騎田、大庾五座山，在今湘、贛、粤、桂等省邊境。

〔2〕永平：郡名。治所在今廣西藤縣東北，北流江東岸。　郡丞：官名。隋煬帝大業三年復改州爲郡，併州長史、司馬之職，置贊治（唐人諱稱贊務）一人，爲郡太守之副貳，尋又改贊治稱爲郡丞。郡丞爲郡屬官之首，爲太守之貳，通判郡事。上郡從七品，中

郡正八品，下郡從八品。

〔3〕郫江：水名。今地不詳。

〔4〕尚賢：人名。即裴尚賢，事迹不詳。

史臣曰：猛獸之處山林，藜藿爲之不採；[1]正臣之立朝廷，姦邪爲之折謀。皆志在匡躬，義形于色，豈惟綱紀由其隆替，抑亦社稷繫以存亡者也。晋、蜀二王，帝之愛子，擅以權寵，莫拘憲令，求其恭肅，不亦難乎！元巖、王韶，任當彼相，並見嚴憚，莫敢爲非，謇諤之風，有足稱矣。行本正色於房陵，[2]梁毗抗言於楊素，直辭鯁氣，懍焉可想。趙綽之居大理，囹圄無冤，柳彧之處憲臺，姦邪自肅。然不畏强禦，梁毗其有焉，邦之司直，行本、柳彧近之矣。裴肅朝不坐，宴不預，忠誠慷慨，犯忤龍鱗，固知嫠婦憂宗周之亡，[3]處女悲太子之少，非徒語也。方諸前載，有閻纂之風焉。

〔1〕藜（lí）藿：多用以指粗劣的飯菜。藜指植物，藿指豆葉。

〔2〕房陵：即房陵王楊勇。

〔3〕嫠（lí）：寡婦。　宗周：周朝的宗廟社稷。

隋書　卷六三

列傳第二十八

樊子蓋

樊子蓋，[1]字華宗，廬江人也。[2]祖道則，[3]梁越州
刺史。[4]父儒，[5]侯景之亂奔于齊，[6]官至仁州刺史。[7]子
蓋解褐武興王行參軍，[8]出爲愼縣令，[9]東汝、北陳二郡
太守，[10]員外散騎常侍，[11]封富陽縣侯，[12]邑五百
户。[13]周武帝平齊，[14]授儀同三司，[15]治鄖州刺史。[16]

[1]樊子蓋：人名。傳另見《北史》卷七六。

[2]廬江：郡名。治所在今安徽合肥市西。

[3]道則：人名。即樊道則。其他事迹不詳。

[4]梁：即南朝梁（502—557），都建康（今江蘇南京市）。
越州：治所在今廣西合浦縣東北。

[5]儒：人名。即樊儒。其他事迹不詳。

[6]侯景之亂：南朝梁武帝末年東魏降將侯景發動的一場叛亂，
歷時五年（548—552）。侯景，傳見《梁書》卷五六、《南史》卷
八〇。　齊：即北齊（550—577），亦稱高齊，都鄴（今河北臨漳

縣西南鄲鎮東）。

　　[7]仁州：治所在今安徽固鎮縣東。

　　[8]解褐：又稱釋褐。謂脱去布衣（平民服裝）而換上官服，即做官之意。　武興王：即北齊高普，天保初，封武興郡王。傳見《北齊書》卷一四。　行參軍：官名。爲親王府僚佐之一。品秩不詳。

　　[9]愼縣：治所在今安徽肥東縣東北梁園鎮。

　　[10]東汝：郡名。治所在今河南汝州市東。按，《北史·樊子蓋傳》作“東海”。　北陳：郡名。治所在今安徽壽縣境内。隋開皇初郡廢。

　　[11]員外散騎常侍：官名。北齊集書省屬官，掌諷議左右，從容獻納，置二十人。第五品。

　　[12]富陽縣侯：爵名。爲散縣侯。第三品。

　　[13]邑：也稱食邑、封邑。是古代君王封賜給有爵位之人的一種食禄制度，受封者可徵收封地内的民户租税充作食禄。魏晋以後，食邑分爲虚封和實封兩類：虚封一般僅冠以“邑”或“食邑”之名，這祇是一種榮譽性加銜，受封者並不能獲得實際的食禄收入；而實封一般須冠以“真食”“食實封”等名，受封者可真正獲得食禄收入。

　　[14]周武帝：即北周武帝宇文邕的謚號。紀見《周書》卷五、六，《北史》卷一〇。

　　[15]儀同三司：官名。周齊交戰之際，北周始置十一等勳官，以酬戰士。儀同三司爲勳官第八等。九命。武帝建德四年（575）改稱儀同大將軍。品秩不變。（參見王仲犖《北周六典》卷九《勳官第二十》，中華書局1979年版，第579頁）

　　[16]郢州：治所在今湖北鍾祥市。

　　高祖受禪，[1]以儀同領鄉兵，[2]後除樅陽太守。[3]平

陳之役，[4]以功加上開府，[5]改封上蔡縣伯，[6]食邑七百
戶，賜物三千段，粟九千斛。拜辰州刺史，[7]俄轉嵩州
刺史。[8]母憂去職。[9]未幾，起授齊州刺史，[10]固讓，不
許。其年，轉循州總管，[11]許以便宜從事。十八年入
朝，奏嶺南地圖，[12]賜以良馬雜物，加統四州，令還任
所，遣光祿少卿柳謇之餞於霸上。[13]

［1］高祖：隋文帝楊堅的廟號。紀見本書卷一、二，《北史》
卷一一。

［2］儀同：官名。全稱爲儀同三司。隋文帝因改北周之制，置
十一等散實官，加文武官之有德聲者，以酬勤勞，並不理事，開府
置府佐。儀同三司是第八等。正五品。隋煬帝改制時廢。

［3］樅（zōng）陽：郡名。治所在今安徽樅陽縣。

［4］陳：即南朝陳（557—589），都建康（今江蘇南京市）。

［5］上開府：官名。全稱爲上開府儀同三司。隋文帝因改北周
之制，置十一等散實官，加文武官之有德聲者，以酬勤勞，並不理
事，開府置府佐。上開府爲第五等。從三品。隋煬帝改制時廢。

［6］上蔡縣伯：爵名。隋九等爵的第七等。正三品。

［7］辰州：治所在今湖南洪江市。

［8］嵩州：治所在今河南登封市。

［9］母憂去職：中國古代，凡父母之喪，需服斬衰居喪三年，
以報父母養育之恩。東漢以後，服斬衰之喪者如是現任官員，必須
離職成服，歸家守制，叫做“丁艱”或“丁憂”，至喪期結束纔能
復職。在特殊情況下，皇帝常會以處理軍國大事的需要爲由，不讓
高級官員離職守喪，或者喪期未滿就令提前復職。

［10］齊州：治所在今山東濟南市。

［11］循州：治所在今廣東惠州市惠陽區。　總管：官名。北周
置諸州總管，隋承繼，又有增置。全稱爲總管刺史加使持節。總管

的統轄範圍可達數州至十餘州，成一軍政管轄區。隋文帝在并、益、荆、揚四州置大總管，其餘州置總管。總管分上、中、下三等，品秩爲流内視從二品、正三品、從三品。

[12]嶺南：地區名。又稱"嶺表"。即五嶺以南地區。五嶺，史籍記載有出入，大至爲越城、都龐、萌渚、騎田、大庾五座山，在今湘、贛、粵、桂等省邊境。

[13]光禄少卿：官名。隋光禄寺副長官佐長官光禄卿掌祭祀、朝會、宴饗之供設，政令仰承禮部。置一人，正四品上。隋煬帝改制時，增員二人，品秩降爲從四品。　柳謇之：人名。本書卷四七、《北史》卷六四有附傳。　霸上：地名。其地在今陝西西安市東白鹿原北首。

煬帝即位，[1]徵還京師，轉涼州刺史。[2]子蓋言於帝曰："臣一居嶺表，[3]十載於兹，犬馬之情，不勝戀戀。願趨走闕庭，萬死無恨。"帝賜物三百段，慰諭遣之，授銀青光禄大夫、武威太守，[4]以善政聞。大業三年入朝，[5]帝引之内殿，特蒙褒美。乃下詔曰："設官之道，必在用賢，安人之術，莫如善政。龔、汲振德化於前，[6]張、杜垂清風於後，[7]共治天下，實資良守。子蓋幹局通敏，操履清潔，自剖符西服，[8]愛惠爲先，撫道有方，寬猛得所。處脂膏不潤其質，酌貪泉豈渝其性，故能治績克彰，課最之首。[9]凡厥在位，莫匪王臣，若能人思奉職，各展其效，朕將冕旒垂拱，[10]何憂不治哉！"於是進位金紫光禄大夫，[11]賜物千段，太守如故。

[1]煬帝：即楊廣謚號。紀見本書卷三、四，《北史》卷一二。
[2]涼州：治所在今甘肅武威市。

〔3〕嶺表：嶺南。

〔4〕銀青光禄大夫：官名。隋初置六等散實官授與文武官員中功高德厚者，爲其加官，以示尊崇，並不理事。銀青光禄大夫爲其中之一，第四等，正三品。隋煬帝大業三年改革官制，置九大夫，仍爲散職，銀青光禄大夫爲第五等，從三品。　武威：郡名。治所在今甘肅武威市。

〔5〕大業：隋煬帝楊廣年號（605—618）。

〔6〕龔：人名。指西漢龔遂。傳見《漢書》卷八九。　汲：人名。指西漢汲黯。傳見《漢書》卷五〇。二人均爲西漢時期有善政能名的循守。

〔7〕張：指西晋張斐。事見《晋書·刑法志》。　杜：指西晋杜預。傳見《晋書》卷三四。

〔8〕剖符：古代帝王分封諸侯、功臣時，以竹符爲信證，剖分爲二，君臣各執其一。後因以“剖符”爲分封、授官之稱。　西服：指西部的國土。按，“西”字原作“四”，據宋刻遞修本、汲古閣本、中華本改。服，指王畿以外的地方。

〔9〕課最：古時朝廷對官吏定期考核，檢查政績，政績最好的稱“課最”。

〔10〕冕旒：指古代帝王、諸侯、卿大夫參加重大祭祀典禮時所佩戴的冠帽，是禮冠中最尊貴的一種。此處專指皇帝的皇冠，指代皇帝、皇位。　垂拱：即統治者垂衣拱手，無需過多的政令和管理，天下就可達到太平無事。被認爲是皇帝治國的典範。

〔11〕金紫光禄大夫：官名。屬散實官。隋文帝置特進、左右光禄大夫等，以加文武官之有德聲者，並不理事。因其金印紫綬，故名。隋初爲從二品，煬帝大業三年降爲正三品。

　　五年，車駕西巡，將入吐谷渾。[1]子蓋以彼多鄣氣，[2]獻青木香以禦霧露。及帝還，謂之曰：“人道公清，定如此不？”子蓋謝曰：“臣安敢言清，止是小心不敢納賄耳。”由此賜之口味百餘斛，又下詔曰：“導德齊禮，實惟共治，懲惡勸善，用明黜陟。朕親巡河右，[3]觀省人風，所歷郡縣，訪採治績，罕遵法度，多蹈刑網。而金紫光禄大夫、武威太守樊子蓋，執操清絜，處涅不渝，立身雅正，臨人以簡。威惠兼舉，寬猛相資，故能畏而愛之，不嚴斯治。實字人之盛績，有國之良臣，宜加褒顯，以弘獎勵。可右光禄大夫，[4]太守如故。”賜縑千匹，粟麥二千斛。子蓋又自陳曰：“臣自南裔，即適西垂，常爲外臣，未居内職。不得陪屬車，[5]奉丹陛，[6]溘死邊城，没有遺恨。惟陛下察之。”帝曰：“公侍朕則一人而已，委以西方則萬人之敵，宜識此心。”

[1]吐谷（yù）渾：古族名。本遼東鮮卑之種，姓慕容氏，西晉時西遷至群羌故地，北朝至隋唐時期游牧於今青海北部和新疆東南部地區。傳見本書卷八三、《晉書》卷九七、《魏書》卷一〇一、《周書》卷五〇、《北史》卷九六、《舊唐書》卷一九八、《新唐書》卷二二一上。

[2]鄣：宋刻遞修本、中華本同，汲古閣本、殿本、庫本作“瘴”。

[3]河右：地區名。又稱河西。泛指今甘肅、青海二省黄河以西的廣大地區，即河西走廊與湟水流域一帶。

[4]右光禄大夫：官名。屬散實官。隋文帝置特進、左右光禄大夫等，以加文武官之有德聲者，並不理事。隋文帝時左、右光禄大夫皆正二品，煬帝大業三年定令，“左”爲正二品，“右”爲從二品。

［5］屬車：皇帝出行時的侍從車輛。可參本書《禮儀志》。

［6］丹陛：古時宮殿前的臺階多飾紅色，故名丹陛。也借指皇帝或者朝廷。

六年，帝避暑隴川宮，[1]又云欲幸河西。子蓋傾望鑾輿，願巡郡境，帝知之，下詔曰：“卿夙懷恭順，深執誠心，聞朕西巡，欣然望幸。丹款之至，甚有可嘉。宜保此純誠，克終其美。”是歲，朝於江都宮，[2]帝謂之曰：“富貴不還故鄉，真衣繡夜行耳。”敕廬江郡設三千人會，賜米麥六千石，使謁墳墓，宴故老。當時榮之。還除民部尚書。[3]時處羅可汗及高昌王款塞，[4]復以子蓋檢校武威太守，應接二蕃。

［1］隴川宮：宮殿名。隋大業六年置，約在今陝西西部隴山中。

［2］江都宮：宮殿名。隋煬帝置，在今江蘇揚州市。

［3］民部尚書：官名。隋沿北魏、北齊置度支尚書，開皇三年（583）改稱民部尚書，是尚書省下轄六部之一民部的長官。職掌全國土地、戶口、賦稅、錢糧之政令，統度支、戶部、金部、倉部四曹事。正三品。

［4］處羅可汗：西突厥汗國的首領之一，曾從煬帝征高麗，賜號爲“曷薩那可汗”。隋末曾迎煬帝蕭后及齊王暕之子政道入突厥。事見本書卷八四、《北史》卷九九、《舊唐書》卷一九四、《新唐書》卷二一五《突厥傳》。　高昌王：指高昌國首領麴伯雅。曾從煬帝征高麗。事見本書卷八三、《北史》卷九七、《舊唐書》卷一九八、《新唐書》卷二二一上《高昌傳》。

遼東之役，[1]徵攝左武衛將軍，[2]出長岑道。[3]後以宿衛不行。進授左光禄大夫，[4]尚書如故。其年帝還東都，[5]以子蓋爲涿郡留守。[6]九年，車駕復幸遼東，命子蓋爲東都留守。屬楊玄感作逆，[7]來逼王城，子蓋遣河南贊治裴弘策逆擊之，[8]返爲所敗，遂斬弘策以徇。國子祭酒楊汪小有不恭，[9]子蓋又將斬之。汪拜謝，頓首流血，久乃釋免。於是三軍莫不戰慄，將吏無敢仰視。玄感每盡鋭攻城，子蓋徐設備禦，至輒摧破，故久不能克。會來護兒等救至，[10]玄感解去。子蓋凡所誅殺者數萬人。

[1]遼東：地區名。泛指遼水以東地區。因高麗國位於遼東，故此遼東之役指隋征伐高麗之事。

[2]左武衛將軍：官名。隋中央軍事機關十二衛中有左右武衛，各置大將軍爲長官，又置將軍二人副之。掌領外軍宿衛宮禁。從三品。

[3]長岑道：戰區名。征伐高麗的戰爭中，隋軍被分成二十四路，征戰相應的二十四個戰區，每一個戰區爲一道。長岑道爲其中之一。《通鑑》卷一八一《隋紀》煬帝大業八年胡注載“帝指授諸軍所出之道，多用漢縣舊名”。西漢置長岑縣，治所在今朝鮮黄海南道松禾郡遠周山（一説在今朝鮮黄海南道長淵郡安海面）。

[4]左光禄大夫：官名。隋初置六等散實官授與文武官員中功高德厚者，爲其加官，以示尊崇，並不理事。光禄大夫爲其中之一，分左右，爲第二等。正二品。隋煬帝大業三年改革官制，置九大夫，仍爲散職，左光禄大夫爲第二等，正二品。

[5]東都：都城名。隋煬帝營建的東都洛陽，在今河南洛陽市。

[6]涿郡：治所在今北京城西南。

[7]楊玄感：人名。傳見本書卷七〇，《北史》卷四一有附傳。

[8]河南：郡名。隋大業三年改豫州置。治所在今河南洛陽市。

贊治：官名。隋文帝改少尹爲司馬，煬帝又改爲贊治，掌通判府事。從四品。　裴弘策：人名。隋大業九年擔任河南贊治，兵敗楊玄感，爲樊子蓋所殺。事另見《通鑑》卷一八二《隋紀》煬帝大業九年。

[9]國子祭酒：官名。爲國子寺長官。初隸太常寺，統國子、太學、四門、書算學。隋開皇十三年不隸太常寺，改爲國子學長官。仁壽元年（601）罷，惟置太學，以博士領之。大業三年改置國子監，依舊置祭酒爲長官。從三品。　楊汪：人名。傳見本書卷五六、《北史》卷七四。

[10]來護兒：人名。傳見本書卷六四、《北史》卷七六。

又檢校河南內史。[1]車駕至高陽，[2]追詣行在所。既而引見，帝逆勞之曰：“昔高祖留蕭何於關西，[3]光武委寇恂以河內，[4]公其人也。”子蓋謝曰：“臣任重器小，寧可竊譬兩賢！但以陛下威靈，小盜不足除耳。”進位光禄大夫，[5]封建安侯，[6]尚書如故。賜縑三千匹，女樂五十人。子蓋固讓，優詔不許。帝顧謂子蓋曰：“朕遣越王留守東都，[7]示以皇枝盤石；社稷大事，終以委公。特宜持重，戈甲五百人而後出，此亦勇夫重閉之義也。無賴不軌者，便誅鋤之。凡可施行，無勞形迹。今爲公別造玉麟符，[8]以代銅獸。”又指越、代二王曰：[9]“今以二孫委公與衞文昇耳。[10]宜選貞良宿德有方幅者教習之。動静之節，宜思其可。”於是賜以良田、甲第。

[1]檢校：官制用語。意爲勾稽、查核。南北朝時以他官派辦某事加“檢校”，指尚未實授其官，但已掌其職事。　河南内史：

官名。河南郡爲帝都所在，爲區別他郡，故將通守稱爲内史。主要協助河南尹處理轄區内各項事務。品秩不詳。

[2]高陽：郡名。治所在今河北定州市。

[3]高祖：即漢高祖劉邦的廟號。紀見《史記》卷八、《漢書》卷一。　蕭何：人名。西漢名相。傳見《史記》卷五三、《漢書》卷三九。　關西：地區名。漢時泛指函谷關以西的廣大地區，相當於現今的關中一帶，即陝西中部平原（渭水流域）地區。

[4]光武：即東漢皇帝劉秀的謚號。紀見《後漢書》卷一。寇恂：人名。東漢開國名將，雲臺二十八將之一。傳見《後漢書》卷一六。　河内：地區名。泛指今黃河以北地區。

[5]光禄大夫：官名。隋初置六等散實官授與文武官員中功高德厚者，爲其加官，以示尊崇，並不理事。光禄大夫爲其中之一，分左右，爲第二等。正二品。隋煬帝大業三年改革官制，置九大夫，仍爲散職，光禄大夫爲第一等。從一品。

[6]建安侯：爵名。隋九等爵的第六等。正二品。

[7]越王：即隋煬帝孫楊侗，大業二年被立爲越王。本書卷五九、《北史》卷七一有附傳。

[8]玉麟符：刻有麒麟的玉質符信。隋煬帝嘉樊子蓋之功，特爲之造玉麟符，以代銅獸，表示殊遇。

[9]代：即隋煬帝孫楊侑。大業二年被立爲代王，後爲隋恭帝。紀見本書卷五、《北史》卷一二。

[10]衛文昇：人名。即衛玄，字文昇。傳見本書卷六三、《北史》卷七六。

　　十年冬，車駕還東都，帝謂子蓋曰：“玄感之反，[1]神明故以彰公赤心耳。析珪進爵，[2]宜有令謨。”是日下詔，進爵爲濟公，[3]言其功濟天下，特爲立名，無此郡國也。賜縑三千匹，奴婢二十口。後與蘇威、宇文述陪宴積翠亭，[4]帝親以金杯屬子蓋酒，曰：“良算嘉謀，俟公後動，即以此杯賜公，用爲永年之瑞。”并綺羅百匹。

[1]反：底本原作“友”，據宋刻遞修本、汲古閣本、殿本、庫本、中華本改。

[2]析珪：古代帝王按爵位高低分頒玉圭。泛指封王、封官。

[3]濟公：官名。即濟國公。隋九等爵的第三等。從一品。

[4]蘇威：人名。傳見本書卷四一，《北史》卷六三有附傳。宇文述：人名。傳見本書卷六一、《北史》卷七九。　積翠亭：今地不詳。

　　十一年，從駕汾陽宫。[1]至于雁門，[2]車駕爲突厥所圍，[3]頻戰不利。帝欲以精騎潰圍而出，子蓋諫曰：“陛下萬乘之主，豈宜輕脱，一朝狼狽，雖悔不追。未若守城以挫其鋭，四面徵兵，可立而待。陛下亦何所慮，乃欲身自突圍！”因垂泣，“願暫停遼東之役，以慰衆望。聖躬親出慰撫，厚爲勳格，人心自奮，不足爲憂”。帝從之。其後援兵稍至，虜乃引去。納言蘇威追論勳格太重，[4]宜在斟酌。子蓋執奏不宜失信。帝曰：“公欲收物情邪？”子蓋默然不敢對。從駕還東都。時絳郡賊敬槃陀、柴保昌等阻兵數萬，[5]汾、晉苦之。[6]詔令子蓋進討。于時人物殷阜，子蓋善惡無所分別，汾水之北，[7]村塢盡焚之。百姓大駭，相率爲盜。其有歸首者，無少長悉坑之。擁數萬之衆，經年不能破賊，有詔徵還。又將兵擊宜陽賊，[8]以疾停，卒于京第，時年七十有二。上悲傷者久之，顧謂黄門侍郎裴矩曰：[9]“子蓋臨終有何語？"矩對曰："子蓋病篤，深恨雁門之耻。"帝聞而歎息，令百官就弔，賜縑三百匹，米五百斛，贈開府儀同三司，[10]謚曰景。會葬者萬餘人。武威民吏聞其死，莫不嗟痛，立碑頌德。

[1]汾陽宮：宮殿名。隋大業四年建，故址在今山西寧武縣西南管涔山上。

[2]雁門：郡名。隋大業初改代州置，治所在今山西代縣。

[3]突厥：古族名、國名。廣義包括突厥、鐵勒諸部落，狹義專指突厥。公元六世紀時游牧於金山（今阿爾泰山）以南，因金山形似兜鍪，俗稱"突厥"，遂以名部落。西魏廢帝元年（552），土門自號伊利可汗，建立突厥汗國，樹庭於鬱督軍山（今杭愛山東段，鄂爾渾河左岸）。隋開皇二年西面可汗達頭與大可汗沙鉢略不睦，分裂爲西突厥、東突厥兩個汗國。傳見本書卷八四、《周書》卷五〇、《北史》卷九九、《舊唐書》卷一九四、《新唐書》卷二一五。

[4]納言：官名。門下省長官，職掌封駁制敕，並參與軍國大政決策等，居宰相之職。置二員，正三品。

[5]絳郡：隋大業初改絳州置，治所在今山西新絳縣。　敬槃陀：人名。隋末絳郡地區起義軍領導者。事略見本書卷四《煬帝紀下》。按，其名諸書記載不一，本書卷四《煬帝紀下》載"敬盤陀"，《北史》卷一二《隋煬帝紀》載"敬盤陁"、卷七六《樊子蓋傳》載"敬槃陀"。由於史料有限，尚不能判定何者爲確。　柴保昌：人名。隋末絳郡地區起義軍領導者。事略見本書《煬帝紀下》、《新唐書》卷一《高祖紀》。

[6]汾、晋：地區名。指代今山西一帶。

[7]汾水：即今山西汾河。

[8]宜陽：郡名。治所在今河南宜陽縣。

[9]黄門侍郎：官名。隋門下省置給事黄門侍郎四人，爲副長官，協助長官審查詔令，簽署章奏，有封駁之權。大業三年，隋煬帝改革官制，減給事黄門侍郎員，並去給事之名。正四品。　裴矩：人名。傳見本書卷六七，《北史》卷三八有附傳。

[10]開府儀同三司：官名。此爲贈官。隋開皇時爲正四品，大業時爲從一品。

子蓋無他權略，在軍持重，未嘗負敗，臨民明察，下莫敢欺。然嚴酷少恩，果於殺戮，臨終之日，見斷頭鬼前後重沓爲之厲云。

史祥

史祥，[1]字世休，朔方人也。[2]父寧，[3]周少司徒。[4]祥少有文武才幹，仕周太子車右中士，[5]襲爵武遂縣公。[6]高祖踐阼，拜儀同，領交州事，[7]進爵陽城郡公。[8]祥在州頗有惠政。後數年，轉驃騎將軍。[9]

[1]史祥：人名。《北史》卷六一有附傳。事迹亦可見其子史崇基墓誌（載劉文《陝西新見隋朝墓誌》三〇《史崇基墓誌》，三秦出版社 2018 年版，第 76 頁）。

[2]朔方：郡名。治所在今陝西靖邊縣東北白城子。

[3]寧：人名。即史寧。傳見《周書》卷二八、《北史》卷六一。

[4]周：即北周（557—581），都長安（今陝西西安市西北郊）。　少司徒：官名。《周書》卷二八、《北史》卷六一《史寧傳》均記載北周孝閔帝時期史寧官拜“小司徒”。檢《北周六典》

未載"少司徒"，而僅有"小司徒"。小司徒，全稱小司徒上大夫。北周仿《周禮》建六官。地官府設小司徒上大夫爲副職。輔助正職大司徒卿掌建邦之教法；稽考全國人口，辨明其貴賤、老幼、是否殘疾等情況，並依此免除他們的力役等；同時還掌祭祀、飲食、喪葬等禮儀及禁令；並且負責頒布校計户口、財物的法則給地方官員。正六命。

　　[5]太子車右中士：官名。爲北周東宮屬官，掌太子輿馬等事務。正二命。

　　[6]武遂縣公：爵名。北周十一等爵的第六等。命數不詳，非正九命則當是九命。

　　[7]交州：治所在今甘肅秦安縣東北。

　　[8]陽城郡公：爵名。隋九等爵的第四等。從一品。

　　[9]驃騎將軍：官名。隋文帝采北周之制，置四十三散號將軍，加文武官之有德聲者，並不理事。驃騎將軍爲其一。正四品。

　　伐陳之役，從宜陽公王世積，[1]以舟師出九江道，[2]先鋒與陳人合戰，破之，進拔江州。[3]上聞而大悦，下詔曰："朕以陳叔寶世爲僭逆，[4]挺虐生民，[5]故命諸軍，救彼塗炭。小寇狼狽，顧恃江湖之險，遂敢泛舟楫擬抗王師。公親率所部，[6]應機奮擊，沉溺俘獲，厥功甚茂。又聞帥旅進取江州。行軍總管、襄邑公賀若弼既獲京口，[7]新義公韓擒尋剋姑熟。[8]驃騎既渡江岸，所在橫行。晉王兵馬即入建業，[9]清蕩吴、越，[10]旦夕非遠。驃騎高才壯志，是朕所知，善爲經略，以取大賞，使富貴功名永垂竹帛也。"進位上開府。尋拜蘄州總管，[11]未幾，徵拜左領左右將軍。[12]後以行軍總管從晉王廣擊突厥於靈武，[13]破之。遷右衛將軍。[14]

　　[1]宜陽公：指宜陽郡公。北周十一等爵的第五等。正九命。
王世積：人名。傳見本書卷四〇，《北史》卷六八有附傳。

　　[2]九江道：特區名。其地約今江西一帶。

　　[3]江州：治所在今江西九江市。

　　[4]陳叔寶：人名。即南朝陳後主。紀見《陳書》卷六、《南
史》卷一〇。

　　[5]挺（shān）：擾亂，引發禍亂。

　　[6]率：宋刻遞修本、殿本、庫本、中華本同，汲古閣本作
“軍”。

　　[7]行軍總管：出征軍統帥名。北周至隋時所置的統領某部或
某路出征軍隊的軍事長官。根據需要其上還可置行軍元帥以統轄全
局。屬臨時差遣任命之職，事罷則廢。　　襄邑公：爵名。指襄邑縣
公。隋九等爵的第五等。從一品。　　賀若弼：人名。傳見本書卷五
二，《北史》卷六八有附傳。　　京口：地名。在今江蘇鎮江市。

　　[8]新義公：指新義郡公。北周十一等爵的第五等。正九命。
隋立國，承襲不變。　　韓擒：人名。即韓擒虎。唐人因避“李虎”
諱，而省“虎”字。傳見本書卷五二，《北史》卷六八有附傳。
姑熟：城名。約在今安徽當塗縣。

　　[9]晉王：即隋煬帝楊廣。開皇元年曾被立爲晉王。紀見本書
卷三、四，《北史》卷一二。　　建業：都城名。爲南朝陳國都建康
舊稱，西晉時曾改稱建鄴。其地在今江蘇南京市。

　　[10]吳、越：地區名。指春秋吳、越兩國故地，約今蘇浙皖大
部地區。此處代指南朝陳。

　　[11]蘄州：治所在今湖北蘄春縣。

　　[12]左領左右將軍：官名。隋中央軍事機關十二衛中有左右領
左右府，長官爲大將軍，將軍爲副長官，置二人，協助大將軍掌侍
衛左右，供御兵仗。從三品。隋煬帝時，改左右領左右府爲左右備
身府，不再屬中央十二衛，改置備身郎將一人、直齋二人爲正副長

官，掌侍衞皇帝左右。正四品。按，宋刻遞修本、中華本同，汲古閣本、殿本、庫本作"左領軍右將軍"。

[13]靈武：縣名。治所在今寧夏平羅縣陶樂鎮。

[14]右衞將軍：官名。隋中央軍事機關十二衞中有左右衞，長官爲大將軍，將軍爲副長官，置二人，協助大將軍掌領外軍宿衞宮禁。從三品。隋煬帝時，改左右衞爲左右翊衞，仍置二將軍爲副職，品秩不變。

仁壽中，[1]率兵屯弘化以備胡。[2]煬帝時在東宮，[3]遺祥書曰：

將軍總戎塞表，胡虜清塵，秣馬休兵，猶事校獵，足使李廣慚勇，[4]魏尚愧能，[5]冠彼二賢，獨在吾子。昔余濫舉，推轂治兵，振皇靈於塞外，驅犬羊乎大漠。于時同行軍旅，契闊戎旃，[6]望龍城而衝冠，[7]眄狼居而發憤。[8]將軍英圖不世，猛氣無前，但物不遂心，儜俛從事。[9]每一思此，我勞如何。將軍宿心素志，早同膠漆，久而敬之，方成魚水。近者陪隨鑾駕，言旋上京，本即述職南蕃，宣條下國，不悟皇鑒曲發，備位少陽，[10]戰戰兢兢，如臨冰谷。至如建節邊境，征伐四方，褰帷作牧，[11]綏撫百姓，上稟成規，下盡臣節，是所願也，是所甘心。仰慕前修，庶得自效。謬其入守神器，元良萬國，身輕負重，何以克堪！所望故人，匡其不逮。比監國多暇，養疾閑宮，厭北閣之端居，[12]罷南皮之馳射。[13]博望之苑，[14]既乏名賢，飛蓋之園，理乖終宴。親朋遠矣，琴書寂然，想望吾賢，疢如疾首。

[1]仁壽：隋文帝楊堅年號（601—604）。

[2]弘化：縣名。隋開皇十八年置，治所在今甘肅慶陽市北。胡：古代稱北方和西方的少數民族爲胡。

[3]煬帝時在東宫：開皇二十年，楊廣被立爲皇太子。

[4]李廣：人名。西漢著名將領，防禦匈奴有功。傳見《史記》卷一〇九、《漢書》卷五四。

[5]魏尚：人名。西漢著名將領，防禦匈奴有功。事見《史記》卷一〇二、《漢書》卷五〇《馮唐傳》。

[6]契闊戎旃（zhān）：指作戰十分辛苦。契闊，指勞苦，勤勞。旃，指古代旌旗。

[7]龍城：古地名。此指漢代盧龍城，屬右北平郡，是李廣駐軍抗擊匈奴的地方，其地在今河北盧龍縣。

[8]眄（miǎn）：看、望。 狼居：古山名。此指漢武帝時大將霍去病出兵漠北與匈奴打仗時所封的一座山，稱"狼居胥山"。大概在今中蒙邊境附近，一説爲今蒙古國境內的肯特山。可參《史記》卷一一一《衛將軍驃騎列傳》、《漢書》卷五五《霍去病傳》。

[9]僶俛從事：指努力工作。

[10]少陽：本指初生之日，方向爲東。故引申爲東宫、太子之意。

[11]褰（qiān）帷：本指撩起帷幔。後引申爲官吏接近百姓，實施廉政之意。典出《後漢書》卷三一《賈琮傳》。

[12]北閣：所指不詳。

[13]南皮之馳射：典出《文選》曹丕《與朝歌令吳質書》："每念昔日南皮之游，誠不可忘。"記載漢末建安中，曹丕與友人吳質等文酒射雉，歡聚於南皮，傳爲佳話。後成爲稱述朋友間雅集宴游的典故。

[14]博望：漢宫苑名。故址在今陝西西安市西北漢長安故城南。乃漢武帝爲戾太子劉據建，以供其交結賓客。此處指東宫。

祥答書曰：

行人戾止，奉所賜况，恩紀綢繆，形於文墨。不悟飛雪增冰之地，忽載三陽，[1]毳幙韋韝之鄉，[2]俄聞九奏。精駭思越，莫知啓處。祥少不學軍旅，長遇升平，幸以先人緒餘，備職宿衛。懼駑蹇無致遠之用，[3]朽薄非折衝之材，豈欲追蹤古人，語其優劣？曩者王師薄伐，[4]天人受脤，[5]絶漠揚旌，威震海外。當此之時，猛將如雲，謀夫如雨。至若祥者，列於卒伍，預聞指蹤之規，得免逗遛之責，循涯揣分，實爲幸甚。爰以情喻雷、陳，[6]事方劉、葛，[7]信聖人之屈己，非庸人之擬議。[8]何則？川澤之大，污潦攸歸，[9]松柏之高，蔦蘿斯托。[10]微心眷眷，孟侯所知也。[11]抑惟體元良之德，焕重離之暉，三善克修，萬邦以正。斯固道高周誦，[12]契叶商皓，[13]豈在管蠡所能窺測！[14]伏承監國多暇，養德怡神，咀嚼六經，[15]逍遥百氏。追西園之愛客，[16]眷南皮之出游，疇昔之恩，無忘造次。祥自忝式遏，載罹寒暑，身在邊隅，情馳魏闕。[17]每至清風夕起，朗月孤照，想鳴葭之啓路，[18]思托乘於後車。塞表京華，山川悠遠，瞻望浮雲，伏增潛結。

太子甚親遇之。

[1]三陽：指春天，或農曆正月。

[2]毳（cuì）幙（mù）韋韝（gōu）：指代北方游牧民族。毳幙，指游牧民族居住的氈帳。韋韝，指皮製的臂衣，爲古代北方游牧民族的裝束。

[3]駑蹇：指用劣馬跛驢拉的車子。比喻才能低下。駑，指劣

馬。蹇，指跛驢。

[4]曩者：以前，過去的。

[5]受脤（shèn）：受命統軍。

[6]雷、陳：指東漢雷義與陳重。典出《後漢書》卷八一《雷義傳》，雷義與陳重爲同郡人，二人友好情篤，鄉人諺云："膠漆自謂堅，不如雷與陳。"後用"雷陳"比喻交誼深厚的朋友。

[7]劉、葛：指劉備與諸葛亮。

[8]庸人：殿本、庫本、中華本同，宋刻遞修本、汲古閣本作"庸夫"。

[9]污潦：指積水，積水坑。

[10]蔦（niǎo）蘿：一種寄生植物。典出《詩·小雅·頍弁》"蔦與女蘿，施于松柏"。比喻兄弟親戚相互依附。

[11]孟侯：指諸侯之長。此指楊廣。

[12]周誦：指西周成王姬誦。詳見《史記》卷四《周本紀》。

[13]商皓：此爲"商山四皓"的省稱，即東園公、角（一作甪）里先生、綺里季、夏黄公。避秦亂，隱商山，年皆八十有餘，鬚眉皆白，時稱商山四皓。此借指高士。

[14]管蠡所能窺測：比喻對事物的觀察和瞭解很狹窄、片面，見識短淺。蠡測，指用葫蘆做的瓢測量海水。

[15]六經：指經過孔子整理而傳授的六部先秦古籍，即《詩經》《尚書》《儀禮》《樂經》《周易》《春秋》。

[16]西園：古園林名。説法衆多。一説爲漢上林苑，其地跨現在的陝西西安市、周至縣、户縣、藍田縣等地。一説爲曹魏時期所建的園林，其地在今河北臨漳縣。曹植曾游於此。

[17]情馳魏闕：指臣民心在朝廷，關心國事。典出《莊子·讓王》："身在江海之上，心居乎魏闕之下。"魏闕，指古代天子和諸侯宮外的樓觀，其下懸布法令，因以代稱朝廷。

[18]葭：通"笳"。一種古代管樂器。

煬帝即位，漢王諒發兵作亂，[1]遣其將綦良自滏口徇黎陽，[2]塞白馬津，[3]余公理自太行下河内。[4]帝以祥爲行軍總管，軍於河陰，[5]久不得濟。祥謂軍吏曰："余公理輕而無謀，才用素不足稱，又新得志，謂其衆可恃。恃衆必驕。且河北人先不習兵，所謂擁市人而戰。以吾籌之，不足圖也。"乃令軍中修攻具，公理使諜知之，果屯兵於河陽内城以備祥。[6]祥於是艤船南岸，[7]公理聚甲以當之。祥乃簡精鋭於下流潛渡，公理率衆拒之。祥至須水，兩軍相對，公理未成列，祥縱擊，大破之。[8]東趣黎陽討綦良等。良列陣以待，兵未接，良棄軍而走。於是其衆大潰，祥縱兵乘之，殺萬餘人。進位上大將軍，[9]賜縑彩七千段，女妓十人，良馬二十匹。轉太僕卿。[10]帝嘗賜祥詩曰："伯奭朝寄重，夏侯親遇深。貴耳唯聞古，賤目詎知今，早擲勁草質，久有背淮心。掃逆黎山外，[11]振旅河之陰。功已書王府，留情《太僕箴》。"祥上表辭謝，帝降手詔曰："昔歲勞公問罪河朔，[12]賊爾日塞兩關之路，據倉阻河，百姓脅從，人亦衆矣。公竭誠奮勇，一舉剋定。《詩》不云乎：'喪亂既平，既安且寧。'[13]非英才大略，其孰能與於此邪！故聊示所懷，亦何謝也。"

[1]漢王諒：即隋文帝第五子楊諒，開皇元年被立爲漢王。傳見本書卷四五、《北史》卷七一。

[2]綦良：人名。漢王諒部將。事略見本書《庶人諒傳》、卷八〇《元務光母傳》。　滏口：即滏口陘。位於今河北邯鄲市。黎陽：縣名。治所在今河南浚縣東北。

[3]白馬津：在今河南滑縣東北，與黃河北岸的黎陽津相對，爲兵家必争之地。

[4]余公理：人名。漢王諒部將。事略見本書《庶人諒傳》、《通鑑》卷一八〇《隋紀》高祖仁壽四年。　太行：山名。即今太行山。　河內：縣名。治所在今河南沁陽市。

[5]河陰：縣名。治所在今河南宜陽縣東。

[6]河陽：縣名。治所在今河南孟州市南。

[7]艤（yǐ）船：停船靠岸。

[8]"祥至須水"至"大破之"：此句底本原無，據宋刻遞修本、中華本補。須水，水名。源出今河南滎陽市東南，北流至鄭州市西匯索水爲須索水。

[9]上大將軍：官名。隋文帝因改北周之制，置十一等散實官，以酬勤勞。上大將軍爲第三等。從二品。

[10]太僕卿：官名。隋太僕寺主官，掌皇帝的輿馬和馬政。置一人，正三品。隋煬帝改制時，降爲從三品。

[11]黎山：又稱黎陽山。在今河南浚縣東南。

[12]河朔：地區名。泛指黃河以北的廣大地區。

[13]喪亂既平，既安且寧：語出《詩·小雅·常棣》。

　　尋遷鴻臚卿。[1]時突厥啓民可汗請朝，[2]帝遣祥迎接之。從征吐谷渾，祥率衆出間道擊虜，[3]破之，俘男女千餘口。賜奴婢六十人，馬三百匹。[4]進位左光禄大夫，拜左驍衛將軍。[5]及遼東之役，出蹋頓道，[6]不利而還。由是除名爲民。俄拜燕郡太守，[7]被賊高開道所圍，[8]祥稱疾不視事。及城陷，開道甚禮之。會開道與羅藝通和，[9]送祥於涿郡，卒於塗。

[1]鴻臚卿：官名。隋鴻臚寺長官，掌諸侯王及少數民族首領的迎送、接待、朝會、封授等禮儀以及贊導郊廟行禮、管理郡國計吏等事。正三品。開皇三年曾廢鴻臚寺，十二年復置。隋煬帝改制時，降爲從三品。

[2]啓民可汗：東突厥可汗，名染干，沙鉢略可汗之子。事見本書卷八四、《舊唐書》卷一九四、《新唐書》卷二一五《突厥傳》。

[3]間道：中華書局新修訂本疑爲"玉門道"之訛，參其書卷六三校勘記。

[4]三百：中華本同，宋刻遞修本、汲古閣本、殿本、庫本作"二百"。

[5]左驍衛將軍：官名。隋開皇十八年置備身府，爲皇帝護衛部隊。隋煬帝改制時，改左右備身爲左右驍衛，屬中央十二衛，置大將軍一人爲主官，將軍二人爲副職。從三品。按，《北史》卷六一《史祥傳》作"右驍衛將軍"。

[6]蹋頓道：戰區名。征伐高麗的戰爭中，隋軍被分成二十四路，征戰相應的二十四個戰區，每一個戰區爲一道。蹋頓道爲其中之一。據《通鑑》卷一八一《隋紀》煬帝大業八年載"蹋頓即漢末遼西烏丸蹋頓所居"。其地在今遼寧朝陽市一帶。

[7]燕郡：治所在今北京市西南。

[8]高開道：人名。隋末河北地區起義軍領導者，武德七年（624）爲唐軍擊敗自殺。傳見《舊唐書》卷五五、《新唐書》卷八六。

[9]羅藝：人名。隋煬帝大業中以軍功官至虎賁郎將，督軍於北平郡。隋末大亂時以武力占據涿郡及附近郡縣，自稱幽州總管。唐高祖武德三年歸降唐朝，封爲燕王，後謀反被誅。傳見《舊唐書》卷五六、《新唐書》卷九二。

有子義隆，[1]永年令。[2]祥兄雲，[3]字世高，弟威，[4]字世武，並有幹局。雲官至萊州刺史、武平縣公，[5]威官至武賁郎將、武當縣公。[6]

[1]義隆：人名。即史義隆。其他事迹不詳。

[2]永年：縣名。治所在今河北永年縣東南。

[3]雲：人名。即史雲。其他事迹不詳。按，《周書》卷二八、《北史》卷六一《史寧傳》皆載"祥弟雲"。

[4]威：人名。即史威。其他事迹不詳。

[5]萊州：治所在今山東萊州市。

[6]武賁郎將：官名。隋大業時，於中央十二衛每衛置護軍四人，掌副貳將軍，處理府内事務。若將軍無，則一人攝之。尋改護軍爲武賁郎將。正四品。

元壽

元壽，[1]字長壽，河南洛陽人也。祖敦，魏侍中、邵陵王。[2]父寶，[3]周涼州刺史。[4]壽少孤，性仁孝，九歲喪父，哀毀骨立，宗族鄉黨咸異之。事母以孝聞。及長，方直，頗涉經史。周武成初，[5]封隆城縣侯，[6]邑千户，保定四年，[7]改封儀隴縣侯，授儀同三司。

[1]元壽：人名。傳另見《北史》卷七五。

[2]魏：即北魏（386—557），亦稱後魏。初都平城（今山西大同市東北），公元494年遷都洛陽（今河南洛陽市東北白馬寺東）。公元534年分裂爲東魏和西魏兩個政權。東魏（534—550）都於鄴（今河北臨漳縣西南鄴鎮東），西魏（535—557）都於長安

（今陝西西安市西北郊）。　　侍中：官名。掌侍從左右，盡規獻納，糾正違闕，兼與諸公論國政，呼爲小宰相。北魏正三品。　　邵陵王：爵名。北魏十一等爵的第一等。第一品。

［3］寶：人名。即元寶。具體事迹不詳。

［4］涼州：治所在今甘肅武威市。

［5］武成：北周明帝宇文毓年號（559—560）。

［6］隆城縣侯：爵名。北周十一等爵的第七等。正八命。

［7］保定：北周武帝宇文邕年號（561—565）。

開皇初，[1]議伐陳，以壽有思理，奉使於淮浦監修船艦，以强濟見稱。四年，參督漕渠之役，授尚書主爵侍郎。[2]八年，從晉王伐陳，除行臺左丞，[3]兼領元帥府屬。[4]及平陳，拜尚書左丞。[5]高祖嘗出苑觀射，文武並從焉。開府蕭摩訶妻患且死，[6]奏請遣子向江南收其家產，御史見而不言。[7]壽奏劾之曰：

［1］開皇：隋文帝楊堅年號（581—600）。

［2］尚書主爵侍郎：官名。隋尚書省吏部主爵曹長官，掌封爵等相關事務。置一人，正六品上。煬帝時改稱尚書主爵郎。

［3］行臺左丞：官名。全稱爲行臺尚書左丞。隋在大行政區代表中央的機構稱爲行臺尚書省，多由軍事關係臨時設置。其官署設置仿效中央，其中有行臺尚書省，主官爲行臺尚書令，其屬官有尚書左丞，協助主官處理轄區內各項事務。流內視從四品。

［4］元帥：出征軍的統帥名。即行軍元帥，根據需要臨時任命，事罷則廢。　　屬：即行軍元帥的僚佐，協助元帥處理戰事事宜，參議軍情。

［5］尚書左丞：官名。隋尚書省置左右丞各一人，輔助尚書令、左右僕射處理省內事務。文帝時爲從四品，煬帝時增階爲正四品。

[6]開府：官名。全稱爲開府儀同三司。隋置十一等散實官，加文武官之有德聲者，以酬勤勞，並不理事。開府爲第六等。正四品。隋煬帝改制時，增階爲從一品。　蕭摩訶：人名。南朝陳大將，輔佐陳後主登基有功，加爲侍中、驃騎大將軍、綏建郡公。後降隋。傳見《陳書》卷三一、《南史》卷六七。

[7]御史：官名。參後文可知，此指殿內侍御史。隋御史臺屬官，隨侍皇帝身邊獻納得失，十二人。正八品。隋煬帝改制時廢。

　　臣聞天道不言，功成四序，聖皇垂拱，任在百司。御史之官，義存糾察，直繩莫舉，憲典誰寄？今月五日，鑾輿徙蹕，[1]親臨射苑，[2]開府儀同三司蕭摩訶幸厠朝行，[3]預觀盛禮，奏稱請遣子世略暫往江南重收家產。[4]妻安遇患，彌留有日，安若長逝，世略不合此行。竊以人倫之義，伉儷爲重，資愛之道，烏鳥弗虧。摩訶遠念資財，近忘匹好，又命其子捨危惙之母，爲聚斂之行。一言纔發，名教頓盡。而兼殿內侍御史臣韓微之等，[5]親所聞見，竟不彈糾。若知非不舉，事涉阿縱；如不以爲非，豈關理識？謹按儀同三司、太子左庶子、檢校治書侍御史臣劉行本，[6]出入宮省，備蒙任遇，攝職憲臺，[7]時月稍久，庶能整肅纓冕，[8]澄清風教。而在法司，虧失憲體，瓶罄罍恥，[9]何所逃愆！臣謬膺朝寄，忝居左轄，[10]無容寢默，謹以狀聞。其行本、微之等，請付大理。[11]

[1]蹕（bì）：指帝王出行的車駕。
[2]射苑：宮苑名。今地不詳。

[3]厠：參與、混雜在裏面。此指參與某部門的工作。

[4]世略：人名。即蕭摩訶之子蕭世略。具體事迹不詳。

[5]韓微之：人名。隋時人，具體事迹不詳。

[6]太子左庶子：官名。隋東宮分置門下坊、典書坊，以分統諸局。制比中央門下、内史二省。門下坊置太子左庶子爲長官，掌侍從贊相，駁正啓奏，輔佐太子。置二人，正四品。　治書侍御史：官名。隋御史臺副長官，協助御史大夫轄臺中各事，專掌監察、執法。隋文帝時爲從五品，大業三年煬帝改制時，增秩爲正五品，五年又降爲從五品。　劉行本：人名。傳見本書卷六二，《北史》卷七〇有附傳。

[7]憲臺：漢稱御史所居官署爲憲臺。後亦用於御史官職的通稱。由於劉行本職任治書侍御史，故此處稱其爲憲臺。

[8]纓冕：指仕宦官員。

[9]瓶罄罍（léi）耻：比喻關係密切，相互依存，彼此利害一致。

[10]左轄：指元壽時任尚書左丞。

[11]大理：官署名。即隋大理寺。掌全國刑獄案件審理，主官爲大理寺卿。

上嘉納之。尋授太常少卿，[1]數年，拜基州刺史，[2]在任有公廉之稱。入爲太府少卿。[3]進位開府。煬帝嗣位，漢王諒舉兵反，左僕射楊素爲行軍元帥，[4]壽爲長史。[5]壽每遇賊，爲士卒先，以功授大將軍，[6]遷太府卿。[7]四年，拜内史令，[8]從帝西討吐谷渾。壽率衆屯金山，[9]東西連營三百餘里，以圍渾主。及還，拜右光禄大夫。七年，兼左翊衛將軍，[10]從征遼東，行至涿郡，遇疾卒，時年六十三。帝悼惜焉，哭之甚慟。贈尚書右僕射、光禄大夫，[11]諡曰景。

[1]太常少卿：官名。隋太常寺副官，協助主官太常卿處理寺內各項工作。置一人，正四品上。隋煬帝改制時增員二人，降爲從四品。

[2]基州：治所在今湖北鍾祥市。

[3]太府少卿：官名。隋太府寺副官，協助長官太府卿掌管倉儲出納及所轄各署事。隋初置一員，正四品上。隋煬帝改制時，增員二人，降爲從四品。

[4]左僕射：官名。隋置尚書省總理政事，其主官爲尚書令，另置左、右二僕射副之。開皇三年四月詔左僕射掌判吏部、禮部、兵部三尚書事，御史糾不當者，兼糾彈之。從二品。　楊素：人名。傳見本書卷四八，《北史》卷四一有附傳。

[5]長史：差遣名。即行軍長史。協助總管或元帥處理戰事事宜，參議軍情。

[6]大將軍：官名。隋置十一等散實官，加文武官之有德聲者，以酬勤勞，並不理事。大將軍爲第四等。正三品。隋煬帝改制時廢。

[7]太府卿：官名。隋太府寺主官，掌財務庫藏、營造器物等事務。置一人，正三品。隋煬帝改制時，從太府寺分置少府監，太府寺但管京都市五署及平準、左右藏等八署。仍置卿爲長官，降爲從三品。

[8]内史令：官名。内史省長官，掌皇帝詔令出納宣行，居宰相之職。隋初内史省置監、令各一人，尋廢監，置令二人，正三品。

[9]金山：在今青海西寧市西北。

[10]左翊衛將軍：官名。隋初中央軍事機關十二衛中有左右衛，掌宮掖禁禦，督攝仗衛。各置大將軍爲長官，並置將軍二人副

之，協理府事。大業三年，隋煬帝改革官制，將左右衛改爲左右翊衛。仍置將軍，從三品。

[11]右僕射：官名。此爲贈官。從二品。

子敏，[1]頗有才辯，而輕險多詐。壽卒後，帝追思之，擢敏爲守内史舍人，[2]而交通博徒，數漏泄省中語。化及之反也，敏創其謀，僞授内史侍郎，[3]爲沈光所殺。[4]

[1]敏：人名。即元敏。《北史》卷七五有附傳。

[2]守：官制用語。指低官階置理高官階官職。　内史舍人：官名。隋朝因避楊忠諱，改中書省爲内史省，其屬官有内史舍人八員，掌詔誥。正六品。開皇三年增階爲從五品。隋煬帝改制時，減員爲四人。大業十二年改稱内書舍人。

[3]内史侍郎：官名。此爲宇文化及所授僞官。

[4]沈光：人名。傳見本書卷六四，《北史》卷七八有附傳。

楊義臣

楊義臣，[1]代人也，[2]本姓尉遲氏。父崇，[3]仕周爲儀同大將軍，[4]以兵鎮恒山。[5]時高祖爲定州總管，崇知高祖相貌非常，每自結納，高祖甚親待之。[6]及爲丞相，[7]尉迥作亂，[8]崇以宗族之故，自囚於獄，遣使請罪。高祖下書慰諭之，即令馳驛入朝，[9]恒置左右。開皇初，封秦興縣公。歲餘，從行軍總管達奚長儒擊突厥於周盤，[10]力戰而死。贈大將軍、豫州刺史，[11]以義臣襲崇官爵。

［1］楊義臣：人名。傳另見《北史》卷七三。

［2］代：郡名。治所在今山西大同市東北。

［3］崇：人名。即尉遲崇。《北史》卷七三有附傳。

［4］儀同大將軍：官名。周齊交戰之際，北周始置十一等勳官，以酬戰士。儀同大將軍爲勳官第八等，九命。

［5］恒山：在今河北曲陽縣西北與山西交界處。

［6］“爲定州總管”至“高祖”：此句底本原無，據宋刻遞修本、中華本補。定州，治所在今河北定州市。總管，官名。東魏孝敬帝武定六年（548）始置。北周明帝武成元年正式改都督諸州軍事爲總管，總管之設乃成定制。北周之制，總管加使持節諸軍事。總管或單任，然多兼帶刺史。故總管職權雖以軍事爲主，實際是一地區若干州、防（鎮）的最高軍政長官。

［7］丞相：官名。北周靜帝大象二年（580）置左、右大丞相。以宇文贊爲右大丞相，但僅有虛名；以楊堅爲左大丞相，總攬朝政。旋去左右之號，獨以楊堅爲大丞相。實爲控制朝廷的權臣。

［8］尉迥：人名。即尉遲迥。北周太祖宇文泰之甥，周宣帝時任大前疑、相州總管。傳見《周書》卷二一、《北史》卷六二。

［9］令：宋刻遞修本、殿本、庫本、中華本同，汲古閣本作“命”。

［10］達奚長儒：人名。傳見本書卷五三、《北史》卷七三。周盤：城名。約在今甘肅慶陽市。按，《北史》作“周槃”。“槃”通“盤”。

［11］豫州：治所在今河南汝南縣。

時義臣尚幼，養於宮中，年未弱冠，奉詔宿衛如千牛者數年，[1]賞賜甚厚。上嘗從容言及恩舊，顧義臣嗟歟久之，因下詔曰："朕受命之初，群凶未定，明識之士，有足可懷。尉義臣與尉迥，本同骨肉，既狂悖作亂鄴城，[2]其父崇時在常山，[3]典司兵甲，與迥鄰接，又是至親，知逆順之理，識天人之意，即陳丹款，慮染惡徒，自執有司，請歸相府。及北夷內侵，[4]橫戈制敵，輕生重義，馬革言旋。操表存亡，事貫幽顯，雖高官大賞，延及於世，未足表松筠之志，[5]彰節義之門。義臣可賜姓楊氏，賜錢三萬貫，酒三十斛，米麥各百斛，編之屬籍，爲皇從孫。"未幾，拜陝州刺史。[6]義臣性謹厚，能馳射，有將領之才，由是上甚重之。其後突厥達頭可汗犯塞，[7]以行軍總管率步騎三萬出白道，[8]與賊遇，戰，大破之。明年，突厥又寇邊，雁門、馬邑多被其患。[9]義臣擊之，虜遂出塞，因而追之，至大斤山，[10]與虜相遇。時太平公史萬歲軍亦至，[11]義臣與萬歲合軍擊虜，大破之，萬歲爲楊素所陷而死，義臣功竟不錄。仁壽初，拜朔州總管，[12]賜以御甲。

[1]千牛：官名。隋中央十二衛有左右領左右府，其屬官有千牛備身十二人，掌執千牛刀，宿衛宮禁。正六品。隋煬帝改制時，改左右領左右府爲左右備身府，下統千牛左右十六人，品秩職掌不變。

[2]鄴城：即鄴縣。治所在今河南安陽市。

[3]常山：即前文提到的恒山。

[4]夷：古族名。中國古代對東方各族的泛稱，亦稱東夷，或用以泛指異族人。此專指突厥。

[5]松筠：指松樹和竹子，比喻節操堅貞。

[6]陝州：治所在今河南陝縣。

[7]達頭可汗：西突厥汗國的首領，又稱步迦可汗。室點密之子。事見本書卷八四、《北史》卷九九《突厥傳》。

[8]白道：古地名。在今內蒙古呼和浩特市西北。

[9]雁門：縣名。隋開皇十八年以廣武縣改置，治所在今山西代縣。　馬邑：縣名。治所在今山西朔州市。

[10]大斤山：又稱秦山。在今內蒙古呼和浩特市西北大青山。

[11]太平公：爵名。即太平縣公。　史萬歲：人名。傳見本書卷五三、《北史》卷七三。

[12]朔州：治所在今山西朔州市。

　　煬帝嗣位，漢王諒作亂并州。[1]時代州總管李景爲漢王將喬鍾葵所圍，[2]詔義臣救之。[3]義臣率馬步二萬，夜出西陘，[4]遲明行數十里。鍾葵覘見義臣兵少，[5]悉衆拒之。鍾葵亞將王拔驍勇，[6]善用矟，[7]射之者不能中，每以數騎陷陣。義臣患之，募能當拔者。車騎將軍楊思恩請當之。[8]義臣見思恩氣貌雄勇，[9]顧之曰：“壯士也！”賜以巵酒。[10]思恩望見拔立於陣後，投觶於地，[11]策馬赴之。再往不克，義臣復選騎士十餘人從之。思恩遂突擊，殺數人，直至拔麾下。短兵方接，所從騎士退，思恩爲拔所殺。拔遂乘之，義臣軍北者十餘里。於是購得思恩屍，義臣哭之甚慟，三軍莫不下泣。所從騎士皆腰斬。義臣自以兵少，悉取軍中牛驢，得數千頭，復令兵數百人，人持一鼓，潛驅之澗谷間，出其不意。義臣晡後復與鍾葵軍戰，[12]兵初合，命驅牛驢者疾進。一時鳴鼓，塵埃張天，鍾葵軍不知，以爲伏兵發，因而大潰，縱擊破之。以功進位上大將軍，賜物二千段，雜彩五百段，女妓十人，良馬二十匹。尋授相州刺史。[13]後三歲，徵爲宗正卿。[14]未幾，轉太僕卿。

[1]并州：治所在今山西太原市西南。

[2]代州：治所在今山西代縣。　李景：人名。傳見本書卷六五、《北史》卷七六。　喬鍾葵：人名。仁壽年間爲嵐州刺史，隨楊諒起兵反。事略見本書卷四五《庶人諒傳》、《北史》卷七〇《陶世模傳》。

[3]義臣救之：四字底本原缺，據宋刻遞修本、汲古閣本、殿本、庫本、中華本改。

[4]西陘：即西陘山。又名陘嶺、句注山。在今山西代縣西北。

[5]覘見：暗中察看。

[6]亞將：即副將。　王拔：人名。隋朝將領。事亦見《北史》卷七三《楊義臣傳》。

[7]矟：《北史·楊義臣傳》載王拔善用"槊"。古時"矟""槊"相通，都指長矛。

[8]車騎將軍：官名。隋文帝采北周舊制，置四十三號將軍爲散號官，授予有軍功者，並不理事。車騎將軍爲其一，正五品。楊思恩：人名。隋朝將領。事亦見《北史·楊義臣傳》。

[9]臣：底本原作"士"，據宋刻遞修本、汲古閣本、殿本、庫本、中華本改。

[10]卮酒：即一杯酒。卮，指古代盛酒的器皿。

[11]觴：古代酒器。

[12]晡：即申時，午後三至五時。

[13]相州：治所在今河南安陽市。

[14]宗正卿：官名。隋宗正寺長官，掌管皇族事務，管理皇族、宗族、外戚的譜牒，守護皇族陵廟等。置一人，正三品。隋煬

帝改制時，降爲從三品。

　　從征吐谷渾，令義臣屯琵琶峽，[1]連營八十里，南接元壽，北連段文振，[2]合圍渾主於覆袁川。[3]其後復征遼東，以軍將指肅慎道。[4]至鴨綠水，[5]與乙支文德戰，[6]每爲先鋒，一日七捷。後與諸軍俱敗，竟坐免。俄而復位。明年，以爲軍副，與大將軍宇文述趣平壤。[7]至鴨綠水，會楊玄感作亂，班師，檢校趙郡太守。[8]妖賊向海公聚衆作亂，[9]寇扶風、安定間，[10]義臣奉詔擊平之。尋從帝復征遼東，進位左光禄大夫。時渤海高士達，[11]清河張金稱並相聚爲盜，[12]衆已數萬，攻陷郡縣。帝遣將軍段達討之，[13]不能剋。詔義臣率遼東還兵數萬擊之，大破士達，斬金稱。又收合降賊，入豆子䖍，[14]討格謙，[15]擒之，以狀聞奏。帝惡其威名，遽追入朝，賊由是復盛。義臣以功進位光禄大夫，尋拜禮部尚書。[16]未幾，卒官。

　　[1]琵琶峽：山峽名。在今青海門源回族自治縣。
　　[2]段文振：人名。傳見本書卷六〇、《北史》卷七六。
　　[3]覆袁川：地名。其地在今青海湖東北。
　　[4]肅慎道：戰區名。征伐高麗的戰爭中，隋軍被分成二十四路，征戰相應的二十四個戰區，每一個戰區爲一道。肅慎道爲其中之一。據《通鑑》卷一八一《隋紀》煬帝大業八年載“肅慎，古肅慎氏之國，其地時爲靺鞨所居”。其地約在今黑龍江黑河市一帶，包括黑龍江中下游和長白山以東、以北地區。
　　[5]鴨綠水：即今中、朝界鴨綠江。
　　[6]乙支文德：人名。高句麗大將。事略見本書卷六一《宇文

述傳》、《通鑑》卷一八一《隋紀》煬帝大業八年。

[7]平壤：城名。即平壤城。爲隋時古高句麗國都城，舊址在今朝鮮平壤市大同江南岸。

[8]趙郡：治所在今河北趙縣。

[9]向海公：人名。曾於扶風起兵反隋。按，本書卷四《煬帝紀下》作"向海明"。中華本校勘記也指出此歧異。考《北史》卷七三和《通志》卷一六一《楊義臣傳》作"向海公"，而本書《五行志》、《北史》卷一二《隋煬帝紀》、《通鑑》卷一八二《隋紀》大業九年十二月條皆作"向海明"。尚難斷誰訛。

[10]扶風：郡名。治所在今陝西鳳翔縣。　安定：郡名。治所在今甘肅涇川縣北涇河北岸。

[11]渤海：郡名。治所在今山東陽信縣西南。　高士達：人名。隋大業七年於清河境內起義，有衆數萬人，自稱東海公，大業十二年爲隋將楊義臣擊敗被殺。

[12]清河：郡名。治所在今河北清河縣西北。　張金稱：人名。隋末山東農民起義軍領導者之一，大業七年聚衆起義，十三年爲隋將楊義臣擊敗。事見本書卷四《煬帝紀下》、《新唐書》卷八五《竇建德傳》、《通鑑》卷一八一至一八三。另參見漆俠《隋末農民起義》，上海人民出版社1954年版；王永興《隋末農民戰爭史料彙編》，中華書局1980年版。

[13]段達：人名。傳見本書卷八五、《北史》卷七九。

[14]豆子䴚（gǎng）：地名。在今山東商河、惠民縣北。

[15]格謙：人名。隋末渤海厭次人，大業九年，以豆子䴚爲據點起兵反隋，有衆十餘萬人，自稱燕王，大業十二年爲隋將王世充攻殺。

[16]禮部尚書：官名。隋尚書省下轄六部之一禮部的長官，掌禮儀、祭祀、宴享等政令，總判禮部、祠部、主客、膳部四曹。置一人，正三品。

衛玄

衛玄，[1]字文昇，河南洛陽人也。祖悅，[2]魏司農卿，[3]父撝，[4]侍中、左武衛大將軍，[5]玄少有器識，周武帝在藩，引爲記室。[6]遷給事上士，[7]襲爵興勢公，食邑四千户。轉宣納下大夫。[8]武帝親總萬機，拜益州總管長史，[9]賜以萬釘寶帶。稍遷開府儀同三司、太府中大夫，[10]治内史事，[11]仍領京兆尹，[12]稱爲強濟。宣帝時，[13]以忤旨免官。

[1]衛玄：人名。傳另見《北史》卷七六。

[2]悅：人名。即衛悅。其他事迹不詳。

[3]司農卿：官名。即大司農卿。掌全國農事。魏高祖太和時爲第二品，世宗時改爲第三品。

[4]撝：人名。即衛撝。其他事迹不詳。

[5]侍中：官名。隨侍皇帝身邊，顧問應對，獻納得失。第三品。 左武衛大將軍：官名。隋文帝設左武衛，置左武衛大將軍一人爲其首。掌領外軍宿衛宮禁。正三品。

[6]記室：官名。全稱爲記室參軍。北周國公府、王府有記室參軍，爲府主的幕僚，掌府内文書之事。品秩不詳。

[7]給事上士：官名。不詳。

[8]宣納下大夫：官名。或北周天官府屬官，掌宣納王命。正四命。

[9]益州：治所在今四川成都市。 總管長史：官名。總管府置長史，協助總管處理轄區内各項事務。命數不詳。

[10]開府儀同三司：官名。爲北周十一等勳官的第六等。九命。 太府中大夫：官名。北周天官府屬官，掌全國貢賦貨賄，金

帛府庫。正五命。

[11]内史：官名。北周春官府有内史，掌擬寫皇帝詔令、參議刑罰爵賞等軍國大事。上大夫正六命，中大夫正五命，下大夫正四命。

[12]京兆尹：官名。北周於諸郡置太守。由於京兆郡爲都城所在，故置尹爲最高行政長官，以區別其他郡縣。八命。

[13]宣帝：即北周宣帝宇文贇謚號。紀見《周書》卷七、《北史》卷一〇。

　　高祖作相，檢校熊州事。[1]和州蠻反，[2]玄以行軍總管擊平之。及高祖受禪，遷淮州總管，[3]進封同軌郡公，坐事免。未幾，拜嵐州刺史。[4]會起長城之役，詔玄監督之。俄檢校朔州總管事。後爲衛尉少卿。[5]仁壽初，山獠作亂，[6]出爲資州刺史以鎮撫之。[7]玄既到官，時獠攻圍大牢鎮，[8]玄單騎造其營，謂群獠曰："我是刺史，銜天子詔安養汝等，勿驚懼也。"諸賊莫敢動。於是説以利害，渠帥感悦，[9]解兵而去。前後歸附者十餘萬口。高祖大悦，賜縑二千匹，除遂州總管，[10]仍令劍南安撫。[11]

[1]熊州：北周明帝二年（558）改陽州置，治所在今河南宜陽縣西福昌村。

[2]和州：北周保定二年改北荆州置，治所在今河南嵩縣東北。
蠻：古族名。中國古代用以泛指四方的少數民族，有時特指長江中游及其以南地區少數民族。傳見本書卷八二、《後漢書》卷八六、《魏書》卷一〇一、《北史》卷九五、《南史》卷七九。

[3]淮州：治所在今河南泌陽縣。

［4］嵐州：治所在今山西嵐縣北嵐城鎮。

［5］衛尉少卿：官名。隋衛尉寺次官，協助長官衛尉卿掌供宫
廷、祭祀朝會之儀仗帷幕，通判本寺事務。隋初置一人。正四品。
隋煬帝改制時，增員二人，品秩降爲從四品。

［6］獠（lǎo）：古族名。曾活動於今廣東、廣西、湖南、四川、
雲南、貴州等地區，多以漁獵爲生，已消失數百年。傳見《魏書》
卷一〇一、《周書》卷四九、《北史》卷九五。

［7］資州：先治今四川資陽市，隋開皇七年移治今四川資中縣
北。大業初改爲資陽郡。

［8］大牢鎮：地名。在今四川榮縣西。

［9］渠帥：指首領。舊稱武裝反抗者的首領或部落酋長。

［10］遂州：治所在今四川遂寧市。

［11］劍南：地區名。泛指劍閣以南的廣大地區。

煬帝即位，復徵爲衛尉卿。[1]夷、獠攀戀，數百里
不絶。玄曉之曰："天子詔徵，不可久住。"因與之訣，
夷、獠各揮涕而去。歲餘，遷工部尚書。[2]其後拜魏郡
太守，[3]尚書如故。帝謂玄曰："魏郡名都，衝要之所，
民多姦宄，[4]是用煩公。此郡去都，道里非遠，宜數往
來，詢謀朝政。"賜物五百段而遣之。未幾，拜右候衛
大將軍，[5]檢校左候衛事。大業八年，轉刑部尚書。[6]遼
東之役，檢校右禦衛大將軍，[7]率師出增地道。[8]時諸軍
多不利，玄獨全衆而還。拜金紫光禄大夫。

［1］衛尉卿：官名。隋衛尉寺長官，掌軍器、儀仗、帳幕之事，
總判本寺諸署事務。置一員。隋初爲正三品，隋煬帝改制時，品秩
降爲從三品。

　　[2]工部尚書：官名。隋尚書省六部之一工部的長官。掌國家百工、屯田、山澤之政令，統工部、屯田、虞部、水部四曹。置一員，正三品。

　　[3]魏郡：治所在今河南安陽市。

　　[4]宄：壞人。

　　[5]右候衛大將軍：官名。隋中央軍事機關十二衛中有左右武候府，長官爲大將軍，掌車駕出，先驅後殿，晝夜巡察，執捕奸非，烽候道路，水草所置。巡狩師田，則掌其營禁。正三品。隋煬帝時，改左右武候爲左右候衛，仍置大將軍爲主官，品秩不變。

　　[6]刑部尚書：官名。隋尚書省六部之一刑部的長官。職掌國家法律、刑獄事務。統都官、刑部、比部、司門四曹。正三品。

　　[7]右禦衛大將軍：官名。隋煬帝時對隋初中央軍事機關十二衛進行了調整，加置左右禦衛，負責皇帝的宿衛，置大將軍爲長官，總理府事。正三品。

　　[8]增地道：戰區名。征伐高麗的戰爭中，隋軍戰區之一。今地不詳。

　　九年，車駕幸遼東，使玄與代王侑留守京師，拜爲京兆内史，[1]尚書如故。許以便宜從事，敕代王待以師傅之禮。會楊玄感圍逼東都，玄率步騎七萬援之。至華陰，[2]掘楊素冢，焚其骸骨，夷其塋域，示士卒以必死。既出潼關，[3]議者恐崤、函有伏兵，[4]請於陝縣沿流東下，[5]直趣河陽，以攻其背。玄曰：“以吾度之，此計非豎子所及。”[6]於是鼓行而進。既度函谷，[7]卒如所量。於是遣武賁郎將張峻爲疑軍於南道，[8]玄以大兵直趣城北。玄感逆拒之，且戰且行，屯軍金谷。[9]於軍中掃地而祭高祖曰：“刑部尚書、京兆内史臣衛文昇，敢昭告于高祖文皇帝之靈：自皇家啓運，三十餘年，武功文德，漸被海外。楊玄感孤負聖恩，躬爲蛇豕，蜂飛蟻聚，犯我王略。臣二世受恩，一心事主，董率熊羆，[10]志梟凶逆。若社稷靈長，宜令醜徒冰碎，如或大運去矣，幸使老臣先死。”詞氣抑揚，三軍莫不涕咽。時衆寡不敵，與賊頻戰不利，死傷太半。玄感盡銳來攻，玄苦戰，賊稍却，進屯北芒。[11]會宇文述、來護兒等援兵至，玄感懼而西遁。玄遣通議大夫斛斯萬善、監門直閤龐玉前鋒追之，[12]及于閿鄉，[13]與宇文述等合擊破之。車駕至高陽，徵詣行在所。帝勞之曰：“社稷之臣也。使朕無西顧之憂。”乃下詔曰：“近者妖氛充斥，擾動關、河，文昇率勵義勇，應機響赴，表裏奮擊，摧破凶醜，宜升榮命，式弘賞典。可右光禄大夫。”賜以良田、甲第，資物鉅萬。還鎮京師，帝謂之曰：“關右之任，[14]一委於公。公安，社稷乃安；公危，社稷亦危。出入須有兵衛，坐卧恒宜自牢，勇夫重閉，此其義也。今特給千兵，以充侍從。”賜以玉麟符。

[1]京兆内史：官名。隋煬帝罷州置郡，並於諸郡加置通守一人，位次太守，協理轄區内各項事務。由於京兆郡爲帝都所在，爲區別他郡，故將通守改稱内史。品秩不詳。

[2]華陰：縣名。治所在今陝西華陰市。

[3]潼關：關名。在今陝西潼關縣東北黄河南岸潼關。

[4]崤、函：指崤山與函谷關。

[5]陝縣：治所在今河南陝縣。

[6]豎子：古時對人的一種蔑稱。

[7]函谷：關名。舊關在今河南靈寶市東北王垛村，新關在今河南新安縣東北。

[8]張峻：人名。隋任鷹揚郎將。事亦見本書卷六一《宇文述傳》。

[9]金谷：地名。其地在今河南洛陽市東北。

[10]熊羆：熊和羆都是猛獸，比喻勇猛的武士或凶猛的勢力。

[11]北芒：即北芒山。亦稱北邙山或邙山。在今河南洛陽市北。

[12]通議大夫：官名。隋初置諸散實官授與文武官員中功高德厚者，爲其加官，以示尊崇，並不理事。隋煬帝大業三年改革官制，置九大夫，仍爲散職。通議大夫爲第七等。從四品。　斛斯萬善：人名。本書卷六四、《北史》卷七八有附傳。　監門直閤：官名。隋中央軍事機關十二衛中有左右監門府，掌宮殿門禁及守衛事。隋煬帝改制時，仍置左右監門府掌宮門禁衛，並於府內置直閤各六人，協理府內事務。正五品。　龐玉：人名。隋末任監門直閤，隨王世充攻李密，王世充敗，率萬餘騎降唐，官至監門大將軍。

[13]閿（wén）鄉：縣名。治所在今河南靈寶市西北閿鄉村。

[14]關右：又稱關西。泛指潼關以西的廣大地區。

十一年，詔玄安撫關中。時盜賊蜂起，百姓饑饉，玄竟不能救恤，而官方壞亂，貨賄公行。玄自以年老，上表乞骸骨，帝使内史舍人封德彝馳諭之曰：[1]“京師國本，王業所基，宗廟園陵所在，藉公耆舊，卧以鎮之。朕爲國計，義無相許，故遣德彝口陳指意。”玄乃止。義師入關，自知不能守，憂懼稱疾，不知政事。城陷，歸于家。義寧中卒，[2]時年七十七。

[1]封德彝：人名。即封倫，字德彝。傳見《舊唐書》卷六
三、《新唐書》卷一〇〇。

[2]義寧：隋恭帝楊侑年號（617—618）。

子孝則，[1]官至通事舍人、兵部承務郎，[2]早卒。

[1]孝則：人名。即衛孝則。事亦見《北史》卷七六《衛玄
傳》。

[2]通事舍人：官名。隋因避楊忠諱，改中書省爲内史省，掌
起草詔令。其屬官有通事舍人十六員，從六品。開皇三年增員至二
十四人。隋煬帝改制時，改通事舍人爲謁者臺職，改稱通事謁者，
置員二十，從六品。　兵部承務郎：官名。隋煬帝大業三年置，代
原尚書省二十四司員外郎之職，協助本司長官掌籍帳等事。兵部承
務郎隸屬於兵部。

劉權

劉權，[1]字世略，彭城豐人也。[2]祖軌，[3]齊羅州刺
史。[4]權少有俠氣，重然諾，藏亡匿死，吏不敢過門。
後更折節好學，動循法度。初爲州主簿，[5]仕齊，釋褐
奉朝請、行臺郎中。[6]及齊滅，周武帝以爲假淮州刺史。
高祖受禪，以車騎將軍領鄉兵。後從晉王廣平陳，以功
進授開府儀同三司，賜物三千段。宋國公賀若弼甚禮
之。開皇十二年，拜蘇州刺史，[7]賜爵宗城縣公。于時
江南初平，物情尚擾，權撫以恩信，甚得民和。

[1]劉權：人名。傳另見《北史》卷七六。

[2]彭城：郡名。治所在今江蘇徐州市。　豐：縣名。治所在今江蘇豐縣。

[3]軌：人名。即劉軌。北齊任羅州刺史，其他事迹不詳。

[4]羅州：治所在今廣東化州市。

[5]州主簿：官名。北齊州級屬官，協理轄區内各項事務。三等上州、中州主簿爲第七品，三等下州主簿爲從七品。

[6]奉朝請：官名。北齊有集書省，掌諷議左右，從容獻納。其屬官有奉朝請二百四十人。從七品。　行臺郎中：官名。北齊在大行政區設置行臺尚書省代表中央，行臺郎中爲其屬官。職掌品秩皆不詳。

[7]蘇州：隋開皇九年以吳州改置，大業初復名吳州，尋改吳郡。治所在今江蘇蘇州市。

　　煬帝嗣位，拜衛尉卿，進位銀青光禄大夫。大業五年，從征吐谷渾，權率衆出伊吾道，[1]與賊相遇，擊走之。逐北至青海，[2]虜獲千餘口，乘勝至伏俟城。[3]帝復令權過曼頭、赤水，[4]置河源郡、積石鎮，[5]大開屯田，留鎮西境。在邊五載，諸羌懷附，[6]貢賦歲入，吐谷渾餘燼遠遁，道路無壅。徵拜司農卿。[7]加位金紫光禄大夫。

[1]伊吾道：特區名。其地約今新疆哈密市。按，本書卷六五《趙才傳》載劉權出兵合河道。

[2]青海：即今青海湖。

[3]伏俟城：城名。在今青海共和縣西北。

[4]曼頭：城名。約在今青海共和縣西南一帶。　赤水：城名。其地在今青海興海縣東南黄河西岸。

[5]河源郡：治所在今青海興海縣東南。　積石鎮：在今青

興海縣一帶。

[6]羌：古族名。中國古代中原地區對西部諸多游牧少數民族的泛稱。可參本書卷八三、《北史》卷九七《西域傳》。

[7]司農卿：官名。隋司農寺長官，掌全國糧食積儲、倉廩管理等農政事務。置一人，正三品。隋煬帝改制時降爲從三品。

尋爲南海太守。[1]行至鄱陽，[2]會群盜起，不得進，詔令權召募討之。權率兵與賊相遇，不與戰，先乘單舸詣賊營，説以利害。群賊感悦，一時降附，帝聞而嘉之。既至南海，甚有異政。數歲，遇盜賊群起，數來攻郡，豪帥多願推權爲首，權竟盡力固守以拒之。子世徹又密遣人齎書詣權，[3]稱四方擾亂，英雄並起，時不可失，諷令舉兵。權召集佐僚，對斬其使，竟無異圖，守之以死。卒官，時年七十。世徹倜儻不羈，頗爲時人所許。大業末，群雄並起，世徹所至之處，輒爲所忌，多拘禁之，後竟爲兗州賊帥徐圓朗所殺。[4]權從父烈，[5]字子將，美容儀，有器局，官至鷹揚郎將。[6]有子德威，[7]知名於世。

[1]南海：郡名。隋大業三年改番州置，治所在今廣東廣州市。

[2]鄱陽：郡名。治所在今江西鄱陽縣。

[3]世徹：人名。即劉世徹。事略見《新唐書》卷八六《徐圓朗傳》、《通鑑》卷一九〇《唐紀》高祖武德五年。

[4]兗州：治所在今山東兗州市。　徐圓朗：人名。隋大業十三年，徐圓朗以兗州爲中心聚衆反隋，擁兵二萬餘人。同年依附李密瓦崗軍，武德元年李密敗，又降王世充。《舊唐書》卷五五、《新唐書》卷八六有附傳。

[5]烈：人名。即劉烈。其他事迹不詳。

[6]鷹揚郎將：官名。隋開皇十八年置左右備身府，隨侍皇帝左右，編制與隋初十二衛相似，統諸驃騎府，長官爲驃騎將軍。大業三年隋煬帝改制時，改驃騎府爲鷹揚府，改驃騎將軍爲鷹揚郎將。正五品。

[7]德威：人名。即劉德威。唐貞觀年間任大理卿、同州刺史等職。傳見《舊唐書》卷七七、《新唐書》卷一〇六。

　　史臣曰：子蓋雅有幹局，質性嚴敏，見義而勇，臨機能斷，保全都邑，勤亦懋哉！楊諒干紀，史祥著獨克之效，群盜侵擾，義臣致三捷之功，此皆名重當年，聲流後葉者也。元壽彈奏行本，有意存夫名教，然其計功稱伐，猶居義臣之後，端揆之贈，不已優乎？文昇東都解圍，頗亦宣力，西京居守，政以賄成，鄙哉鄙哉，夫何足數！劉權淮、楚舊族，早著雄名，屬擾攘之辰，居尉佗之地，[1]遂能拒子邪計，無所覬覦，雖謝勤王之謀，足爲守節之士矣。

[1]尉佗：人名。亦作尉他，即趙佗。秦時曾爲南海郡尉，秦亡自立爲南越武王。事見《史記》卷一一三《南越列傳》。

隋書　卷六四

列傳第二十九

李圓通

　　李圓通，[1]京兆涇陽人也。[2]父景，以軍士隸武元皇帝，[3]因與家僮黑女私，生圓通。景不之認，由是孤賤，給使高祖家。[4]及爲隋國公，[5]擢授參軍事。[6]初，高祖少時，每宴賓客，恒令圓通監厨。圓通性嚴整，左右婢僕咸所敬憚。唯世子乳母恃寵輕之，賓客未供，每有干請，圓通不許，或輒持去。圓通大怒，叱厨人撾之數十，叫呼之聲徹於閤內，僚吏左右代其失色。賓去之後，高祖具知之，召圓通，命坐賜食，從此獨善之，以爲堪當大任。

　　[1]李圓通：人名。傳另見《北史》卷七五。
　　[2]京兆：郡名。治所在今陝西西安市。　涇陽：縣名。治所在今陝西涇陽縣。
　　[3]武元皇帝：即隋文帝父楊忠，開皇元年（581）被追尊爲武元皇帝。傳見《周書》卷一九。

〔4〕高祖：隋文帝楊堅的廟號。紀見本書卷一、二，《北史》卷一一。

〔5〕隋國公：爵名。北周十一等爵的第四等。正九命。（參見王仲犖《北周六典》卷八《封爵第十九》，中華書局1979年版，第538頁）

〔6〕參軍事：官名。北周國公府、王府屬官有參軍事，協助府主處理府內事務，參議軍政之事。品秩不詳。

　　高祖作相，[1]賜封懷昌男。[2]久之，授帥都督，[3]進爵新安子，[4]委以心膂。[5]圓通多力勁捷，長於武用。周氏諸王素憚高祖，[6]每伺高祖之隙，圖爲不利，賴圓通保護，獲免者數矣。高祖深感之，由是參預政事。授相國外兵曹，[7]仍領左親信。[8]尋授上儀同。[9]

〔1〕相：官名。據本書卷一《高祖紀上》，此時高祖所任爲左大丞相。北魏孝莊帝永安元年（528）始置大丞相，永安三年廢。北周靜帝大象二年（580）又置左、右大丞相。以宇文贊爲右大丞相，但僅有虛名；以楊堅爲左大丞相，總攬朝政。旋去左右之號，獨以楊堅爲大丞相。實爲控制朝廷的權臣。

〔2〕懷昌男：爵名。即懷昌縣男。北周十一等爵的第十等。正五命。

〔3〕帥都督：官名。周齊交戰之際，北周始置十一等勳官，以酬戰士，後成常制。即在階爵之外，用以表彰有功的官員。帥都督爲第十等。正七命。

〔4〕新安子：爵名。即新安縣子。北周十一等爵的第九等。正六命。

〔5〕心膂：比喻主要的親信、得力輔佐的人或重要的部門和職任。膂，指脊骨。

[6]周：即北周（557—581），都長安（今陝西西安市西北郊）。

[7]相國外兵曹：官名。全稱爲大丞相府外兵曹參軍，爲北周大丞相府屬官，負責護衛府主、參議軍政之事。品秩不詳。

[8]左親信：爲北周大丞相府的護衛部隊。

[9]上儀同：官名。全稱爲上儀同大將軍。武帝建德四年（575）增置上儀同大將軍，爲勳官第七等。九命。

　　高祖受禪，拜内史侍郎，[1]領左衛長史，[2]進爵爲伯。[3]歷左右庶子、給事黃門侍郎、尚書左丞，[4]攝刑部尚書，[5]深被任信。後以左丞領左翊衛驃騎將軍。[6]伐陳之役，[7]圓通以行軍總管從楊素出信州道，[8]以功進位大將軍，[9]進封萬安縣侯，[10]拜揚州總管長史。[11]尋轉并州總管長史。[12]秦孝王仁柔自善，[13]少斷決，府中事多決於圓通。入爲司農卿、治粟内史，[14]遷刑部尚書。後數歲，復爲并州長史。孝王以奢侈得罪，圓通亦坐免官。尋檢校刑部尚書事。仁壽中，[15]以勳舊進爵郡公。[16]

[1]内史侍郎：官名。隋内史省副長官，佐宰相之職的本省長官内史監、令處理政務。初設四員，正四品下；大業三年減爲二員，正四品。

[2]左衛長史：官名。隋初中央軍事機關十二衛中有左右衛，掌宮掖禁禦，督攝仗衛。府内置長史一人，協助府主處理各項事務。正七品。隋煬帝改制時，增秩爲從五品。

[3]伯：爵名。即縣伯。隋九等爵的第七等。正三品。

[4]左右庶子：官名。即太子左庶子與太子右庶子。隋東宮分置門下坊、典書坊，以分統諸局。門下坊置太子左庶子爲長官，典書坊置太子右庶子爲長官，均置員二人。掌侍從贊相，駁正啓奏，

輔佐太子。正四品。　給事黃門侍郎：官名。隋門下省置給事黃門侍郎四人，爲副長官，協助長官審查詔令，簽署章奏，有封駁之權。大業三年（607），減給事黃門侍郎員，並去給事之名。正四品。　尚書左丞：官名。隋尚書省置左右丞各一人，輔助尚書令、左右僕射處理省內事務。文帝時爲從四品上，煬帝時增秩爲正四品。

[5]刑部尚書：官名。隋尚書省六部之一刑部的長官，職掌國家法律、刑獄事務。統都官、刑部、比部、司門四曹。正三品。

[6]左翊衛：官名。隋中央左右衛下領親衛，置開府，有左翊衛。品秩不詳。　驃騎將軍：官名。隋文帝初，置左右衛等衛府，各領軍坊、鄉團，以統軍卒。後改置驃騎將軍府，每府置驃騎、車騎二將軍，上轄於衛府大將軍，下設大都督、帥都督、都督領兵。正五品。

[7]陳：即南朝陳（557—589），都建康（今江蘇南京市）。

[8]行軍總管：出征軍統帥名。北周至隋時所置的統領某部或某路出征軍隊的軍事長官。根據需要其上還可置行軍元帥以統轄全局。屬臨時差遣任命之職，事罷則廢。　楊素：人名。傳見本書卷四八，《北史》卷四一有附傳。　信州道：特區名。其地約在今重慶奉節縣。

[9]大將軍：官名。隋文帝因改北周之制，置十一等散實官，加文武官之有德聲者，以酬勤勞，並不理事。大將軍爲第四等。正三品。

[10]萬安縣侯：爵名。隋置九等爵，縣侯爲第六等。正二品。按，《北史》卷七五《李圓通傳》記載爲“萬安縣公”。

[11]揚州：治所在今江蘇揚州市。　總管：官名。全稱是總管刺史加使持節。總管的統轄範圍可達數州至十餘州，成一軍政管轄區。隋文帝在并、益、荆、揚四州置大總管，其餘州置總管。總管分上、中、下三等，品秩爲流內視從二品、正三品、從三品。　長史：官名。爲州級政府屬官，協助總管、刺史處理州內各項事務。其品秩依其州等級而定，上州長史爲正五品，中州長史爲從五品，

下州長史爲正六品。隋煬帝改制罷州置郡，廢長史。

[12]并州：治所在今山西太原市西南。

[13]秦孝王：即隋文帝第三子楊俊，開皇元年被立爲秦王。傳見本書卷四五、《北史》卷七一。

[14]司農卿：官名。隋司農寺長官，掌全國糧食積儲、倉廩管理等農政事務。置一人，正三品。隋煬帝改制時，降爲從三品。治粟内史：本書《百官志》未著錄，非隋代官職。檢《通典》載“（秦）治粟内史、漢改曰大農令，又改曰大司農。後漢末爲大農。魏爲司農。至梁謂之卿。後魏又加大”，可知治粟内史爲秦官名。歷代沿置，名稱有異。隋時稱爲司農卿。其職掌歷代相差不大。《北史·李圓通傳》亦未載李圓通職任治粟内史。故可知，此“治粟内史”爲衍文。

[15]仁壽：隋文帝楊堅年號（601—604）。

[16]郡公：爵名。隋九等爵的第四等。從一品。

煬帝嗣位，[1]拜兵部尚書。[2]帝幸揚州，以圓通留守京師。[3]判宇文述田以還民，[4]述訴其受賂。帝怒而徵之，見帝於雒陽，坐是免官。圓通憂懼發疾而卒。贈柱國，[5]封爵悉如故。子孝常，[6]大業末，[7]爲華陰令。[8]

[1]煬帝：即隋煬帝楊廣的謚號。紀見本書卷三、四，《北史》卷一二。

[2]兵部尚書：官名。隋尚書省六部之一兵部的長官，掌全國武官選用和兵籍、軍械、軍令之政。下統兵部、職方、駕部、庫部四曹。正三品。

[3]京師：即隋國都大興城，在今陝西西安市。

[4]宇文述：人名。傳見本書卷六一、《北史》卷七九。

[5]柱國：官名。此爲贈官。正二品。

[6]孝常：人名。即李孝常。大業末爲華陰縣令，武德初以迎接唐軍功，封義安王。《北史》卷七五有附傳。

[7]大業：隋煬帝楊廣年號（605—618）。

[8]華陰：縣名。治所在今陝西華陰市。

陳茂

陳茂，[1]河東猗氏人也。[2]家世寒微，質直恭謹，爲州里所敬。高祖爲隋國公，引爲僚佐，遇待與圓通等。每令典家事，未嘗不稱旨，高祖善之。後從高祖與齊師戰於晉州，[3]賊甚盛，高祖將挑戰，茂固止不得，因捉馬鞚。[4]高祖忿之，拔刀斫其額，流血被面，詞氣不撓。高祖感而謝之，厚加禮敬。其後官至上士。[5]高祖爲丞相，委以心膂。及受禪，拜給事黃門侍郎，封魏城縣男，[6]每典機密。在官十餘年，轉益州總管司馬，[7]遷太府卿，[8]進爵爲伯。後數載，卒官。子政嗣。

[1]陳茂：人名。《北史》卷七五有附傳。

[2]河東：郡名。治所在今山西永濟市西南。　猗氏：縣名。治所在今山西臨猗縣。

[3]齊：即北齊（550—577），都鄴（今河北臨漳縣西南鄴鎮東）。　晉州：治所在今山西臨汾市。

[4]馬鞚（kòng）：帶嚼子的馬籠頭。

[5]上士：官名。此爲北周國公府僚佐，負責護衛府主。正二命。

[6]魏城縣男：爵名。隋九等爵的第九等。正五品。

[7]益州：治所在今四川成都市。　司馬：官名。隋州級屬官，

協助總管、刺史處理轄區內各項事務。品級隨其所在州的品級而定，上州司馬正五品，中州司馬從五品，下州司馬正六品。隋煬帝罷州置郡，廢司馬。

[8]太府卿：官名。隋太府寺的長官，掌財務庫藏、營造器物等事務。置一人，正三品。隋煬帝改制時，從太府寺分置少府監，太府寺但管京都市五署及平準、左右藏等八署。仍置卿爲長官，降爲從三品。

　　政字弘道，倜儻有文武大略，善鍾律，便弓馬。少養宮中，年十七，爲太子千牛備身。[1]時京師大俠劉居士重政才氣，[2]數從之游。圓通子孝常與政相善，並與居士交結。及居士下獄誅，政及孝常當從坐，上以功臣子，撻之二百而赦之。由是不得調。煬帝時，授協律郎，[3]遷通事謁者，[4]兵曹承務郎。[5]帝美其才，甚重之。宇文化及之亂也，[6]以爲太常卿。[7]後歸大唐，卒於梁州總管。[8]

　　[1]太子千牛備身：官名。隋東宮置左右內率等軍衛，仿中央軍事機關十二衛，負責東宮宿衛，隨侍太子。其屬官有太子千牛備身八員，掌執千牛刀。正七品下。隋煬帝改制時，改稱司杖左右。

　　[2]劉居士：人名。具體事迹不詳。

　　[3]協律郎：官名。隋太常寺有協律郎，掌舉麾節樂，調和律呂，監試樂人典課。置二員，正八品。

　　[4]通事謁者：官名。隋朝因避楊忠諱，改中書省爲內史省，掌起草詔令。其屬官有通事舍人十六員，從六品上。開皇三年增員至二十四人。隋煬帝改制時，改通事舍人爲謁者臺職，改稱通事謁者，置員二十，從六品。

〔5〕兵曹承務郎：官名。隋兵部尚書下統兵部等四曹事，煬帝改制時，改兵部曹爲兵曹，並置承務郎一人，協助兵曹郎處理政事。品秩不詳。

〔6〕宇文化及：人名。傳見本書卷八五，《北史》卷七九有附傳。

〔7〕太常卿：官名。隋太常寺長官，掌宗廟郊社禮樂等事務。正三品。隋煬帝改制時，降爲從三品。

〔8〕梁州：治所在今陝西漢中市東。　總管：隋置諸州總管，唐承繼。武德四年（621）改稱都督，貞觀時分上、中、下都督。上都督從二品上，中都督正三品，下都督從三品。都督的統轄範圍可達數州至十餘州，成一軍政管轄區。

張定和

張定和，[1]字處謐，京兆萬年人也。[2]少貧賤，有志節。初爲侍官。會平陳之役，定和當從征，無以自給。其妻有嫁時衣服，定和將鬻之，妻靳固不與，定和於是遂行。以功拜儀同，[3]賜帛千匹，遂棄其妻。是後數以軍功加上開府、驃騎將軍。[4]從上柱國李充擊突厥，[5]先登陷陣，虜刺之中頸，定和以草塞瘡而戰，神氣自若，虜遂敗走。上聞而壯之，遣使者齎藥，馳詣定和所勞問之。進位柱國，[6]封武安縣侯，賞物二千段，良馬二匹，金百兩。

〔1〕張定和：人名。傳另見《北史》卷七八。

〔2〕萬年：縣名。治所在今陝西西安市。

〔3〕儀同：官名。全稱爲儀同三司。隋文帝因改北周之制，置十一等散實官，加文武官之有德聲者，以酬勤勞，並不理事，可開

府置府佐。儀同三司是第八等。正五品。

[4]上開府：官名。全稱爲上開府儀同三司。隋文帝因改北周之制，置十一等散實官，加文武官之有德聲者，以酬勤勞，並不理事，可開府置府佐。上開府爲第五等。從三品。隋煬帝改制時廢。

驃騎將軍：官名。隋文帝采北周之制，置四十三散號將軍，加文武官之有德聲者，並不理事。驃騎將軍爲其一。正四品。

[5]上柱國：官名。隋文帝因改北周之制，置十一等散實官，加文武官之有德聲者，以酬勤勞，並不理事，可開府置府佐。上柱國爲第一等。從一品。隋煬帝改制時廢。　李充：人名。傳見本書卷五三。　突厥：古族名、國名。廣義包括突厥、鐵勒諸部落，狹義專指突厥。公元六世紀時游牧於金山（今阿爾泰山）以南，因金山形似兜鍪，俗稱“突厥”，遂以名部落。西魏廢帝元年（552），土門自號伊利可汗，建立突厥汗國，後分裂爲西突厥、東突厥兩個汗國。傳見本書卷八四、《北史》卷九九、《舊唐書》卷一九四、《新唐書》卷二一五。

[6]柱國：官名。隋文帝因改北周之制，置十一等散實官，加文武官之有德聲者，以酬勤勞，並不理事，可開府置府佐。上柱國爲第二等。正二品。

　　煬帝嗣位，拜宜州刺史，[1]尋轉河內太守，[2]頗有惠政。歲餘，徵拜左屯衛大將軍。[3]從帝征吐谷渾，[4]至覆袁川。[5]時吐谷渾主與數騎而遁，其名王詐爲渾主，保車我真山，[6]帝命定和率師擊之。既與賊相遇，輕其衆少，呼之令降，賊不肯下。定和不被甲，挺身登山，賊伏兵於巖谷之下，發矢中之而斃。其亞將柳武建擊賊，[7]悉斬之。帝爲流涕，贈光祿大夫。[8]時舊爵例除，於是復封武安侯，謚曰壯武。贈絹千匹，米千石。子世立嗣，[9]尋拜爲光禄大夫。[10]

[1]宜州：治所在今陝西銅川市耀州區。

[2]河内：郡名。治所在今河南沁陽市。

[3]左屯衛大將軍：官名。隋初中央軍事機關十二衛中有左右領軍府，掌十二軍籍帳、差科、辭訟之事。不置將軍，唯有長史、司馬等屬官。煬帝大業三年，改左右領軍府爲左右屯衛府，各置大將軍爲長官，總理府事。正三品。

[4]吐谷（yù）渾：古族名。本遼東鮮卑之種，姓慕容氏，西晋時西遷至群羌故地，北朝至隋唐時期游牧於今青海北部和新疆東南部地區。傳見本書卷八三、《晋書》卷九七、《魏書》卷一〇一、《周書》卷五〇、《北史》卷九六、《舊唐書》卷一九八、《新唐書》卷二二一上。

[5]覆袁川：地名。在今青海湖東北。

[6]車我真山：在今青海祁連縣東南。

[7]亞將：即副將。　柳武建：人名。隋朝將領。事略見本書卷三《煬帝紀上》。

[8]光禄大夫：官名。此爲贈官。開皇時爲正二品，大業時爲從一品。

[9]世立：人名。即張世立。其他事迹不詳。

[10]光禄大夫：官名。隋初置六等散實官授與文武官員中功高德厚者，爲其加官，以示尊崇，並不理事。光禄大夫爲其中之一，分左右，爲第二等。正二品。隋煬帝大業三年改革官制，置九大夫，仍爲散職，光禄大夫爲第一等。從一品。

張奫

張奫，[1]字文懿，自云清河人也，[2]家於淮陰。[3]好讀兵書，尤便刀楯。周世，鄉人郭子翼密引陳寇，[4] 齋父雙欲率子弟擊之，[5] 猶豫未決。齋贊成其謀，竟以破賊，由是以勇決知名。起家州主簿。[6]

[1] 張齋（yūn）：人名。傳另見《北史》卷七八。任官亦可見其子張琰妻王法愛墓誌（載王其禕、周曉薇《隋代墓誌銘彙考》五〇一，綫裝書局 2007 年版）。

[2] 清河：郡名。治所在今河北清河縣西北。

[3] 淮陰：郡名。治所在今江蘇淮陰市西南。

[4] 郭子翼：人名。事迹不詳。

[5] 雙：人名。即張雙。北周時人，其他事迹不詳。

[6] 州主簿：官名。北周各州置主簿，爲州佐官之一，掌官署監印，檢核文書簿籍，勾稽缺失等事。命品未詳。（參見王仲犖《北周六典》卷一〇《州牧刺史第二十六》，第 652 頁）

高祖作相，授大都督，[1] 領鄉兵。[2] 賀若弼之鎮壽春也，[3] 恒爲間諜，平陳之役，頗有功焉。進位開府儀同三司，[4] 封文安縣子，[5] 邑八百户，[6] 賜物二千五百段，粟二千五百石。歲餘，率水軍破逆賊笪子游於京口、薛子建於和州。[7] 徵入朝，拜大將軍。高祖命升御坐而宴之，謂齋曰：“卿可爲朕兒，朕爲卿父。今日聚集，示無外也。”其後賜綺羅千匹，緑沉甲、獸文具裝。尋從楊素征江表，[8] 別破高智慧於會稽、吳世華於臨海。[9] 進位上大將軍，[10] 賜奴婢六十口，縑彩三百匹。[11] 歷撫、顯、齊三州刺史，[12] 俱有能名。開皇十八年，[13] 爲行軍總管，從漢王諒征遼東。[14] 諸軍多物故，齋衆獨全。高祖善之，賜物二百五十段。仁壽中，遷潭州總管，[15]在職三年卒。有子孝廉。[16]

[1]大都督：官名。周齊交戰之際，北周始置十一等勳官，以酬戰士。大都督爲勳官第九等。八命。

[2]鄉兵：古代由居民自動組織或政府組成的不脫産的地方武裝力量。始於西魏、北周，由大都督、帥都督、都督統領，居於本鄉。其後歷代有之。兵源是按戶籍丁壯比例抽選或募集鄉人組成，平時不脫離生産，農閑集結訓練。擔負修城、運糧、捕盜或協同禁軍守邊等任務。

[3]賀若弼：人名。傳見本書卷五二，《北史》卷六八有附傳。
壽春：縣名。治所在今安徽壽縣西南。按，《北史》卷七八《張奫傳》作“江都”。

[4]開府儀同三司：官名。隋置十一等散實官，加文武官之有德聲者，以酬勤勞，並不理事。開府儀同三司爲第六等。正四品。隋煬帝改制時，增階爲從一品。

[5]文安縣子：爵名。隋九等爵的第八等。正四品。

[6]邑：也稱食邑、封邑。是古代君王封賜給有爵位之人的一種食禄制度，受封者可徵收封地內的民戶租稅充作食禄。魏晋以後，食邑分爲虛封和實封兩類：虛封一般僅冠以“邑”或“食邑”之名，這祇是一種榮譽性加衙，受封者並不能獲得實際的食禄收入；而實封一般須冠以“真食”“食實封”等名，受封者可真正獲得食禄收入。

[7]笮（zé）子游：人名。隋初人，其他事迹不詳。　京口：地名。在今江蘇鎮江市。　薛子建：人名。隋初人，其他事迹不詳。　和州：治所在今安徽和縣。

[8]江表：即江南，泛指長江以南的廣大地區。

[9]高智慧：人名。隋開皇十年十一月舉兵反，後被鎮壓遭誅。

事略見本書卷二《高祖紀下》、卷三八《劉昉傳》，《通鑑》卷一七七《隋紀》開皇十年十一月條。　會稽：縣名。治所在今浙江紹興市。　吳世華：人名。隋平陳後不久起兵反。事略見《北史》卷一一《隋文帝紀》、卷六三《蘇威傳》。　臨海：縣名。治所在今浙江臨海市。

　　[10]上大將軍：官名。隋文帝因改北周之制，置十一等散實官，以酬勤勞。上大將軍爲第三等。從二品。

　　[11]三百：宋刻遞修本、汲古閣本、中華本同，殿本、庫本作"二百"。

　　[12]撫、顯、齊三州：《北史·張齋傳》作"撫、濟二州"。撫，州名。隋開皇九年以臨川郡改置，治所在今江西撫州市臨川區西。顯，州名。隋開皇五年以淮州改置，治所在今河南泌陽縣。齊，州名。治所在今山東濟南市。

　　[13]開皇：隋文帝楊堅年號（581—600）。

　　[14]漢王諒：即隋文帝第五子楊諒，開皇元年被立爲漢王。傳見本書卷四五、《北史》卷七一。　遼東：地區名。泛指遼河以東的廣大地區。

　　[15]潭州：治所在今湖南長沙市。

　　[16]孝廉：人名。即張孝廉。具體事迹不詳。

麥鐵杖

　　麥鐵杖，[1]始興人也。[2]驍勇有膂力，日行五百里，走及奔馬。性疏誕使酒，好交游，重信義，每以漁獵爲事，不治產業。陳太建中，[3]結聚爲群盜，廣州刺史歐陽頠俘之以獻，[4]没爲官户，[5]配執御傘。每罷朝後，行百餘里，夜至南徐州，[6]逾城而入，行光火劫盜。旦還，及時仍又執傘。如此者十餘度，物主識之，州以狀奏。朝士見鐵杖每旦恒在，不之信也。後數告變，尚書蔡徵曰：[7]"此可驗耳。"於仗下時，購以百金，求人送詔書與南徐州刺史。鐵杖出應募，齎敕而往，明旦及奏事。帝曰："信然，爲盜明矣。"惜其勇捷，誠而釋之。

[1]麥鐵杖：人名。傳另見《北史》卷七八。

[2]始興：郡名。治所在今廣東韶關市。

[3]太建：南朝陳宣帝陳頊年號（569—582）。

[4]廣州：治所在今廣東廣州市。　歐陽頠（wěi）：人名。南朝陳文帝時封陽山郡公，進號征南將軍。傳見《陳書》卷九、《南史》卷六六。

[5]官戶：官府的奴婢。

[6]南徐州：南朝陳時治所在今江蘇鎮江市。

[7]尚書：官名。查《陳書》卷二九《蔡徵傳》，記載至德年間蔡徵曾任吏部尚書。陳設吏部，掌全國官吏的任免、考課、升降、調動、封勳等事務，長官爲吏部尚書。第三品。　蔡徵：人名。傳見《陳書》卷二九，《南史》卷六八有附傳。

　　陳亡後，徙居清流縣。[1]遇江東反，楊素遣鐵杖頭戴草束，夜浮渡江，覘賊中消息，具知還報。後復更往，爲賊所擒。逆帥李稜遣兵仗三十人衛之，[2]縛送高智慧。行至慶亭，[3]衛者憩食，哀其餒，解手以給其餐。鐵杖取賊刀，亂斬衛者，殺之皆盡，悉割其鼻，懷之以歸。素大奇之。後叙戰勳，不及鐵杖，遇素馳驛歸于京師，鐵杖步追之，每夜則同宿。素見而悟，特奏授儀同三司。以不識書，放還鄉里。成陽公李徹稱其驍武，[4]

開皇十六年，徵至京師，除車騎將軍，[5]仍從楊素北征突厥，加上開府。煬帝即位，漢王諒反於并州，又從楊素擊之，每戰先登。進位柱國。尋除萊州刺史，[6]無治名。後轉汝南太守，[7]稍習法令，群盜屏迹。後因朝集，考功郎竇威嘲之曰：[8]"麥是何姓？"鐵杖應口對曰："麥豆不殊，那忽相怪！"威赧然，無以應之，時人以爲敏慧。尋除右屯衛大將軍，[9]帝待之逾密。

[1]清流縣：治所在今安徽滁州市。

[2]李稜：人名。隋開皇十年聚衆叛亂，楊素率軍討平之。事亦見《北史》卷四一《楊素傳》、卷七八《麥鐵杖傳》。按，《通鑑》作"李棱"。

[3]廢亭：地名。在今江蘇丹陽市。

[4]成陽公：本書卷五四、《北史》卷六六《李徹傳》，均記載爲"城陽郡公"。當從。　李徹：人名。傳見本書卷五四，《北史》卷六六有附傳。

[5]車騎將軍：官名。隋文帝采北周舊制，置四十三號將軍爲散號官，授予有軍功者，並不理事。車騎將軍爲其一，正五品。

[6]萊州：隋開皇五年以光州改置，治所在今山東萊州市。

[7]汝南：郡名。隋大業初以蔡州改置，治所在今河南汝南縣。

[8]考功郎：官名。隋尚書省吏部下設考功曹，掌全國官吏考課之事。其長官稱考功侍郎，置一員，正六品。隋煬帝改制時，將尚書諸曹侍郎並改爲郎，考功侍郎改稱考功郎。　竇威：人名。入唐曾擔任太史令。傳見《舊唐書》卷六一、《新唐書》卷九五。

[9]右屯衛大將軍：官名。隋初中央軍事機關十二衛中有左右領軍府，掌十二軍籍帳、差科、辭訟之事。不置將軍，唯有長史、司馬等屬官。煬帝大業三年，改左右領軍府爲左右屯衛府，各置大將軍爲長官，總理府事。正三品。

　　鐵杖自以荷恩深重，每懷竭命之志。及遼東之役，請爲前鋒，顧謂醫者吳景賢曰：[1]"大丈夫性命自有所在，豈能艾炷灸頞，[2]瓜蒂歕鼻，治黃不差，而臥死兒女手中乎?"將度遼，謂其三子曰："阿奴當備淺色黃衫。[3]吾荷國恩，今是死日。我既被殺，爾當富貴。唯誠與孝，爾其勉之。"及濟，橋未成，去東岸尚數丈，賊大至。鐵杖跳上岸，與賊戰，死。武賁郎將錢士雄、孟金義亦死之，[4]左右更無及者。帝爲之流涕，購得其屍，下詔曰："鐵杖志氣驍果，夙著勳庸，陪麾問罪，先登陷陣，節高義烈，身殞功存。興言至誠，追懷傷悼，宜賚殊榮。用彰飾德。可贈光禄大夫、宿國公。[5]謚曰武烈。"子孟才嗣。[6]尋授光禄大夫。孟才有二弟，仲才、季才，[7]俱拜正議大夫。[8]賵贈鉅萬，[9]賜輼輬車，[10]給前後部羽葆鼓吹。[11]平壤道敗將宇文述等百餘人皆爲執紼，[12]王公已下送至郊外，士雄贈左光禄大夫、右屯衛將軍、武强侯，[13]謚曰剛。子傑嗣。[14]金義贈右光禄大夫，[15]子善誼襲官。[16]

　　[1]吳景賢：人名。著有《諸病源侯論》五卷。

　　[2]頞（è）：鼻梁。

　　[3]淺色黃衫：隋唐時少年穿的黃色華貴服裝。

　　[4]武賁郎將：官名。隋大業時，於中央十二衛每衛置護軍四人，掌副貳將軍，處理府内事務。若將軍無，則一人攝之。尋改護軍爲武賁郎將。正四品。　錢士雄：人名。隋末任武賁郎將，其他事迹不詳。　孟金叉：人名。隋末任武賁郎將，其他事迹不詳。

［5］宿國公：爵名。此爲贈爵。從一品。

［6］孟才：人名。即麥孟才。《北史》卷七八有附傳。

［7］仲才：人名。即麥仲才。具體事迹不詳。　季才：人名。即麥季才。具體事迹不詳。

［8］正議大夫：官名。隋初置諸散實官授與文武官員中功高德厚者，爲其加官，以示尊崇，並不理事。隋煬帝大業三年改革官制，置九大夫，仍爲散職。正議大夫爲第六等。正四品。

［9］賵（fèng）：送給喪家助葬的車馬等物。

［10］輼輬車：古代一種臥車，常被用作喪車。

［11］羽葆：古時葬禮儀仗的一種。以鳥羽聚於柄頭如蓋。　鼓吹：演奏鼓吹樂的樂隊。

［12］平壤道：戰區名。征伐高麗的戰爭中，隋軍戰區之一。其地約今朝鮮首都平壤一帶。　紼：古代出殯時拉棺材用的大繩。

［13］左光禄大夫：官名。此爲贈官。正二品。　右屯衛將軍：官名。此爲贈官。從三品。

［14］傑：人名。即錢傑。事略見《通鑑》卷一八五《唐紀》高祖武德元年。

［15］右光禄大夫：官名。此爲贈官。從二品。

［16］善誼：人名。即孟善誼。事略見本書卷五《恭帝紀》，《通鑑》卷一八四《隋紀》恭帝義寧元年。

孟才字智稜，果烈有父風。帝以孟才死節將子，恩賜殊厚，拜武賁郎將。及江都之難，[1]慨然有復讎之志。與武牙郎錢傑素交友，[2]二人相謂曰：“吾等世荷國恩，門著誠節。今賊臣弒逆，社稷淪亡，無節可紀，何面目視息世間哉！”於是流涕扼腕，遂相與謀，糾合恩舊，欲於顯福宮邀擊宇文化及。[3]事臨發，陳藩之子謙知其謀而告之，[4]與其黨沈光俱爲化及所害，[5]忠義之士哀焉。

[1]江都之難：指宇文化及弒隋煬帝於江都。江都，郡名。治所在今江蘇揚州市。

[2]武牙郎：官名。全稱爲武牙郎將。隋大業時，於中央十二衛每衛置武牙郎將六人，掌副武賁郎將，並協助府主處理府内事務。從四品。

[3]顯福宮：宫殿名。隋煬帝置，在今江蘇揚州市東北。

[4]陳藩：人名。具體事迹不詳。　謙：人名。即陳謙。事略見本書卷七〇、《北史》卷三八《裴仁基傳》。

[5]沈光：人名。傳見本卷，《北史》卷七八有附傳。

沈光

沈光，字總持，吳興人也。[1]父君道，[2]仕陳吏部侍郎，[3]陳滅，家于長安。[4]皇太子勇引署學士。[5]後爲漢王諒府掾，[6]諒敗，除名。光少驍捷，善戲馬，爲天下之最。略綜書記，微有詞藻，常慕立功名，不拘小節。家甚貧窶，[7]父兄並以傭書爲事，[8]光獨跅弛，[9]交通輕俠，爲京師惡少年之所朋附。人多贍遺，得以養親，每致甘食美服，未嘗困匱。初建禪定寺，[10]其中幡竿高十餘丈，適遇繩絶，非人力所及，諸僧患之。光見而謂僧曰：“可持繩來，當相爲上耳。”諸僧驚喜，因取而與之。光以口銜索，拍竿而上，直至龍頭。繫繩畢，手足皆放，透空而下，以掌拒地，倒行數十步。觀者駭悦，莫不嗟異，時人號爲“肉飛仙”。

[1]吳興：郡名。治所在今浙江湖州市。

[2]君道：人名。即沈君道。事見《南史》卷一〇《陳後主紀》。

[3]吏部侍郎：官名。陳設吏部，掌全國官吏的任免、考課、升降、調動、封勳等事務，長官爲吏部尚書，又置侍郎爲副長官，協助尚書處理政事。第四品。

[4]長安：地名。隋都城所在地，今陝西西安市西北。

[5]勇：人名。即隋文帝長子楊勇，開皇元年被立爲皇太子，二十年廢。傳見本書卷四五、《北史》卷七一。　學士：官名。爲隋東宮太子的幕僚，爲太子出謀劃策、獻納得失。

[6]掾：官名。全稱爲親王府掾屬。隋制親王、郡王等府均可置官員僚佐，親王府可置掾屬一人，輔佐府主處理政事。正六品。

[7]窭（jù）：貧窮、貧寒。

[8]傭書：受人雇傭以抄書爲業。

[9]跅（tuò）弛：行爲放蕩不羈，不受約束。

[10]禪定寺：寺院名。仁壽年間，隋文帝爲獨孤皇后而建，大業時竣工。其地在隋大興城西南隅。唐武德年間改稱莊嚴寺。

　　大業中，煬帝徵天下驍果之士以伐遼左，[1]光預焉。同類數萬人，皆出其下。光將詣行在所，賓客送至灞上者百餘騎。[2]光酹酒而誓曰：[3]“是行也，若不能建立功名，當死於高麗，[4]不復與諸君相見矣。”及從帝攻遼東，以衝梯擊城，竿長十五丈，光升其端，臨城與賊戰，短兵接，殺十數人。賊競擊之而墜，未及於地，適遇竿有垂組，[5]光接而復上。帝望見，壯異之，馳召與語，大悅，即日拜朝請大夫，[6]賜寶刀良馬，恒致左右，親顧漸密。未幾，以爲折衝郎將，[7]賞遇優重。帝每推食解衣以賜之，同輩莫與爲比。

　　[1]遼左：地區名。遼東的別稱。泛指今遼河以東地區。另，舊也稱今遼寧省一帶爲遼左。

　　[2]灞上：一名白鹿原。在今陝西藍田縣西灞、滻二河之間，南北四十里、東西十五里。

　　[3]酹：把酒灑在地上表示祭奠或起誓。

　　[4]高麗：古國名。此時亦稱高句麗。故地在今朝鮮半島北部。傳見本書卷八一、《北史》卷九四、《舊唐書》卷一九九上、《新唐書》卷 二二〇。

　　[5]絙：大繩索。

　　[6]朝請大夫：官名。隋初置諸散實官授與文武官員中功高德厚者，爲其加官，以示尊崇，並不理事。隋煬帝大業三年改革官制，置九大夫，仍爲散職。朝請大夫爲第八等。正五品。按，《北史》卷七八《沈光傳》作“朝散大夫”。

　　[7]折衝郎將：官名。隋左右備身府屬官，掌領驍果，參與護衛皇帝工作。正四品。

　　光自以荷恩深重，思懷竭節。及江都之難，潛構義勇，將爲帝復讎。先是，帝寵昵官奴，名爲給使，[1]宇文化及以光驍勇，方任之，令其總統，營於禁内。時孟才、錢傑等陰圖化及，因謂光曰：“我等荷國厚恩，不能死難以衛社稷，斯則古人之所恥也。今又俛首事讎，受其驅率，有靦面目，[2]何用生爲？吾必欲殺之，死無所恨，公義士也，肯從我乎？”光泣下霑衿，曰：“是所望於將軍也。僕領給使數百人，並荷先帝恩遇，今在化及内營。以此復讎，如鷹鸇之逐鳥雀。[3]萬世之功，在此一舉，願將軍勉之。”孟才爲將軍，領江淮之衆數千人，期以營將發時，晨起襲化及。光語泄，陳謙告其事。化及大懼曰："此麥鐵杖子也，及沈光者，並勇決不可當，須避其鋒。"是夜即與腹心走出營外，留人告司馬德戡等，[4]遣領兵馬，逮捕孟才。光聞營內喧聲，知事發，不及被甲，即襲化及營，空無所獲。值舍人元敏，[5]數而斬之。遇德戡兵入，四面圍合。光大呼潰圍，給使齊奮，斬首數十級，賊皆披靡。德戡輒復遣騎，持弓弩，翼而射之。光身無介冑，遂為所害。麾下數百人皆鬭而死，一無降者。時年二十八。壯士聞之，莫不為之隕涕。

[1] 給使：差遣名。本書《百官志》未著錄。查《通鑑》卷一八五《唐紀》高祖武德元年載："先是，帝（隋煬帝）選驍健官奴數百人置玄武門，謂之給使，以備非常，待遇優厚，至以宮人賜之。"可以理解為供皇帝役使的人。

[2] 覥（tiǎn）：羞愧、慚愧。

[3] 鸇（zhān）：一種大鳥。

[4] 司馬德戡：人名。傳見本書卷八五，《北史》卷七九有附傳。

[5] 舍人：官名。隋朝因避楊忠諱，改中書省為内史省，掌起草詔令。其屬官有舍人八員，正六品。開皇三年升為五品。隋煬帝改制時，減員為四人。　元敏：人名。本書卷四《煬帝紀下》、卷八五《宇文化及傳》載元敏官職為内史舍人。《北史》卷七五有附傳。

來護兒

來護兒，[1]字崇善，江都人也。幼而卓詭，好立奇節。初讀《詩》，至"擊鼓其鏜，踴躍用兵""羔裘豹飾，孔武有力"，[2]捨書而歎曰："大丈夫在世當如是。會爲國滅賊以取功名，安能區區久事隴畝！"群輩驚其言而壯其志。護兒所住白土村，[3]密邇江岸。于時江南尚阻，賀若弼之鎮壽州也，[4]常令護兒爲間諜，授大都督。[5]平陳之役，護兒有功焉，進位上開府。從楊素擊高智慧于浙江，[6]而賊據岸爲營，周亙百餘里，船艦被江，鼓噪而進。素令護兒率數百輕艒徑登江岸，[7]直掩其營，破之。時賊前與素戰不勝，歸無所據，因而潰散。智慧將逃於海，護兒追至泉州，[8]智慧窮蹙，遁走閩、越。進位大將軍，除泉州刺史。時有盛道延擁兵作亂，[9]侵擾州境，護兒進擊，破之。又從蒲山公李寬破汪文進於黟、歙，[10]進位柱國。仁壽三年，除瀛州刺史，[11]賜爵黃縣公，邑三千戶。尋加上柱國，除右禦衛將軍。[12]

[1]來護兒：人名。傳另見《北史》卷七六。

[2]擊鼓其鏜，踴躍用兵：語出《詩·邶風·擊鼓》。　羔裘豹飾，孔武有力：語出《詩·鄭風·羔裘》。

[3]白土村：村名。今地不詳，大約在今江蘇南京市東北。

[4]賀若弼之鎮壽州也：本書卷五二、《北史》卷六八《賀若弼傳》未載其曾任壽州總管，而是任"吳州總管"。《通鑑》卷一七六《陳紀》長城公禎明二年亦載賀若弼爲吳州總管。與賀若弼同時任職壽州的是源雄。又本書卷二《高祖紀下》載：伐陳之役，賀若弼出吳州。故此"壽州"恐爲"吳州"之誤。

[5]大都督：官名。隋文帝因采北周之制，置十一等散實官，加文武官之有德聲者，以酬勤勞，並不理事，可開府置府佐。大都

督爲第九等。正六品。

[6]浙江：水名。即今浙江省錢塘江。

[7]輕艓（dié）：輕快的小舟。

[8]泉州：隋開皇九年以豐州改置，治所在今福建福州市。

[9]盛道延：人名。高智慧屬將，其他事迹不詳。

[10]蒲山公：爵名。《新唐書》卷八四《李密傳》載爲“蒲山縣公”。　李寬：人名。李密之父。事略見《舊唐書》卷五三、《新唐書》卷八四《李密傳》。　汪文進：人名。隋時人，開皇十年聚衆叛亂，占據東陽，自稱天子，署置百官，楊素率軍討平之。事略見本書卷二《高祖紀下》、卷八五《段達傳》等。　黟（yī）：縣名。治所在今安徽黟縣。　歙（shè）：縣名。治所在今安徽歙縣。

[11]瀛州：治所在今河北河間市。

[12]右禦衛將軍：官名。隋煬帝時對隋初中央軍事機關十二衛進行了調整，加置左右禦衛，負責皇帝的宿衛，置大將軍爲長官，又置將軍二員爲副長官，協助處理府事。從三品。

　　煬帝即位，遷右驍衛大將軍，[1]帝甚親重之。大業六年，從駕江都，賜物千段，令上先人塚，宴父老，州里榮之。數歲，轉右翊衛大將軍。[2]遼東之役，護兒率樓船，指滄海，[3]入自浿水，[4]去平壤六十里，[5]與高麗相遇。進擊，大破之，乘勝直造城下，破其郛郭。[6]於是縱軍大掠，稍失部伍，高元弟建武募敢死士五百人邀擊之。[7]護兒因却，屯營海浦，以待期會。後知宇文述等敗，遂班師。明年，又出滄海道，師次東萊，[8]會楊玄感作逆黎陽，[9]進逼鞏、雒，[10]護兒勒兵與宇文述等擊破之。封榮國公，[11]邑二千户。十年，又帥師度海，至卑奢城，[12]高麗舉國來戰，護兒大破之，斬首千餘級。將趣平壤，高元震懼，遣使執叛臣斛斯政，[13]詣遼東城下，上表請降。帝許之，遣人持節詔護兒旋師。[14]護兒集衆曰：“三度出兵，未能平賊，此還也，不可重來。今高麗困弊，野無青草，以我衆戰，不日剋之。吾欲進兵，徑圍平壤，取其僞主，獻捷而歸。”答表請行，不肯奉詔。長史崔君肅固爭，[15]不許。護兒曰：“賊勢破矣，專以相任，自足辦之。吾在閫外，[16]事合專決，豈容千里禀聽成規！俄頃之間，動失機會，勞而無功，故其宜也。吾寧征得高元，還而獲譴，捨此成功，所不能矣。”君肅告衆曰：“若從元帥，違拒詔書，必當聞奏，皆獲罪也。”諸將懼，盡勸還，方始奉詔。

　　[1]右驍衛大將軍：官名。即右騎衛將軍。隋開皇十八年置備身府，爲皇帝護衛部隊。隋煬帝改制時，改左右備身爲左右騎衛，屬中央十二衛，置大將軍一人爲主官，總理府事。正三品。
　　[2]右翊衛大將軍：官名。隋中央軍事機關十二衛中有左右衛，長官爲大將軍，掌領外軍宿衛宮禁。正三品。隋煬帝時，改左右衛爲左右翊衛，仍置大將軍，品秩不變。
　　[3]滄海：戰區名。即滄海道。征伐高麗的戰爭中，隋軍被分成二十四路，征戰相應的二十四個戰區，每一個戰區爲一道。滄海道爲其中之一。《通鑑》卷一八一《隋紀》煬帝大業八年胡注載“帝指授諸軍所出之道，多用漢縣舊名”。西漢武帝於元朔元年（前128）置滄海郡，元朔三年罷。其地約今中國延邊地區及牡丹江地區東部、朝鮮江原道和咸鏡道以及俄國濱海地區。
　　[4]浿（pèi）水：今朝鮮清川江和大同江的古稱。
　　[5]平壤：地名。即平壤城，爲隋時古高句麗國都城，舊址在

今朝鮮平壤市大同江南岸。

〔6〕郛郭：指外城。

〔7〕高元：人名。即高麗王元。事見本書卷三《煬帝紀上》、卷八一《高麗傳》，《北史》卷九四《高麗傳》。

〔8〕東萊：郡名。隋大業初改萊州置，治所在今山東萊州市。

〔9〕楊玄感：人名。傳見本書卷七〇，《北史》卷四一有附傳。黎陽：縣名。治所在今河南浚縣東北。

〔10〕鞏：縣名。治所在今河南鞏義市東老城。 雒：城名。即隋東都洛陽城。在今河南洛陽市。

〔11〕榮國公：爵名。隋九等爵的第三等。從一品。

〔12〕卑奢城：高麗國城名。又稱"卑沙城"。其地在今遼寧大連市金州區東大黑山。

〔13〕斛斯政：人名。傳見本書卷七〇，《北史》卷四九有附傳。

〔14〕持節：古代使臣奉命出行，必執符節以爲憑證。

〔15〕長史：官名。此爲行軍長史。協助行軍總管處理軍務，參議軍情。 崔君肅：人名。事略見本書卷六五《周法尚傳》、卷八四《西突厥傳》，《舊唐書》卷五四《竇建德傳》。

〔16〕閫外：本義爲城郭以外，引申爲領兵在外的將帥或外任的大臣。閫，意爲城郭的門或城門的門檻。

十三年，[1]轉爲左翊衛大將軍，[2]進位開府儀同三司，任委逾密，前後賞賜不可勝計。江都之難，宇文化及忌而害之。

〔1〕十三年：《北史》卷七六《來護兒傳》作"十二年"。又本書卷四《煬帝紀下》亦載來護兒大業十二年任左翊衛大將軍。故此處當爲"十二年"。

〔2〕左翊衛大將軍：官名。隋中央軍事機關十二衛中有左右衛，

長官爲大將軍，掌領外軍宿衞宮禁。正三品。隋煬帝時，改左右衞爲左右翊衞，仍置大將軍，品秩不變。

長子楷，[1]以父軍功授散騎郎、朝散大夫。[2]楷弟弘，[3]仕至果毅郎將、金紫光禄大夫。[4]弘弟整，[5]武賁郎將、右光禄大夫。[6]整尤驍勇，善撫士衆，討擊群盜，所向皆捷。諸賊甚憚之，爲作歌曰：“長白山頭百戰場，十十五五把長槍，不畏官軍十萬衆，只畏榮公第六郎。”化及反，皆遇害，唯少子恒、濟獲免。[7]

[1]楷：人名。即來楷。事亦見《北史》卷七六《來護兒傳》。

[2]散騎郎：官名。隋大業三年改制時，增置謁者臺，設大夫爲主官，掌受詔勞問，出使慰撫，持節察授，及受冤枉而申奏之事。其屬官有散騎郎，置員二十，協助大夫處理各項政務。從五品。　朝散大夫：官名。隋初置諸散實官授與文武官員中功高德厚者，爲其加官，以示尊崇，並不理事。隋煬帝大業三年改革官制，置九大夫，仍爲散職。朝散大夫爲第九等。從五品。

[3]弘：人名。即來弘。事亦見《北史・來護兒傳》。

[4]果毅郎將：官名。隋煬帝改制時，改原中央十二衞中左右領左右府爲左右備身府，掌侍衞皇帝左右。其掌領的部隊稱爲驍果，置折衝郎將爲統領主官，並置果毅郎將三人爲副長官。從四品。　金紫光禄大夫：官名。屬散實官。隋文帝置特進、左右光禄大夫等，以加文武官之有德聲者，並不理事。因其金印紫綬，故名。隋初爲從二品，煬帝大業三年降爲正三品。

[5]整：人名。即來整。《北史》卷七六有附傳。

[6]右光禄大夫：官名。屬散實官。隋文帝置特進、左右光禄大夫等，以加文武官之有德聲者，並不理事。隋文帝時左、右光禄大夫皆正二品；煬帝大業三年定令，“左”爲正二品，“右”爲從

二品。

　　[7]恒：人名。即來恒。《新唐書》卷一〇五有附傳，事亦見《新唐書》卷三《高宗紀》、卷二一六《吐蕃傳》，《舊唐書》卷八〇《來濟傳》。　濟：人名。即來濟。傳見《舊唐書》卷八〇、《新唐書》卷一〇五。

魚俱羅

　　魚俱羅，[1]馮翊下邽人也。[2]身長八尺，膂力絕人，聲氣雄壯，言聞數百步。弱冠爲親衛，累遷大都督。從晋王廣平陳，[3]以功拜開府，賜物一千五百段。未幾，沈玄憎、高智慧等作亂江南，[4]楊素以俱羅壯勇，請與同行。每戰有功，加上開府、高唐縣公，拜疊州總管。[5]以母憂去職。[6]還至扶風，[7]會楊素率兵將出靈州道擊突厥，[8]路逢俱羅，大悦，遂奏與同行。及遇賊，俱羅與數騎奔擊，瞋目大呼，所當皆披靡，出左入右，往返若飛。以功進位柱國，拜豐州總管。[9]初，突厥數入境爲寇，俱羅輒擒斬之，自是突厥畏懼屏迹，不敢畜牧於塞上。[10]

　　[1]魚俱羅：人名。傳另見《北史》卷七八。
　　[2]馮翊：郡名。治所在今陝西大荔縣。　下邽：縣名。治所在今陝西渭南市北下邽鎮。
　　[3]晋王廣：即隋煬帝楊廣。開皇元年被立爲晋王。紀見本書卷三、四，《北史》卷一二。
　　[4]沈玄憎（wèi）：人名。隋時蘇州吳縣人，開皇十年聚衆叛亂，以兵圍攻蘇州，楊素率軍擊破之，被擒。事亦見本書卷二《高

祖紀下》，《北史》卷一一《隋文帝紀》、卷四一《楊素傳》、卷七八《魚俱羅傳》。

[5]疊州：治所在今甘肅迭部縣。

[6]母憂：中國古代，凡父母之喪，需服斬衰居喪三年，以報父母養育之恩。東漢以後，服斬衰之喪者如是現任官員，必須離職成服，歸家守制，叫做“丁艱”或“丁憂”，至喪期結束纔能復職。在特殊情況下，皇帝常會以處理軍國大事的需要爲由，不讓高級官員離職守喪，或者喪期未滿就令其提前復職。

[7]扶風：郡名。治所在今陝西鳳翔縣。

[8]靈州道：特區名。即在靈州（治所在今寧夏靈武市西南）一帶設置的特區。隋朝在戰爭中於地方設置的特區，稱“道”。

[9]豐州：治所在今内蒙古杭錦後旗東北。

[10]上：殿本、庫本同，宋刻遞修本、汲古閣本、中華本作“下”。

初，煬帝在藩，俱羅弟贊以左右從，[1]累遷大都督。及帝嗣位，拜車騎將軍。贊性凶暴，虐其部下，令左右炙肉，遇不中意，以籤刺瞎其眼。有温酒不適者，立斷其舌。帝以贊藩邸之舊，不忍加誅，謂近臣曰：“弟既如此，兄亦可知。”因召俱羅，譴責之，出贊於獄，令自爲計。贊至家，飲藥而死。帝恐俱羅不自安，慮生邊患，轉爲安州刺史。[2]歲餘，遷趙郡太守。[3]後因朝集，至東都，與將軍梁伯隱有舊，[4]數相往來。又從郡多將雜物以貢獻，帝不受，因遺權貴。御史劾俱羅以郡將交通内臣，帝大怒，與伯隱俱坐除名。

[1]贊：人名。即魚贊。事亦見《北史》卷七八《魚俱羅傳》。

［2］安州：治所在今湖北安陸市。

［3］趙郡：治所在今河北趙縣。

［4］梁伯隱：人名。其他事迹不詳。

　　未幾，越巂飛山蠻作亂，[1]侵掠郡境。詔俱羅白衣領將，并率蜀郡都尉段鍾葵討平之。[2]大業九年，重征高麗，以俱羅爲碣石道軍將。[3]及還，江南劉元進作亂，[4]詔俱羅將兵向會稽諸郡逐捕之。于時百姓思亂，從盜如市，俱羅擊賊帥朱燮、管崇等，[5]戰無不捷。然賊勢浸盛，敗而復聚。俱羅度賊非歲月可平，諸子並在京、洛，[6]又見天下漸亂，終恐道路隔絕。于時東都饑饉，穀食踊貴，俱羅遣家僕將船米至東都糶之，益市財貨，潛迎諸子。朝廷微知之，恐其有異志，發使案驗。使者至，前後察問，不得其罪。帝復令大理司直梁敬真就鎖將詣東都。[7]俱羅相表異人，目有重瞳，陰爲帝之所忌。敬真希旨，奏俱羅師徒敗衄，於是斬東都市，家口籍没。

[1]越巂（xī）：郡名。治所在今四川西昌市。　飛山蠻：古族名。爲古代蠻族的一支。

[2]蜀郡：治所在今四川成都市。　都尉：官名。隋舊制，州刺史掌領地方兵力。煬帝大業三年罷州置郡，於諸郡置都尉一人專門統領地方兵力，與郡不相知。正四品。

[3]碣石道：特區名。《通鑑》卷一八一《隋紀》煬帝大業八年胡注載其在高麗國境內。

[4]劉元進：人名。傳見本書卷七〇，《北史》卷四一有附傳。

[5]朱燮：人名。大業九年八月聚衆起兵反隋，有衆十餘萬。

後爲王世充所敗，戰死。事略見本書卷四《煬帝紀下》、卷六五《吐萬緒傳》等。　管崇：人名。大業九年八月聚衆起兵反隋，有衆十餘萬。後爲王世充所敗，戰死。事略見本書卷四《煬帝紀下》、卷六五《吐萬緒傳》等。

[6]京、洛：指隋東西二都，大興城和洛陽。

[7]大理司直：官名。隋大理寺屬官，掌承制出使推覆，若寺有疑獄，則參議之。置十員，從五品。隋煬帝改制時，增員至十六人，尋加至二十人。降爲從六品。　梁敬真：人名。隋任大理司直，其他事迹不詳。

陳稜

陳稜，[1]字長威，廬江襄安人也。[2]祖碩，[3]以漁釣自給。父峴，[4]少驍勇，事章大寶爲帳内部曲。[5]告大寶反，授譙州刺史。[6]陳滅，廢于家。高智慧、汪文進等作亂江南，廬江豪傑亦舉兵相應，以峴舊將，共推爲主。峴欲拒之，稜謂峴曰：“衆亂既作，拒之禍且及己。不如僞從，別爲後計。”峴然之。時柱國李徹軍至當塗，[7]峴潛使稜至徹所，請爲内應。徹上其事，拜上大將軍、宣州刺史，[8]封譙郡公，邑一千户，詔徹應接之。徹軍未至，謀泄，爲其黨所殺，稜僅以獲免。上以其父之故，拜開府，尋領鄉兵。

[1]陳稜：人名。傳另見《北史》卷七八。

[2]廬江：郡名。治所在今安徽合肥市西。　襄安：縣名。治所在今安徽巢湖市。

[3]碩：人名。即陳碩。具體事迹不詳。

[4]峴（xiàn）：人名。即陳峴。其他事迹不詳。

[5]章大寶：人名。南朝陳至德四年（586）三月在豐州舉兵反，不久被鎮壓。《陳書》卷一一一有附傳。　帳内部曲：南北朝時，地方豪强或將領的私人軍隊或軍幕中的將佐稱爲帳内部曲。

[6]譙州：南朝陳時治所在今安徽亳州市。

[7]當塗：縣名。治所在今安徽當塗縣。

[8]宣州：治所在今安徽宣城市宣州區。

　　煬帝即位，授驃騎將軍。大業三年，拜武賁郎將。後三歲，與朝請大夫張鎮周發東陽兵萬餘人，[1]自義安泛海，[2]擊流求國，[3]月餘而至。流求人初見船艦，以爲商旅，往往詣軍中貿易。稜率衆登岸，遣鎮周爲先鋒。其主歡斯渴刺兜遣兵拒戰，[4]鎮周頻擊破之。稜進至低没檀洞，[5]其小王歡斯老模率兵拒戰，[6]稜擊敗之，斬老模。其日霧雨晦冥，將士皆懼，稜刑白馬以祭海神。既而開霽，分爲五軍，趣其都邑。渴刺兜率衆數千逆拒，稜遣鎮周又先鋒擊走之。稜乘勝逐北，至其柵，渴刺兜背柵而陣。稜盡鋭擊之，從辰至未，苦鬭不息。渴刺兜自以軍疲，引入柵。稜遂填塹，[7]攻破其柵，斬渴刺兜，獲其子島槌，[8]虜男女數千而歸。帝大悦，進稜位右光禄大夫，武賁如故，鎮周金紫光禄大夫。

　　[1]張鎮周：人名。《通鑑》卷一八一《隋紀》煬帝大業六年、卷一八五《唐紀》高祖武德元年同，然本書卷四《煬帝紀》、卷二四《食貨志》、卷八一《流球傳》，《舊唐書》卷五六《蕭銑傳》、卷六〇《李孝恭傳》、卷六七《李靖傳》均作“張鎮州”。　東陽：郡名。隋大業初以婺州改置，治所在今浙江金華市。

［2］義安：郡名。隋大業初以潮州改置，治所在今廣東潮州市東北。

［3］流求國：即今臺灣。傳見本書卷八一、《北史》卷九四。

［4］歡斯渴剌兜：流求國主名。

［5］低没檀洞：地名。在流求國境内，今地不詳。

［6］歡斯老模：流求小王名。

［7］塹：防禦用的壕溝，護城河。

［8］島槌：人名。具體事迹不詳。

　　遼東之役，以宿衛遷左光禄大夫。[1]明年，帝復征遼東，稜爲東萊留守。楊玄感之作亂也，稜率衆萬餘人擊平黎陽，斬玄感所署刺史元務本。[2]尋奉詔於江南營戰艦。至彭城，[3]賊帥孟讓衆將十萬，[4]據都梁宫，[5]阻淮爲固。[6]稜潛於下流而濟，至江都，率兵襲讓，破之。以功進位光禄大夫。賜爵信安侯。後帝幸江都宫，[7]俄而李子通據海陵，[8]左才相掠淮北，[9]杜伏威屯六合，[10]衆各數萬。帝遣稜率宿衛兵擊之，往往克捷。超拜右禦衛將軍。復度清江，[11]擊宣城賊。[12]俄而帝以弑崩，宇文化及引軍北上，召稜守江都。稜集衆縞素，[13]爲煬帝發喪，備儀衛，改葬於吴公臺下，[14]衰杖送喪，[15]慟感行路，論者深義之。稜後爲李子通所陷，奔杜伏威，伏威忌之，尋而見害。

　　［1］左光禄大夫：官名。隋初置散實官授與文武官員中功高德厚者，爲其加官，以示尊崇，並不理事。光禄大夫爲其中之一，分左右，爲第二等，正二品。隋煬帝大業三年改革官制，置九大夫，仍爲散職，左光禄大夫爲第二等，正二品。

[2]元務本：人名。具體事迹不詳。　黎州：黎陽縣舊治黎州，此恢復開皇州制。

[3]彭城：郡名。治所在今江蘇徐州市。

[4]孟讓：人名。隋末山東農民起義軍領導者之一。曾任隋齊郡主簿，大業九年起兵反隋，後爲隋將王世充擊敗，投奔瓦崗軍，被封齊郡公。瓦崗軍爲王世充所敗，孟讓去向不明。（參見漆俠《隋末農民起義》，上海人民出版社 1954 年版；王永興《隋末農民戰爭史料彙編》，中華書局 1980 年版）

[5]都梁宮：宮殿名。隋置，在今江蘇盱眙縣東南都梁山上。

[6]淮：水名。即今淮河。

[7]江都宮：宮殿名。隋煬帝置，在今江蘇揚州市。

[8]李子通：人名。隋末農民起義軍領導者之一，大業十一年自稱楚王，主要活動於江淮地區，武德五年兵敗被殺。傳見《舊唐書》卷五六、《新唐書》卷八七。　海陵：郡名。治所在今江蘇泰州市。

[9]左才相：人名。隋末農民起義軍領導者之一。事見《舊唐書·李子通傳》、《新唐書》卷一《高祖紀》。

[10]杜伏威：人名。隋末農民起義軍領導者之一。傳見《舊唐書》卷五六、《新唐書》卷九二。　六合：縣名。隋開皇四年以尉氏縣改置，治所在今江蘇南京市六合區。

[11]清江：水名。即今江西樟樹市以上贛江的別稱。

[12]宣城：郡名。隋大業初以宣州改置，治所在今安徽宣城市宣州區。

[13]縞素：“縞”與“素”都是白色的生絹，引申爲白色喪服。

[14]吳公臺：地名。又名斗鷄臺，在今江蘇揚州市西北。

[15]衰（cuī）杖：古代用粗麻布製成的毛邊喪服和哭喪棒。

王辯　斛斯萬善

王辯,[1]字警略,馮翊蒲城人也。[2]祖訓,[3]以行商致富。魏世,[4]出粟助給軍糧,爲假清河太守。[5]辯少習兵書,尤善騎射,慷慨有大志。在周以軍功授帥都督。開皇初,遷大都督。仁壽中,遷車騎將軍。漢王諒之作亂也,從楊素討平之,賜爵武寧縣男,邑三百户。後三歲,遷尚舍奉御。[6]從征吐谷渾,拜朝請大夫。數年,轉鷹揚郎將。[7]遼東之役,以功加通議大夫,[8]尋遷武賁郎將。

[1]王辯:人名。傳另見《北史》卷七八。

[2]蒲城:縣名。治所在今陝西蒲城縣。

[3]訓:人名。即王訓。具體事迹不詳。

[4]魏:即北魏(386—557),亦稱後魏。初都平城(今山西大同市東北),公元494年遷都洛陽(今河南洛陽市東北白馬寺東)。公元534年分裂爲東魏和西魏兩個政權。東魏(534—550)都於鄴(今河北臨漳縣西南鄴鎮東),西魏(535—557)都於長安(今陝西西安市西北郊)。

[5]清河:郡名。北魏時治所在今山東臨清市東北。

[6]尚舍奉御:官名。隋殿内省尚舍局的長官。掌宫殿陳設、帷幕幄帟監護之事。置二員,正五品。

[7]鷹揚郎將:官名。隋文帝初,置左右衛等衛府,各領軍坊、鄉團,以統軍卒。後改置驃騎將軍府,每府置驃騎、車騎二將軍,上轄於衛府大將軍,下設大都督、帥都督、都督領兵。煬帝大業三年改驃騎府爲鷹揚府,改驃騎將軍爲鷹揚郎將,職能依舊。正五品。

[8]通議大夫:官名。隋初置諸散實官授與文武官員中功高德

厚者，爲其加官，以示尊崇，並不理事。隋煬帝大業三年改革官制，置九大夫，仍爲散職，通議大夫爲第七等。從四品。

　　及山東盜賊起，上谷魏刀兒自號歷山飛，[1]衆十餘萬，劫掠燕、趙。[2]帝引辯升御榻，問以方略。辯論取賊形勢，帝稱善，曰：“誠如此計，賊何足憂也。”於是發從行步騎三千，擊敗之，賜黃金二百兩。明年，渤海賊帥高士達自號東海公，[3]衆以萬數。復令辯擊之，屢挫其鋭。帝在江都宮，聞而馳召之。及引見，禮賜甚厚，復令往信都經略。[4]士達於是復戰，破之，優詔褒顯。時賊帥郝孝德、孫宣雅、時季康、竇建德、魏刀兒等，[5]往往屯聚，大至十萬，小至數千，寇掠河北。[6]辯進兵擊之，所往皆捷，深爲群賊所憚。及翟讓寇徐、豫，[7]辯進，頻擊走之。讓尋與李密屯據洛口倉，[8]辯與王世充討密，[9]阻洛水相持經年。[10]辯率諸將攻敗密，因薄其營，戰破外柵。密諸營已有潰者，乘勝將入城，世充不知，恐將士勞倦，於是鳴角收兵，翻爲密徒所乘。官軍大潰，不可救止。辯至洛水，橋已壞，不得渡，遂涉水，至中流，爲溺人所引墜馬。辯時身被重甲，敗兵前後相蹈藉，[11]不能復上馬，竟溺死焉。時年五十六。三軍莫不痛惜之。

　　[1]上谷：郡名。治所在今河北易縣。　魏刀兒：人名。隋末河北農民起義軍領導者，綽號“歷山飛”。大業十一年起義，活動於冀州、定州之間，一度有衆十餘萬人。武德元年爲竇建德所殺。（參見漆俠《隋末農民起義》；王永興《隋末農民戰爭史料彙編》）

［2］燕、趙：此指戰國時期燕國和趙國地區，約在今河北北部及山西西部一帶。

［3］渤海：郡名。治所在今山東陽信縣西南。　高士達：人名。隋大業七年於清河境內起義，有衆數萬人，自稱東海公，大業十二年爲隋將楊義臣擊敗被殺。

［4］信都：郡名。治所在今河北冀州市。

［5］郝孝德：人名。隋末農民起義軍領導者之一，大業九年聚衆反隋，後投靠瓦崗軍，封平原公。事亦見本書卷七一《張須陁傳》、《舊唐書》卷五五《劉黑闥傳》、《新唐書》卷九三《李勣傳》等。　孫宣雅：人名。大業九年於豆子䴚（今山東惠民縣北）起兵反隋，一度有衆十餘萬，主要活動於河北地區，後不知所終。

時季康：人名。隋末農民起義軍領導者之一，其他事迹不詳。竇建德：人名。隋末反隋主力之一，唐武德元年於河北稱帝建立夏國。傳見《舊唐書》卷五四、《新唐書》卷八五。

［6］河北：地區名。泛指黃河以北的廣大地區。

［7］翟讓：人名。隋末農民起義瓦崗軍早期領導人之一，大業十三年被李密殺害。事亦見本書卷四《煬帝紀下》、卷七一《馮慈明傳》《張須陁傳》，《新唐書》卷九三《李勣傳》等。　徐、豫：地區名。爲大禹治水時古徐州和古豫州的轄區，其地約今江蘇、山東、河南、安徽等省。

［8］李密：人名。傳見本書卷七〇、《舊唐書》卷五三、《新唐書》卷八四，《北史》卷六〇有附傳。　洛口倉：倉廩名。因其地處洛水入黃河口故名，又名興洛倉。在今河南鞏義市東南。隋煬帝大業二年置，倉城周圍二十餘里，有窖三千個，每窖儲糧八百石。

［9］王世充：人名。傳見本書卷八五、《北史》卷七九、《舊唐書》卷五四、《新唐書》卷八五。

［10］洛水：即今河南洛河。

［11］蹈藉：踐踏，踩踏。

河南斛斯萬善，[1]驍勇果毅，與辯齊名。大業中，從衛玄討楊玄感，[2]頻戰有功。及玄感敗走，萬善與數騎追及之，玄感窘迫自殺。由是知名，拜武賁郎將。突厥始畢之圍雁門也，[3]萬善奮擊之，所向皆破。每賊至，輒出當其鋒，或下馬坐地，引強弓射賊，所中皆殪。[4]由是突厥莫敢逼城，十許日竟退，萬善之力也。其後頻討群盜，累功至將軍。時有將軍鹿愿、范貴、馮孝慈，[5]俱爲將帥，數從征討，並有名於世。然事皆亡失，故史官無所述焉。

[1]斛斯萬善：人名。《北史》卷七八有附傳。

[2]衛玄：人名。傳見本書卷六三、《北史》卷七六。

[3]始畢：即始畢可汗。東突厥首領，啓民可汗之子。事見本書卷八四、《北史》卷九九《突厥傳》。按，其名諸書記載不一，本書卷八四載其名爲“咄吉世”，《北史·突厥傳》載“吐吉”，《舊唐書》卷一九四、《新唐書》卷二一五《突厥傳》皆載“咄吉”。查《通鑑》卷一八一《隋紀》煬帝大業五年、《通典》卷一九七《邊防》、《文獻通考》卷三四三《四裔考》、《讀史方輿紀要》卷四五《山西》同載爲“咄吉”。故《北史》記載可能有誤，而新、舊《唐書》爲避李世民之諱而省字，後世著述因抄新、舊《唐書》，故省而未添。可判定始畢可汗名爲咄吉世。　雁門：郡名。隋大業初以代州改置，治所在今山西代縣。

[4]殪（yì）：死。

[5]鹿愿：人名。隋朝將領，平陳之後，與裴矩、譙國夫人共同平定王仲宣叛亂，隋煬帝大業五年，爲黔安夷帥向思多所殺。事亦見本書卷六五《周法尚傳》、卷八〇《譙國夫人傳》。　范貴：人名。即范安貴。岑仲勉指出：“近年出土有大業十一年范安貴墓

誌，羅振玉疑即此之范貴（松翁未焚稿），從隋人好把兩字名省稱一字觀之，大致可信。"（岑仲勉：《隋書求是》，中華書局 2004 年版，第 20 頁）生平見《范安貴墓誌》（載王其禕、周曉薇《隋代墓誌銘彙考》四五七）。　馮孝慈：人名。事略見本書《煬帝紀下》、卷六五《李景傳》、卷八三《吐谷渾傳》。

史臣曰：楚、漢未分，[1]絳、灌所以宣力；[2]曹、劉競逐，[3]關、張所以立名。[4]然則名立資草昧之初，力宣候經綸之會，攀附鱗翼，世有之矣。圓通、護兒之輩，定和、鐵杖之倫，皆一時之壯士，困於貧賤。當其鬱抑未遇，亦安知其有鴻鵠之志哉！[5]終能振拔污泥之中，騰躍風雲之上，符馬革之願，快生平之心，非遇其時，焉能至於此也！俱羅欲加之罪，非其咎釁，王辯殞身勍敵，志實勤王。陳稜縞素發喪，哀感行路，義之所動，固已深乎！孟才、錢傑、沈光等，感恩懷舊，臨難忘生，雖功無所成，其志有可稱矣。

[1]楚、漢：指西楚霸王項羽和漢王劉邦。

[2]絳：指西漢絳侯周勃。爲西漢著名武將，曾助劉邦擊項羽爭奪天下。傳見《史記》卷五七、《漢書》卷四○。　灌：指西漢穎陰侯灌嬰。爲西漢著名武將，曾助劉邦擊項羽爭奪天下。傳見《史記》卷九五、《漢書》卷四一。

[3]曹：指魏武帝曹操。紀見《三國志》卷一。　劉：指蜀先主劉備。傳見《三國志》卷三二。

[4]關：指關羽。傳見《三國志》卷三六。　張：指張飛。傳見《三國志》卷三六。

[5]鴻鵠：指鴻雁和天鵝，象徵有理想與志向的人。

隋書　卷六五

列傳第三十

周羅㬋

　　周羅㬋，[1]字公布，九江尋陽人也。[2]父法㬋，[3]仕梁冠軍將軍、始興太守、通直散騎常侍、南康内史，[4]臨蒸縣侯。[5]羅㬋年十五，善騎射，好鷹狗，任俠放蕩，收聚亡命，陰習兵書。從祖景彥誡之曰：[6]“吾世恭謹，汝獨放縱，難以保家。若不喪身，必將滅吾族。”羅㬋終不改。

　　[1]周羅㬋（hóu）：人名。傳另見《北史》卷七六。
　　[2]九江：郡名。治所在今江西九江市。　尋陽：縣名。治所在今江西九江市。
　　[3]法㬋：人名。即羅法㬋。南朝梁人。
　　[4]梁：即南朝梁（502—557），都建康（今江蘇南京市）。冠軍將軍：官名。南朝梁天監七年（508），置諸戎號，授予有功的大臣以示尊崇，並不理事。冠軍將軍爲十八班。　始興：郡名。南朝梁時治所在今廣東韶關市東南蓮花嶺下。　通直散騎常侍：官

名。南朝梁時集書省屬官，處理奏議文書。十一班。　南康：郡名。南朝梁時治所在今江西南康市。　内史：官名。梁制郡爲國者，最高行政長官稱内史。班次不詳。陳時承繼，萬户以上内史爲第六品，不滿萬户爲第七品。

[5]臨烝縣侯：爵名。梁十一等爵的第五等。十三班。

[6]景彦：人名。即羅景彦。其他事迹不詳。

　　陳宣帝時，[1]以軍功授開遠將軍、句容令。[2]後從大都督吳明徹與齊師戰於江陽，[3]爲流矢中其左目。齊師圍明徹於宿預也，[4]諸軍相顧，莫有鬬心。羅睺躍馬突進，莫不披靡。太僕卿蕭摩訶因而副之，[5]斬獲不可勝計。進師徐州，[6]與周將梁士彦戰於彭城，[7]摩訶臨陣墮馬，羅睺進救，拔摩訶於重圍之内，勇冠三軍。明徹之敗也，羅睺全衆而歸，拜光遠將軍、鍾離太守。[8]

[1]陳宣帝：即南朝陳皇帝陳頊的謚號。紀見《陳書》卷五、《南史》卷一〇。

[2]開遠將軍：官名。陳置諸戎號擬官，開遠將軍爲七品。雖加將軍之號，但不領兵，領兵亦不滿百人。除此官而爲州郡縣者，依本條減秩石。　句容：縣名。治所在今江蘇句容市。

[3]大都督：官名。此爲戰時臨時委派出征的軍事將領，戰事結束即撤。　吳明徹：人名。南朝陳時人。太建九年（577），陳宣帝命吳明徹進軍吕梁，爲北周大將軍王軌所執。傳見《陳書》卷九、《南史》卷六六。　齊：即北齊（550—577），都鄴（今河北臨漳縣西南鄴鎮東）。　江陽：郡名。治所在今江蘇揚州市西北蜀崗。

[4]宿預：縣名。治所在今江蘇宿遷市郊。

[5]太僕卿：官名。陳朝諸卿之一，掌宮廷車馬、牧馬事宜。三品。　蕭摩訶：人名。南朝陳大將，輔佐陳後主登基有功，加爲侍中、驃騎大將軍、綏建郡公。後降隋。傳見《陳書》卷三一、《南史》卷六七。

[6]徐州：治所在今江蘇徐州市。

[7]周：即北周（557—581），都長安（今陝西西安市）。　梁士彥：人名。傳見本書卷四〇、《北史》卷七三。　彭城：郡名。治所在今江蘇徐州市。

[8]光遠將軍：官名。陳置諸戎號擬官，光遠將軍爲六品。雖加將軍之號，但不領兵，領兵亦不滿百人。除此官而爲州郡縣者，依本條減秩石。　鍾離：郡名。治所在今安徽鳳陽縣東北。

　　十一年，授使持節、都督霍州諸軍事。[1]平山賊十二洞，除右軍將軍、始安縣伯，[2]邑四百戶，[3]總管檢校揚州內外諸軍事。[4]賜金銀三千兩，盡散之將士，分賞驍雄。陳宣帝深歎美之。出爲晉陵太守，[5]進爵爲侯，[6]增封一千戶。除太僕卿，增封并前一千六百戶。尋除雄信將軍，[7]使持節、都督豫章十郡諸軍事、豫章內史。[8]獄訟庭決，不關吏手，民懷其惠，立碑頌德焉。

　　[1]使持節：漢朝官員奉使外出時，或由皇帝授予節杖，以提高其威權。魏、晉以後，凡重要軍事長官出征或出鎮時，加使持節，可誅殺二千石以下官員。　霍州：治所在今安徽霍山縣。

　　[2]右軍將軍：官名。陳時由領軍、護軍、左右衛、驍騎（雲騎）、游騎六軍負責守護宮廷安全，侍衛皇帝左右，每軍設一將軍，其下又設左右前後四將軍。五品。　始安縣伯：爵名。陳九等爵的第四等。第四品。

　　[3]邑：也稱食邑、封邑。是古代君王封賜給有爵位之人的一

種食禄制度，受封者可徵收封地内的民户租税充作食禄。魏晉以後，食邑分爲虛封和實封兩類：虛封一般僅冠以“邑”或“食邑”之名，這衹是一種榮譽性加銜，受封者並不能獲得實際的食禄收入；而實封一般須冠以“真食”“食實封”等名，受封者可真正獲得食禄收入。

[4]檢校：官制用語。初謂代理，隋及唐初皆有。即尚未實授其官，但已掌其職事。　揚州：治所在今江蘇南京市。

[5]晉陵：郡名。治所在今江蘇常州市。

[6]侯：爵名。陳太建十一年，周羅㬋被封爲始安縣伯，現進位爲縣侯。陳九等爵的第三等。第三品。

[7]雄信將軍：官名。陳置諸戎號擬官，雄信將軍爲第六品。

[8]豫章：郡名。治所在今江西南昌市。

至德中，[1]除持節，都督南川諸軍事。[2]江州司馬吴世興密奏羅㬋甚得人心，[3]擁衆嶺表，[4]意在難測，陳主惑焉。[5]蕭摩訶、魯廣達等保明之。[6]外有知者，或勸其反，羅㬋拒絶之。軍還，除太子左衛率，[7]信任逾重，時參宴席。陳主曰：“周左率武將，詩每前成，文士何爲後也？”都官尚書孔範對曰：[8]“周羅㬋執筆製詩，還如上馬入陣，不在人後。”自是益見親禮。出督湘州諸軍事，[9]還拜散騎常侍。[10]

[1]至德：南朝陳後主陳叔寶年號（583—586）。

[2]南川：地區名。指今江西贛江流域一帶。按，中華本《北史》卷七六《周羅㬋傳》將“南川”改爲“南州”，所據爲後文中所載“擁衆嶺表”，意爲南方諸州。但此處當還以“南川”爲宜。一因“南州”一說並無確鑿根據，各史也多記載爲“南川”。二因

"南川"有確定的地理範圍，而"南州"沒有，且後文中提到"江州司馬"，江州正在南川範圍之内。故此處仍應爲"南川"，不應改爲"南州"。

[3]江州：治所在今江西九江市。　司馬：官名。南北朝州郡長官多置爲幕僚，主軍務，武職。品秩不詳。

[4]嶺表：地區名。又稱嶺南，泛指五嶺以南地區，相當今廣東、廣西兩省區及越南北部一帶。

[5]陳主：即陳後主陳叔寶。紀見《陳書》卷六、《南史》卷一〇。

[6]魯廣達：人名。亦稱魯達，南朝陳將，隋開皇九年（589）賀若弼率軍渡江伐陳時，領勁兵拒戰於白土岡，結果兵敗被擒，旋即降隋。傳見《陳書》卷三一，《南史》卷六七有附傳。

[7]太子左衛率：官名。南朝陳爲太子左衛長官，領掌東宮宮禁宿衛。煬帝大業三年（607）改名左侍率。正四品。

[8]都官尚書：官名。陳都官曹長官，掌軍事、刑獄。第三品。

孔範：人名。南朝陳大臣，入隋爲隋文帝流之遠裔。傳見《南史》卷七七。

[9]湘州：治所在今湖南長沙市。

[10]散騎常侍：官名。爲陳集書省長官，置四人，高功者一人爲祭酒。隨侍皇帝身邊獻納得失，並可預審奏報文書。第三品。

晋王廣之伐陳也，[1]都督巴峽緣江諸軍事，[2]以拒秦王俊，[3]軍不得度，相持逾月。遇丹陽陷，[4]陳主被擒，上江猶不下，晋王廣遣陳主手書命之，羅睺與諸將大臨三日，[5]放兵士散，然後乃降。高祖慰諭之，[6]許以富貴。羅睺垂泣而對曰："臣荷陳氏厚遇，本朝淪亡，無節可紀。陛下所賜，獲全爲幸，富貴榮禄，非臣所望。"高祖甚器之。賀若弼謂之曰：[7]"聞公郢、漢捉兵，[8]即知揚州可得。王師利涉，果如所量。”羅睺答曰：“若得與公周旋，勝負未可知也。”其年秋，拜上儀同三司，[9]鼓吹羽儀，[10]送之于宅。

[1]晋王廣：即隋煬帝楊廣，開皇元年被立爲晋王。紀見本書卷三、四，《北史》卷一二。　陳：即南朝陳（557—589），都建康（今江蘇南京市）。

[2]巴峽：長江上的一段山峽。具體位置説法不一。一説在今湖北巴東縣境内。另一説指今重慶奉節縣的長江瞿塘峽和巫山縣的長江巫峽。還有一説泛指今長江三峽。此三説所指的“巴峽”地理位置相近，或有重疊。

[3]秦王俊：隋文帝第三子楊俊，開皇元年被立爲秦王。傳見本書卷四五、《北史》卷七一。

[4]丹陽：郡名。治所在今江蘇南京市。陽，一作“楊”或“揚”。

[5]臨（lìn）：哭吊死者。

[6]高祖：隋文帝楊堅的廟號。紀見本書卷一、二，《北史》卷一一。

[7]賀若弼：人名。傳見本書卷五二，《北史》卷六八有附傳。

[8]郢、漢：地區名。大約指今湖北、四川一帶。

[9]上儀同三司：官名。隋置十一等散實官，加文武官之有德聲者，並不理事。上儀同三司爲第七等，開府置府佐。從四品。

[10]鼓吹：演奏鼓吹樂的樂隊。　羽儀：古時儀仗隊中用鳥羽裝飾的旌旗之類。

　　先是，陳裨將羊翔歸降于我，[1]使爲鄉導，位至上開府，[2]班在羅睺上。韓擒於朝堂戲之曰：[3]“不知機變，位在羊翔之下，[4]能無愧乎？”羅睺答曰：“昔在江南，[5]久承令問，[6]謂公天下節士。今日所言，殊匪誠臣之論。"擒有愧色。其年冬，除豳州刺史，[7]俄轉涇州刺史，[8]母憂去職。[9]未期，[10]復起，授豳州刺史，並有能名。

[1]裨將：副將、小將。　羊翔：人名。南朝陳將領，事略見《通鑑》卷一七七《隋紀》文帝開皇九年。

[2]上開府：官名。全稱爲上開府儀同三司。隋文帝因改北周之制形成十一等散實官，以酬勤勞。上開府爲第五等。從三品。

[3]韓擒：人名。即韓擒虎。唐人因避"李虎"諱，而省"虎"字。傳見本書卷五二，《北史》卷六八有附傳。

[4]位：原作"立"，據《北史》卷七六《周羅睺傳》改。

[5]江南：地區名。泛指長江以南的地區。此處指南朝陳。

[6]問：宋刻遞修本、中華本同，汲古閣本、殿本、庫本作"聞"。

[7]豳州：治所在今陝西彬縣。

[8]涇州：治所在今甘肅涇川縣北涇河北岸。

[9]母憂去職：中國古代，凡父母之喪，需服斬衰居喪三年，以報父母養育之恩。東漢以後，服斬衰之喪者如是現任官員，必須離職成服，歸家守制，叫做"丁憂"或"丁艱"，至喪期結束纔能復職。在特殊情況下，皇帝常會以處理軍國大事的需要爲由，不讓高級官員離職守喪，或者喪期未滿就令其提前復職。

[10]未期：指喪期未滿。

十八年，起遼東之役，[1]徵爲水軍總管。[2]自東萊泛海，[3]趣平壤城，[4]遭風，船多飄沒，無功而還。十九年，突厥達頭可汗犯塞，[5]從楊素擊之。[6]虜衆甚盛，羅喉白素曰："賊陣未整，請擊之。"素許焉，與輕勇二十騎直衝虜陣，從申至酉，短兵屢接，大破之。進位大將軍。[7]仁壽元年，[8]爲東宮右虞候率，[9]賜爵義寧郡公，[10]食邑一千五百户。俄轉右衛率。[11]

[1]遼東之役：即隋文帝征高麗的戰爭。

[2]總管：使職。出征軍隊的統帥，多爲戰時臨時委派。

[3]東萊：郡名。治所在今山東萊州市。

[4]趣（qū）：通"趨"。疾行。　平壤城：地名。爲隋時古高句麗國都城，舊址在今朝鮮平壤市大同江南岸。

[5]突厥：古族名、國名。廣義包括突厥、鐵勒諸部落，狹義專指突厥。公元六世紀時游牧於金山（今阿爾泰山）以南，因金山形似兜鍪，俗稱"突厥"，遂以名部落。西魏廢帝元年（552），土門自號伊利可汗，建立突厥汗國，樹庭於鬱督軍山（今杭愛山東段，鄂爾渾河左岸）。隋開皇二年西面可汗達頭與大可汗沙鉢略不睦，分裂爲西突厥、東突厥兩個汗國。傳見本書卷八四、《周書》卷五〇、《北史》卷九九、《舊唐書》卷一九四、《新唐書》卷二一五。　達頭可汗：西突厥汗國的首領，又稱步迦可汗。室點密之子。屢擾隋境。事見本書卷八四、《北史》卷九九《突厥傳》。

[6]楊素：人名。傳見本書卷四八，《北史》卷四一有附傳。

[7]大將軍：官名。隋十一等散實官中第四等。正三品。

[8]仁壽：隋文帝楊堅年號（601—604）。

[9]右虞候率：官名。隋初於右虞候各置右虞候開府一員爲長官。煬帝大業三年改右虞候開府爲右虞候率，掌東宮斥候伺奸非。正四品。

[10]義寧郡公：爵名。隋九等爵的第四等。從一品。

[11]右衛率：官名。爲太子右衛長官，領掌東宮宮禁宿衛。煬帝大業三年改名右侍率。正四品。

煬帝即位，授右武候大將軍。[1]漢王諒反，[2]詔副楊素討平之，進授上大將軍。[3]其年冬，帝幸雒陽。[4]陳主卒，羅睺請一臨哭，帝許之。縗絰送至墓所，[5]葬還，釋服而後入朝。帝甚嘉尚，世論稱其有禮。

[1]右武候大將軍：官名。隋中央軍事機關十二衛中有左右武候府，長官爲大將軍，掌車駕出，先驅後殿，晝夜巡察，執捕奸非，烽候道路，水草所置。巡狩師田，則掌其營禁。正三品。隋煬帝時，改左右武候爲左右候衛，仍置大將軍，品秩不變。

[2]漢王諒：即隋文帝第五子楊諒，開皇元年被立爲漢王。傳見本書卷四五、《北史》卷七一。

[3]上大將軍：官名。隋文帝因改北周之制，置十一等散實官，以酬勤勞，上大將軍爲第三等。從二品。

[4]雒陽：隋東都，治所在今河南洛陽市。

[5]縗（cuī）：亦作“衰”。古時喪服，用粗麻布製成，披於胸前。　絰（dié）：古時喪服中的麻帶，在首爲首絰，在腰爲腰絰。

時諒餘黨據晉、絳等三州未下，[1]詔羅睺行絳、晉、呂三州諸軍事，[2]進兵圍之。爲流矢所中，卒于師，時年六十四。送柩還京，行數里，無故輿馬自止，策之不動，有飄風旋遶焉。絳州長史郭雅稽顙咒曰：[3]“公恨小寇未平邪？尋即除殄，無爲戀恨。”於是風靜馬行，見者莫不悲歎。其年秋七月，子仲隱夢見羅睺曰：[4]“我明日當戰。”其靈坐所有弓箭刀劍，無故自動，若人帶持之狀。絳州城陷，是其日也。贈柱國、右翊衛大將軍，[5]諡曰壯。贈物千段。子仲安，[6]官至上開府。

[1]晋：州名。治所在今山西臨汾市。 絳：州名。治所在今山西聞喜縣。

[2]呂：州名。治所在今山西霍州市。

[3]長史：官名。州一級政府行政人員，依州級別不同，品級亦不同。上州長史正五品，中州長史從五品，下州長史正六品。大業三年，隋煬帝罷州置郡，並罷各州長史一職。 郭雅：人名。隋任絳州長史，其他事迹不詳。 稽顙（sǎng）：古代一種跪拜禮。行禮之人屈膝下跪，以額頭（顙）觸地，不露面容。多在居喪期間答拜賓客時行之，以示極度悲痛和對吊者的感謝。也在謝罪或投降的場合行之，以示極度惶恐。 咒：祝告，禱告。

[4]仲隱：人名。即周仲隱，周羅睺之子，其他事迹不詳。

[5]柱國：官名。贈官。正二品。 右翊衛大將軍：官名。贈官。正三品。

[6]仲安：人名。即周仲安，周羅睺之子，其他事迹不詳。

周法尚

周法尚，[1]字德邁，汝南安成人也。[2]祖靈起，[3]梁直閣將軍、義陽太守、盧、桂二州刺史。[4]父炅，[5]定州刺史、平北將軍。[6]法尚少果勁，有風概，好讀兵書。年十八，爲陳始興王中兵參軍，[7]尋加伏波將軍。[8]其父卒後，監定州事，督父本兵。數有戰功，遷使持節、貞毅將軍、散騎常侍，[9]領齊昌郡事，[10]封山陰縣侯，邑五千户。以其兄武昌縣公法僧代爲定州刺史。[11]

[1]周法尚：人名。傳另見《北史》卷七六。

[2]汝南：郡名。治所在今河南汝南縣。　安成：縣名。治所在今汝南縣東南。

[3]靈起：人名。即周靈起。南朝梁人，具體事迹不詳。

[4]直閤將軍：官名。全稱爲朱衣直閤將軍，掌宮廷殿閤的值勤宿衛工作。南朝梁十班。　義陽：郡名。治所在今四川巴中縣西南恩陽古鎮。　盧：州名。梁時治所不詳，隋時治所在今安徽合肥市。　桂：州名。治所在今廣西柳州市東南，梁大同六年（540）移治今桂林市。

[5]炅：人名。即周炅。南朝陳宣帝太建初年進號北平將軍、定州刺史。傳見《陳書》卷一三、《南史》卷六七。

[6]定州：治所在今湖北麻城市東北。　平北將軍：官名。陳置諸戎號擬官，平北將軍爲三品。雖加將軍之號，但不領兵，領兵亦不滿百人。除此官而爲州郡縣者，依本條減秩石。

[7]始興王：爵名。全稱爲始興郡王。陳九等爵的第一等。第一品。此處陳始興王應爲陳叔陵。傳見《陳書》卷三六、《南史》卷六五。　中兵參軍：官名。陳制，皇弟、皇子府置僚佐，中兵參軍爲其中之一，參與府主軍事決策。第七品。

[8]伏波將軍：官名。陳諸戎號擬官的第八品。

[9]貞毅將軍：官名。陳諸戎號擬官的第五品。

[10]齊昌：郡名。治所在今湖北蘄春縣西南。

[11]武昌縣公：爵名。陳九等爵的第二等。第二品。　法僧：人名。即周法僧。其他事迹不詳。

　　法尚與長沙王叔堅不相能，[1]叔堅言其將反。陳宣帝執禁法僧，發兵欲取法尚。其下將吏皆勸之歸北，[2]法尚猶豫未決。長史殷文則曰：[3]“樂毅所以辭燕，[4]良由不獲已。事勢如此，請早裁之。”法尚遂歸于周。宣帝甚優寵之，^[5]拜開府、順州刺史，^[6]封歸義縣公，^[7]邑千戶。賜良馬五匹，女妓五人，彩物五百段，加以金帶。

[1]長沙王叔堅：南朝陳宣帝陳頊第四子。傳見《陳書》卷二八、《南史》卷六五。

[2]歸北：歸順北周。

[3]長史：官名。陳制庶姓持節府置僚佐，長史爲其中之一，總管府内事務。第七品。　殷文則：人名。南朝陳時任齊昌郡長史，其他事迹不詳。

[4]樂毅所以辭燕：指樂毅給燕昭王獻策，聯合楚、魏、趙、韓諸國攻齊，結果大勝齊軍，使燕國勢力大大增加，樂毅因此受到燕昭王的禮遇。後來燕惠王登位，猜忌樂毅，並以騎劫代替樂毅之職。於是，樂毅離開燕國，改投趙國任職。樂毅傳見《史記》卷八〇。

[5]宣帝：即北周皇帝宇文贇的謚號。紀見《周書》卷七、《北史》卷一〇。

[6]開府：官名。周齊交戰之際，北周始置十一等勳官，以酬戰士。開府始全稱開府儀同三司，武帝建德四年（575）改稱“開府儀同大將軍”。爲勳官第六等。九命。（參見王仲犖《北周六典》卷九《勳官第二十》，中華書局1979年版，第576頁）　順州：西魏恭帝時改翼州爲順州，治所在今湖北隨州市北。

[7]歸義縣公：官名。北周十一等爵的第六等。命數不詳，非正九命則當是九命。

陳將樊猛濟江討之，^[1]法尚遣部曲督韓明詐爲背己奔于陳，^[2]僞告猛曰：“法尚部兵不願降北，人皆竊議，盡欲叛還。若得軍來，必無鬬者，自當於陣倒戈耳。”

猛以爲然，引師急進。法尚乃陽爲畏懼，自保於江曲。[3]猛陳兵挑戰，法尚先伏輕舸於浦中，[4]又伏精銳於古村之北，[5]自張旗幟，迎流拒之。戰數合，僞退登岸，投古村。猛捨舟逐之，法尚又疾走，行數里，與村北軍合，復前擊猛。猛退走赴船，既而浦中伏舸取其舟楫，建周旗幟。猛於是大敗，僅以身免，虜八千人。

[1]樊猛：人名。南朝陳時官至使持節、都督南豫州諸軍事、南豫州刺史，禎明三年（589）降隋。《陳書》卷三一、《南史》卷六七有附傳。

[2]部曲督：官名。南北朝時，地方豪强或將領的私人軍隊稱爲部曲，其首領稱爲部曲督。品秩不詳。　韓明：人名。具體事迹不詳。按，《北史》卷七六《周法尚傳》作“韓朗”。

[3]江曲：江水曲折、隱密的地方。

[4]浦：通大河的水渠。

[5]古村：地名。今地不詳。

　　高祖爲丞相，[1]司馬消難作亂，[2]陰遣上開府段珣率兵陽爲助守，[3]因欲奪其城。法尚覺其詐，閉門不納，珣遂圍之。于時倉卒，兵散在外，因率吏士五百人守拒二十日。外無救援，自度力不能支，遂拔所領，棄城遁走。消難虜其母弟及家累三百人歸于陳。

[1]丞相：官名。北周静帝大象二年（580）置左、右大丞相。以宇文贊爲右大丞相，但僅有虛名；以楊堅爲左大丞相，總攬朝政。旋去左右之號，獨以楊堅爲大丞相。實爲控制朝廷的權臣。

[2]司馬消難：人名。初仕北齊，官至北豫州刺史，後被猜忌

迫害舉州降周，遷大後丞，出爲鄖州總管。傳見《周書》卷二一，《北史》卷五四有附傳。

[3]上開府：官名。全稱爲上開府儀同大將軍，爲北周十一等勳官的第五等。九命。　段珣：人名。隋初人，具體事迹不詳。

　　高祖受禪，拜巴州刺史，[1]破三鵶叛蠻於鐵山，[2]復從柱國王誼擊走陳寇。[3]遷衡州總管、四州諸軍事，[4]改封譙郡公，邑二千户。後上幸洛陽，召之，及引見，賜金鈿酒鍾一雙，[5]彩五百段，良馬十五匹，奴婢三百口，給鼓吹一部。法尚固辭，上曰：“公有大功於國，特給鼓吹者，欲令公鄉人知朕之寵公也。”固與之。

[1]巴州：治所在今四川巴中市巴州區。

[2]三鵶：古地名。“鵶”通“鴉”。自河南南陽盆地循今白河支流口子河谷北行，逾伏牛山分水嶺循襄河谷抵魯山，北通汝洛。自南而北，路經三鵶：第一鵶在今南陽市北古向城縣（今皇路店）北；第二鵶在伏牛山分水嶺北麓；第三鵶即魯陽關，在今南召、魯山二縣界上。山路險峻，但爲洛陽、南陽間最近捷的通道。　蠻：古族名。中國古代用以泛指四方的少數民族，有時特指長江中游及其以南地區少數民族。傳見本書卷八二、《後漢書》卷八六、《魏書》卷一〇一、《北史》卷九五、《南史》卷七九。　鐵山：一說在今四川榮縣西，一說在今四川達縣西北。

[3]柱國：官名。隋文帝因改北周之制，置十一等散實官，以酬勤勞。柱國爲第二等。正二品。　王誼：人名。傳見本書卷四〇，《北史》卷六一有附傳。

[4]衡州：治所在今湖南衡陽市。　總管：官名。北周置諸州總管，隋承繼，又有增。全稱爲總管刺史加使持節。總管的統轄範圍可達數州至十餘州，成一軍政管轄區。隋文帝在并、益、荊、

揚四州置大總管，其餘州置總管。總管分上、中、下三等，品秩爲流内視從二品、正三品、從三品。

[5]金鈿酒鍾：用金鑲嵌的圓形壺，用以盛酒漿。

歲餘，轉黃州總管，[1]上降密詔，使經略江南，伺候動静。及伐陳之役，以行軍總管隸秦孝王，[2]率舟師三萬出于樊口。[3]陳城州刺史熊門超出師拒戰，[4]擊破之，擒超於陣。轉鄂州刺史，[5]尋遷永州總管，[6]安集嶺南，賜縑五百段，良馬五匹，仍給黃州兵三千五百人爲帳内。陳桂州刺史錢季卿、南康内史柳璿、西衡州刺史鄧暠、陽山太守毛爽等前後詣法尚降。[7]陳定州刺史吕子廓據山洞反，[8]法尚引兵逾嶺，子廓兵衆日散，與千餘人走保嚴嶮，其左右斬之而降。賜彩五百段，奴婢五十口，并銀甕寶帶，良馬十匹。十年，尋轉桂州總管，仍爲嶺南安撫大使。[9]

[1]黃州：治所在今湖北武漢市新洲區。

[2]行軍總管：出征軍統帥名。北周至隋時所置的統領某部或某路出征軍隊的軍事長官。根據需要其上還可置行軍元帥以統轄全局。屬臨時差遣任命之職，事罷則廢。　秦孝王：隋文帝楊堅第三子楊俊。傳見本書卷四五、《北史》卷七一。

[3]樊口：古地名。在今湖北鄂州市城區西北。

[4]城州：今地不詳。　熊門超：人名。南朝陳人，具體事迹不詳。

[5]鄂州：治所在今湖北武漢市武昌區。

[6]永州：治所在今湖南永州市。

[7]桂州：治所在今廣西桂林市。　錢季卿：人名。南朝陳人，

具體事迹不詳。　南康：郡名。治所在今江西南康市。　柳璿：人名。南朝陳人，具體事迹不詳。　西衡州：治所在今廣東英德市西北洸洸鎮。　鄧暠：人名。歷南朝陳、隋及唐三朝，隋末任襄平太守，據《唐代墓誌彙編續編》延和〇〇一《大唐故忠武將軍右衛率鄧（溫）府君墓誌之銘并序》載："曾祖暠，隋任銀青光禄大夫、營州刺史，皇朝左庶子兼散騎常侍，遷冀州刺史、臨川郡開國公，食邑三千户。"　陽山：郡名。治所在今廣東陽山縣。　毛爽：人名。南朝陳人，通曉京房律法，其他事迹不詳。

[8]吕子廓：人名。南朝陳人，具體事迹不詳。

[9]安撫大使：使職。爲臨時指派之職，一般由君主直接任命，可以繞開銓選授職的一套繁瑣程序，完成某些緊急複雜的使命，如調查一地的民政、軍政，安撫百姓等。

後數年入朝，以本官宿衛。賜彩三百段，米五百石，絹五百匹。未幾，桂州人李光仕舉兵作亂，[1]令法尚與上柱國王世積討之。[2]法尚馳往桂州，發嶺南兵，世積出岳州，[3]徵嶺北軍，俱會于尹州。[4]光仕來逆戰，擊走之。世積所部多遇瘴，[5]不能進，頓于衡州，[6]法尚獨討之。光仕帥勁兵保白石洞，[7]法尚捕得其弟光略、光度，[8]大獲家口。其黨有來降附，輒以妻子還之。居旬日，降者數千人。法尚遣兵列陣，以當光仕，親率奇兵，蔽林設伏。兩陣始交，法尚馳擊其柵，柵中人皆走散，光仕大潰，追斬之。賜奴婢百五十口，黄金百五十兩，銀百五十斤。

[1]李光仕：人名。隋開皇十七年聚衆反，爲上柱國王世積、桂州總管周法尚平定。事亦見本書卷二《高祖紀下》、卷六八《何

稠傳》,《通鑑》卷一七八《隋紀》開皇十七年二月條。

　　[2]上柱國：官名。隋文帝因改北周之制形成十一等散實官，以酬勤勞。上柱國是第一等，開府置府佐。從一品。按，據本書卷四〇、《北史》卷六八《王世積傳》記載，平陳戰爭中王世積“以功進位柱國”，後數歲，“桂州人李光仕作亂，世積以行軍總管討平之。……及還，進位上柱國”。即王世積以平李光仕之功進位上柱國，故此以後來官名稱之。　　王世積：人名。傳見本書卷四〇，《北史》卷六八有附傳。底本原脱“世”字，今據下文補。

　　[3]岳州：治所在今湖南岳陽市。

　　[4]尹州：治所在今廣西貴港市東南鬱江南岸。

　　[5]瘴：南方暑濕之地的病。内病爲瘴，外病爲癉。

　　[6]衡州：治所在今湖南衡陽市。

　　[7]白石洞：地名。在今廣西桂平市東南白石山中。

　　[8]光略：人名。即李光略。具體事迹不詳。　　光度：人名。即李光度。具體事迹不詳。

　　仁壽中，遂州獠叛，[1]復以行軍總管討平之。巂州烏蠻反，[2]攻陷州城，詔令法尚便道擊之。[3]軍將至，賊棄州城，散走山谷間，法尚捕不能得。於是遣使慰諭，假以官號，僞班師，日行二十里。軍再舍，潛遣人覘之，[4]知其首領盡歸栅，聚飲相賀。法尚選步騎數千人，襲擊破之，獲其渠帥數千人，[5]虜男女萬餘口。賜奴婢百口，物三百段，蜀馬二十匹。軍還，檢校潞州事。[6]

　　[1]遂州：治所在今四川遂寧市。　　獠：古族名。曾活動於今廣東、廣西、湖南、四川、雲南、貴州等地區，多以漁獵爲生，已消失數百年。傳見《魏書》卷一〇一、《周書》卷四九、《北史》

卷九五。

　　[2]巂（xī）州：治所在今四川西昌市。　　烏蠻：古族名。源於氐羌，曾活動於今雲南、四川南部、貴州西部等地區。傳見《舊唐書》卷一九七、《新唐書》卷二二二。　　反：宋刻遞修本、中華本同，汲古閣本、殿本、庫本作"叛"。

　　[3]便道：順路。因遂州和巂州相距不遠，故皇帝命周法尚順便去平叛。

　　[4]覘（chān）：窺視，察看。

　　[5]渠帥：首領。舊稱武裝反抗者的首領或部落酋長。　　千：宋刻遞修本、中華本同，汲古閣本、殿本、庫本作"十"。

　　[6]潞州：治所在今山西壺關縣東南。

　　煬帝嗣位，轉雲州刺史。[1]後三歲，轉定襄太守，[2]進位金紫光禄大夫。[3]時帝幸榆林，[4]法尚朝于行宫。內史令元壽言於帝曰：[5]"漢武出塞，[6]旌旗千里。今御營之外，請分爲二十四軍，日別遣一軍發，相去三十里，旗幟相望，鉦鼓相聞，[7]首尾連注，千里不絕。此亦出師之盛者也。"法尚曰："不然，兵亘千里，動間山川，卒有不虞，四分五裂。腹心有事，首尾未知，道阻且長，難以相救。雖是故事，此乃取敗之道也。"帝不懌曰："卿意以爲如何？"法尚曰："結爲方陣，四面外距，六宫及百官家口並住其間。[8]若有變起，當頭分抗，內引奇兵，出外奮擊，車爲壁壘，重設鈎陳，[9]此與據城理亦何異！若戰而捷，抽騎追奔，或戰不利，屯營自守。臣謂牢固萬全之策也。"帝曰："善。"因拜左武衛將軍，[10]賜良馬一匹，絹三百匹。

［1］雲州：治所在今內蒙古和林格爾縣西北土城子。

［2］定襄：郡名。隋大業三年改雲州置，治所不變。

［3］金紫光禄大夫：官名。屬散實官。隋文帝置特進、左右光禄大夫等，以加文武官之有德聲者，並不理事。因其金印紫綬，故名。隋初爲從二品，煬帝大業三年降爲正三品。

［4］榆林：郡名。治所在今內蒙古准格爾旗東北黃河南岸十二連城。

［5］內史令：官名。內史省長官，掌皇帝詔令出納宣行，居宰相之職。隋初內史省置監、令各一人，尋廢監，置令二人。正三品。　元壽：人名。傳見本書卷六三、《北史》卷七五。

［6］漢武：即漢武帝劉徹。紀見《史記》卷一二、《漢書》卷六。

［7］鉦鼓：古代行軍時用的兩種樂器。鉦，又名丁寧，形似鐘而狹長，有長柄可執，擊之而鳴。

［8］六宮：統指皇后妃嬪，或其住所。

［9］鈎陳：古代一種用於防衛的儀仗。

［10］左武衛將軍：官名。隋中央軍事機關十二衛中有左右武衛，各置大將軍爲長官，又置將軍二人副之，掌領外軍宿衛宮禁。從三品。

明年，黔安夷向思多反，[1]殺將軍鹿愿，[2]圍太守蕭造，[3]法尚與將軍李景分路討之。[4]法尚擊思多于清江，[5]破之，斬首三千級。還，從討吐谷渾，[6]法尚別出松州道，[7]逐捕亡散，至于青海。[8]賜奴婢一百口，物二百段，馬七十匹。出爲敦煌太守，[9]尋領會寧太守。[10]

［1］黔安：郡名。治所在今重慶市彭水苗族土家族自治縣。夷：古族名。中國古代對東方各族的泛稱，亦稱東夷，或用以泛指

異族人。傳見《史記》卷一一六、《漢書》卷九五、《後漢書》卷八六、《南史》卷七八。 向思多：人名。黔安夷酋帥，隋煬帝大業五年反，爲隋將周法尚擊破。

[2]鹿愿：人名。隋朝將領，平陳之後，與裴矩、譙國夫人共同平定王仲宣叛亂，隋煬帝大業五年，爲黔安夷帥向思多所殺。事亦見本書卷六四《王辯傳》、卷八〇《譙國夫人傳》。

[3]蕭造：人名。具體事迹不詳。

[4]李景：人名。傳見本卷、《北史》卷七六。

[5]清江：郡名。治所在今湖北長陽土家族自治縣。

[6]吐谷渾：古族名。亦作“吐渾”。本遼東鮮卑之種，姓慕容氏，西晉時西遷至群羌故地，北朝至隋唐時期游牧於今青海北部和新疆東南部地區。傳見本書卷八三、《晋書》卷九七、《魏書》卷一〇一、《周書》卷五〇、《北史》卷九六、《舊唐書》卷一九八、《新唐書》卷二二一上。

[7]松州道：地區名。即今四川松潘縣。

[8]青海：湖名。又稱西海、仙海、鮮水海。即今青海湖。

[9]敦煌：郡名。治所在今甘肅敦煌市西。

[10]會寧：郡名。治所在今甘肅靖遠縣東北。

遼東之役，以舟師指朝鮮道，[1]會楊玄感反，與將軍宇文述、來護兒等破之。[2]以功進右光禄大夫，[3]賜物九百段。時有齊郡人王薄、孟讓等舉兵爲盜，[4]衆十餘萬，保長白山。[5]頻戰，每挫其鋭。賜奴婢百口。

[1]朝鮮道：戰區名。征伐高麗的戰爭中，隋軍被分成二十四路，征戰相應的二十四個戰區，每一個戰區爲一道。朝鮮道爲其中之一。《通鑑》卷一八一《隋紀》煬帝大業八年胡注載“帝指授諸軍所出之道，多用漢縣舊名”。西漢置朝鮮縣，治所在今朝鮮平壤

市西南大同江南岸土城洞（一説在今平壤市）。

[2]宇文述：人名。傳見本書卷六一、《北史》卷七九。　來
護兒：人名。傳見本書卷六四、《北史》卷七六。

[3]右光禄大夫：官名。屬散實官。隋文帝置特進、左右光禄
大夫等，以加文武官之有德聲者，並不理事。隋文帝時左、右光禄
大夫皆正二品；煬帝大業三年定令，"左"爲正二品，"右"爲從
二品。

[4]齊郡：治所在今山東濟南市。　王薄：人名。隋末山東農
民起義軍領導者之一，大業七年以長白山（今山東鄒平縣南）爲據
點起兵反隋，活動於今山東中部一帶。後爲隋將張須陁所敗，武德
二年（619）降唐任齊州總管。（參見漆俠《隋末農民起義》，上海
人民出版社1954年版；王永興《隋末農民戰爭史料彙編》，中華書
局1980年版；陶懋炳《王薄事迹考》，《湖南師範學院學報》1982
年第2期）　孟讓：人名。隋末山東農民起義軍領導者之一。曾任
隋齊郡主簿，大業九年起兵反隋，後爲隋將王世充擊敗，投奔瓦崗
軍，被封齊郡公。瓦崗軍爲王世充所敗，孟讓去向不明。（參見漆
俠《隋末農民起義》，王永興《隋末農民戰爭史料彙編》）

[5]長白山：在今山東鄒平縣南、章丘市和淄博市之間。因山
中雲氣常白而得名。

　　明年，復臨滄海，[1]在軍疾甚，謂長史崔君肅曰：[2]
"吾再臨滄海，未能利涉，時不我與，將辭人世。立志
不果，命也如何！"言畢而終，時年五十九。贈武衛大
將軍，[3]謐曰僖。有子六人。長子紹基，[4]靈壽令，[5]少
子紹範，[6]最知名。

[1]滄海：中國古代對東海的別稱。
[2]長史：官名。隋中央十二衛皆置長史，輔助將軍處理府內

各項事務。正五品。　崔君肅：人名。事略見本書八四《西突厥傳》、《舊唐書》卷五四《竇建德傳》。

[3]武衛大將軍：官名。贈官。按，前文記載，大業三年周法尚拜左武衛將軍，故知"武衛大將軍"前脱"左"字。左武衛大將軍爲正三品。

[4]紹基：人名。即周紹基。具體事迹不詳。

[5]靈壽：縣名。治所在今河北靈壽縣。

[6]紹範：人名。即周紹範。具體事迹不詳。

李景

李景，字道興，天水休官人也。[1]父超，[2]周應、戎二州刺史。[3]景容貌奇偉，膂力過人，美鬚髯，驍勇善射。平齊之役，頗有力焉，授儀同三司。[4]以平尉迥，[5]進位開府，賜爵平寇縣公，邑千五百户。

[1]天水：郡名。治所在今甘肅天水市。　休官：縣名。今地不詳。

[2]超：人名。即李超。北周人，具體事迹不詳。

[3]應：州名。治所在今湖北廣水市。　戎：州名。治所在今四川宜賓市。

[4]儀同三司：官名。爲北周十一等勳官的第八等。九命。武帝建德四年改稱儀同大將軍。品秩不變。

[5]尉迥：人名。即尉遲迥，北周太祖宇文泰之甥，周宣帝時任大前疑、相州總管。傳見《周書》卷二一、《北史》卷六二。

開皇九年，[1]以行軍總管從王世積伐陳，陷陣有功，

進位上開府，賜奴婢六十口，物千五百段。及高智慧等
作亂江南，[2]復以行軍總管從楊素擊之。別平倉嶺，[3]還
授鄜州刺史。[4]

[1]開皇：隋文帝楊堅年號（581—600）。

[2]高智慧：人名。隋開皇十年十一月舉兵反，後被鎮壓遭誅。
事略見本書卷二《高祖紀下》、卷三八《劉昉傳》，《通鑑》卷一七
七《隋紀》開皇十年十一月條。

[3]倉嶺：地名。今地不詳。

[4]鄜（fū）州：治所在今陝西黃陵縣。

　　十七年，遼東之役，爲馬軍總管。及還，配事漢
王。高祖奇其壯武，使祖而觀之，曰：“卿相表當位極
人臣。”尋從史萬歲擊突厥於大斤山，[1]別路邀賊，[2]大
破之。後與上明公楊紀送義成公主於突厥，[3]至恒安，[4]
遇突厥來寇。時代州總管韓洪爲虜所敗，[5]景率所領數
百人援之。力戰三日，殺虜甚衆，賜物三千段，[6]授韓
州刺史。[7]以事王故，不之官。[8]

[1]史萬歲：人名。傳見本書卷五三、《北史》卷七三。　　大
斤山：即大青山，在今內蒙古土默川平原以北。爲陰山山脈主體，
即狹義的陰山。

[2]邀：遮阻，攔擊。

[3]上明公：爵名。即上明郡公。　　楊紀：人名。本書卷四八、
《北史》卷四一有附傳。　　義成公主：隋宗室女。開皇十九年出嫁
突厥啓民可汗。啓民死，繼爲處羅、頡利可汗妻。隋亡，數請頡利
出兵攻唐，爲隋報仇。頡利敗時被殺。參見本書卷八四、《新唐書》

卷二一五《突厥傳》。按，"成"字各本均同。然本書卷四《煬帝紀下》爲"城"，中華本校勘記云"本書多作'義成公主'。'城''成'二字有時通用"。

[4]恒安：鎮名。即今山西大同市。

[5]代州：治所在今山西代縣。　韓洪：人名。本書卷五二、《北史》卷六八有附傳。　虜：對敵方的蔑稱。此指突厥。

[6]三千：中華本同，宋刻遞修本、汲古閣本、殿本、庫本作"二千"。

[7]韓州：治所在今山西襄垣縣。

[8]以事王故，不之官：據前文記載，李景"配事漢王"，即輔佐漢王，所以不去韓州赴任。

　　仁壽中，檢校代州總管。漢王諒作亂并州，[1]景發兵拒之。諒遣劉嵩襲景，[2]戰於城東。升樓射之，無不應弦而倒。選壯士擊之，斬獲略盡。諒復遣嵐州刺史喬鍾葵率勁勇三萬攻之。[3]景戰士不過數千，加以城池不固，爲賊衝擊，崩毀相繼。景且戰且築，士卒皆殊死鬬，屢挫賊鋒。司馬馮孝慈、司法參軍呂玉並驍勇善戰，[4]儀同三司侯莫陳乂多謀畫，[5]工拒守之術。景知將士可用，其後推誠於此三人，無所關預，唯在閤持重，時出撫循而已。[6]月餘，朔州總管楊義臣以兵來援，[7]合擊，大破之。

[1]并州：治所在今山西太原市西南。

[2]劉嵩：人名。隋朝人，其他事迹不詳。

[3]嵐州：治所在今山西嵐縣。一說在今静樂縣。二縣比鄰。喬鍾葵：人名。仁壽年間爲嵐州刺史，隨楊諒起兵反。事略見本

書卷四五《庶人諒傳》、《北史》卷七〇《陶世模傳》。

[4]司馬：官名。州級屬官，負責州一級軍事兵馬事宜。上州司馬正五品，中州司馬從五品，下州司馬正六品。　馮孝慈：人名。《北史》卷七八有附傳，事另見本書卷四《煬帝紀下》。　司法參軍：官名。州級屬官，負責州一級司法刑獄事宜。上州司法參軍從七品，中州正八品，下州從八品。　呂玉：人名。隋朝人，其他事迹不詳。

[5]儀同三司：官名。隋文帝因改北周之制，置十一等散實官，以酬勤勞，開府置僚佐。儀同三司爲第八等。正五品。　侯莫陳乂：人名。隋朝人，其他事迹不詳。乂，底本作“又”，中華本據《北史》卷七六《李景傳》改，今從改。

[6]撫循：同“拊循”。撫慰。

[7]朔州：治所在今山西朔州市。　楊義臣：人名。傳見本書卷六三、《北史》卷七三。

先是，景府內井中甃上生花如蓮，并有龍見，時變爲鐵馬甲士。又有神人長數丈見於城下，其迹長四尺五寸。景問巫，對曰：“此是不祥之物，來食人血耳。”景大怒，推出之。旬日而兵至，死者數萬焉。景尋被徵入京，進位柱國，拜右武衛大將軍，[1]賜縑九千匹，女樂一部，[2]加以珍物。

[1]右武衛大將軍：官名。隋中央軍事機關十二衛中有左右武衛，掌領外軍宿衛宮禁。各置大將軍一人爲長官，總理府事。正三品。

[2]女樂：古代的歌舞伎。

景智略非所長，而忠直爲時所許，帝甚信之。擊叛蠻向思多，破之，賜奴婢八十口。明年，擊吐谷渾於青海，破之，進位光禄大夫。[1]賜奴婢六十口，縑二千匹。五年，車駕西巡，至天水，景獻食於帝。帝曰：“公，主人也。”賜坐齊王暕之上。[2]至隴川宮，[3]帝將大獵，景與左武衛大將軍郭衍俱有難言，[4]爲人所奏。帝大怒，令左右搏之，[5]竟以坐免。歲餘，復位，與宇文述等參掌選舉。

[1]光禄大夫：官名。隋初置六等散實官授與文武官員中功高德厚者，爲其加官，以示尊崇，並不理事。光禄大夫爲其中之一，分左右，第二等，正二品。隋煬帝大業三年改革官制，置九大夫，仍爲散職，光禄大夫爲第一等，從一品。

[2]齊王暕：隋煬帝子楊暕，大業二年被封爲齊王。傳見本書卷五九、《北史》卷七一。

[3]隴川宮：宮殿名。隋大業六年置，約在今陝西西部隴山中。

[4]郭衍：人名。傳見本書卷六一、《北史》卷七四。

[5]搏（bó）：擊。

明年，攻高麗武厲邏，[1]破之，賜爵苑丘侯，[2]物一千段。八年，出渾彌道。[3]九年，復出遼東。及旋師，以景爲殿。高麗追兵大至，景擊走之。賚物三千段，進爵滑國公。[4]楊玄感之反也，朝臣子弟多預焉，而景獨無關涉。帝曰：“公誠直天然，我之梁棟也。”賜以美女。帝每呼李大將軍而不名，其見重如此。

[1]高麗：古國名。爲高句麗的別稱。故地在今朝鮮半島北部。

傳見本書卷八一、《北史》卷九四、《南史》卷七九、《舊唐書》卷一九九上、《新唐書》卷二二〇。　武厲邏：原作"武厲城"。《北史》卷七六《李景傳》，記載爲"武列城"。考本書《高麗傳》和《北史·高麗傳》均記載爲"武厲邏"。又查《通鑑》卷一八一《隋紀》大業八年記載"唯於遼水拔高麗武厲邏"。故據此改。此地爲高句麗割據時期的城池，戰爭中爲隋軍攻破，隋設遼東郡及通定鎮，即今遼寧新民市。

〔2〕苑丘侯：爵名。全稱爲苑丘縣侯。隋九等爵的第六等。正二品。

〔3〕渾彌道：戰區名。征伐高麗的戰爭中，隋軍被分成二十四路，征戰相應的二十四個戰區，每一個戰區爲一道。渾彌道爲其中之一。《通鑑》卷一八一《隋紀》煬帝大業八年胡注載"帝指授諸軍所出之道，多用漢縣舊名"。渾彌，西漢時屬樂浪郡，約今朝鮮平壤市大同江南岸土城洞，一說即今平壤市。

〔4〕滑國公：爵名。隋九等爵的第三等。從一品。

　　十二年，帝令景營遼東戰具於北平，[1]賜御馬一匹，名師子驖。[2]會幽州賊楊仲緒率衆萬餘人來攻北平，[3]景督兵擊破之，斬仲緒。于時盜賊蜂起，[4]道路隔絶，景遂召募，以備不虞。武賁郎將羅藝與景有隙，[5]遂誣景將反。帝遣其子慰諭之曰："縱人言公闚天闕，[6]據京師，[7]吾無疑也。"

〔1〕北平：郡名。治所在今河北盧龍縣。

〔2〕驖：音 jié。

〔3〕幽州：治所在今北京市城區西南。　楊仲緒：隋末幽州地區農民起義軍領導者。

〔4〕盜賊蜂起：指隋末農民起義風暴席卷全國。

[5]武賁郎將：官名。隋中央軍事機關十二衛屬官。十二衛掌領外軍宿衛宮禁等，各置大將軍、將軍總府事。大業中，每衛又置護軍四人，掌副貳將軍，將軍無則一人攝。尋改護軍爲武賁郎將。正四品。　羅藝：人名。隋煬帝大業中以軍功官至虎賁郎將，督軍於北平郡。隋末大亂時以武力占據涿郡及附近郡縣，自稱幽州總管。唐高祖武德三年歸降唐朝，封爲燕王，後謀反被誅。傳見《舊唐書》卷五六、《新唐書》卷九二。

[6]闚（kuī）：即窺。從小孔、縫隙或隱蔽處察看。　天闚：古指帝京，謂帝王宮闕所在。也指朝廷。

[7]京師：中華本同，宋刻遞修本、汲古閣本、殿本、庫本及《北史》卷七六《李景傳》均作“京都”。

　　後爲高開道所圍，[1]獨守孤城，外無聲援，歲餘，士卒患腳腫而死者十將六七，景撫循之，一無離叛。遼東軍資多在其所，粟帛山積，既逢離亂，景無所私焉。及帝崩於江都，[2]遼西太守鄧暠率兵救之，[3]遂歸柳城。[4]後將還幽州，在道遇賊，見害。契丹、靺鞨素感其恩，[5]聞之莫不流涕，幽、燕人士于今傷惜之。[6]有子世謨。[7]

[1]高開道：人名。隋末河北地區農民起義軍領導者，武德七年兵敗唐軍。傳見《舊唐書》卷五五、《新唐書》卷八六。按，底本原作“高開國”，據宋刻遞修本、汲古閣本、殿本、中華本改。

[2]江都：郡名。治所在今江蘇揚州市。

[3]遼西太守：據《舊唐書》卷五六、《新唐書》卷九二《羅藝傳》載，鄧暠爲襄平太守，而檢《新唐書》卷一一〇《李謹行傳》載同時的遼西太守爲突地稽。此遼西太守，疑誤。遼西，郡

名。治所在今遼寧朝陽市。

　　[4]柳城：縣名。治所在今遼寧朝陽市。

　　[5]契丹：古部族名。其源出於東胡，爲鮮卑的一支。北朝時游牧於西拉木倫河、老哈河一帶。北朝末年逐漸强盛，分爲十部。

　　靺鞨：古族名。西漢以前稱肅慎，東漢稱挹婁，南北朝以來稱勿吉，隋唐稱靺鞨。所處東至日本海，西接突厥，南界高麗，北臨室韋。大體以今吉林松花江流域爲中心，分布在東至俄羅斯濱海邊疆區，北至黑龍江、烏蘇里江的廣大地區。傳見本書卷八一、《北史》卷九四、《舊唐書》卷一九九下、《新唐書》卷二一九。

　　[6]幽、燕：地區名。大致爲今北京市、河北北部及遼寧西部一帶。

　　[7]世謨（mó）：人名。即李世謨。具體事迹不詳。

慕容三藏

　　慕容三藏，[1]燕人也。[2]父紹宗，[3]齊尚書左僕射、東南道大行臺。[4]三藏幼聰敏，多武略，頗有父風。仕齊，釋褐太尉府參軍事，[5]尋遷備身都督。[6]

　　[1]慕容三藏：人名。《北史》卷五三有附傳。生平亦可見《慕容三藏墓誌》（載周紹良主編《唐代墓誌彙編》咸亨○七五，上海古籍出版社1992年版，第564—565頁）。

　　[2]燕：郡名。治所在今遼寧義縣。按，《慕容三藏墓誌》云："其先昌黎棘城人。"

　　[3]紹宗：人名。即慕容紹宗。東魏北齊將領。傳見《北史》卷五三。

　　[4]尚書左僕射：官名。北齊尚書省置左右二僕射，職爲執法，並總理六尚書事。左居右上，左糾彈，右不糾彈。從二品。　　東南

道大行臺：官名。北齊行臺承北魏制，并州大行臺改稱并州尚書省，地位僅在鄴城北齊中央尚書省之下，其餘下臺多以州劃分。東南道行臺亦稱東徐州行臺，駐下邳（今江蘇睢寧縣西北）。

〔5〕釋褐：謂脫去布衣（平民服裝）而換上官服，即做官之意。　太尉府參軍事：官名。北齊置太尉、司徒、司空是爲三公。三公府各置屬官，其中有參軍事一職，以備咨詢軍事方面事宜。正七品。

〔6〕備身都督：官名。北齊實行府兵制，中央置領左右府等，負責禁衛宮掖。領左右府設左右將軍、領千牛備身，又設有左右備身正副都督。備身都督爲從四品。

武平初，[1]襲爵燕郡公，[2]邑八百户。其年，敗周師於孝水，[3]又破陳師於壽陽，[4]轉武衛將軍。[5]又敗周師於河陽，[6]授武衛大將軍。[7]又轉右衛將軍，[8]別封范陽縣公，[9]食邑千户。

〔1〕武平：北齊後主高緯年號（570—576）。

〔2〕燕郡公：爵名。北齊爲開國郡公。從一品。

〔3〕孝水：在今河南洛陽市西。

〔4〕壽陽：縣名。治所在今安徽壽縣。

〔5〕武衛將軍：官名。中央左右衛府置將軍爲長官，又各置武衛將軍二人貳之，專門負責宮内朱華閣以外的宿衛工作。從三品。

〔6〕河陽：縣名。治所在今河南孟州市南。

〔7〕武衛大將軍：官名。北周制度不詳，隋文帝設左武衛，置左武衛大將軍一人爲其首，掌領外軍宿衛宮禁。正三品。

〔8〕右衛將軍：官名。北齊中央左右衛府各設將軍，爲該府最高軍事長官。正三品。

〔9〕范陽縣公：爵名。散縣公。從二品。

周師入鄴也，[1]齊後主失守東遁，[2]委三藏等留守鄴宮。齊之王公以下皆降，三藏猶率麾下抗拒周師。及齊平，武帝引見，[3]恩禮甚厚，詔曰：“三藏父子誠節著聞，宜加榮秩。”授開府儀同大將軍。[4]其年，稽胡叛，[5]令三藏討平之。

[1]鄴：地名。北齊都城，在今河北臨漳縣西南鄴鎮東。

[2]齊後主：即北齊皇帝高緯。紀見《北齊書》卷八、《北史》卷八。

[3]武帝：北周皇帝宇文邕的謚號。紀見《周書》卷五、六，《北史》卷一〇。

[4]開府儀同大將軍：官名。爲北周十一等勳官的第六等。九命。

[5]稽胡：古族名。亦稱步落稽。匈奴別種。十六國時匈奴所建的幾個政權滅亡後，餘部分散各地，北周時統稱爲稽胡。隋唐以後，漸與漢族融合。傳見《周書》卷四九、《北史》卷九六。

開皇元年，授吳州刺史。[1]九年，奉詔持節涼州道黜陟大使。[2]其年，嶺南酋長王仲宣反，[3]圍廣州，[4]詔令柱國、襄陽公韋洸爲行軍總管，[5]三藏爲副。至廣州，與賊交戰，洸爲流矢所中，卒，詔令三藏檢校廣州道行軍事。十年，賊衆四面攻圍，三藏固守月餘。城中糧少矢盡，三藏以爲不可持久，遂自率驍鋭，夜出突圍擊之。賊衆敗散，廣州獲全。以功授大將軍，賜奴婢百口，加以金銀雜物。

[1]吳州：治所在今浙江紹興市。

[2]涼州道：特區名。約今甘肅武威市一帶。隋時將全國劃分爲若干道，有時包括數州，帶有監察或軍事性質。　黜陟大使：使職名。爲臨時差遣巡察地方政刑苛弊之使職，事後則罷。

[3]王仲宣：人名。南陳末年嶺南地區的夷人酋長，隋開皇九年平陳後仍聚衆反抗隋朝的統治，發兵圍攻廣州，韋洸戰死，其後被多路隋軍擊敗潰散。事亦見本書卷六七《裴矩傳》、《陳書》卷一四《王勇傳》。

[4]廣州：隋開皇初治番禺（今廣東廣州市），後改治曲江縣（今韶關市南武水西岸）。開皇末又改回番禺。仁壽元年，改廣州爲番州。

[5]襄陽公：爵名。即襄陽郡公。　韋洸：人名。本書卷四七、《北史》卷六四有附傳。

　　十二年，授廓州刺史。[1]州極西界，與吐谷渾鄰接，姦宄犯法者皆遷配彼州，[2]流人多有逃逸。及三藏至，招納綏撫，百姓愛悦，繈負日至，[3]吏民歌頌之。高祖聞其能，屢有勞問。其年，當州畜産繁孳，獲醍醐奉獻，[4]賚物百段。十三年，州界連雲山響，稱萬年者三，詔頒郡國，仍遣使醮於山所。[5]其日景雲浮於上，雊間兔馴壇側，使還具以聞，上大悦。

[1]廓州：治所在今青海貴德縣。

[2]姦宄：指犯法作亂的人或事。

[3]繈負：亦作“襁負”。用布幅把嬰兒或物品兜負在背上。

[4]醍醐：酥酪上凝聚的油，味甘美。

[5]醮：古代一種禱神的祭禮。

十五年，授疊州總管。[1]党項羌時有翻叛，[2]三藏隨便討平之，部内夷夏咸得安輯。仁壽元年，改封河内縣男。[3]大業元年，[4]授和州刺史。[5]三年，轉任淮南郡太守，[6]所在有惠政。其年，改授金紫光禄大夫。大業七年卒。[7]三藏從子遐，[8]爲澶水丞，[9]漢王反，抗節不從，以誠節聞。

[1]疊州：治所在今甘肅迭部縣。

[2]党項羌：古族名。羌人的一支，分布在今青海東南部河曲和四川松潘以西山谷地帶。從事畜牧業。傳見本書卷八三、《北史》卷九六、《舊唐書》卷一九八、《新唐書》卷二二一上。

[3]河内縣男：爵名。隋九等爵的第九等。正五品。

[4]大業：隋煬帝楊廣年號（605—618）。

[5]和州：治所在今安徽和縣。

[6]淮南：郡名。治所在今安徽壽縣。

[7]大業七年：據《慕容三藏墓誌》卒於"大業九年六月十一日"。

[8]遐：人名。即慕容遐。其他事迹不詳。

[9]澶（chán）水：縣名。屬汲郡，治所在今河南濮陽市。丞：官名。即縣丞，縣主要僚佐之一，掌通判縣事。依縣等第高低自從七品至從九品不等。

薛世雄

薛世雄，[1]字世英，本河東汾陰人也，[2]其先寓居關中。[3]父回，[4]字道弘，仕周，官至涇州刺史。[5]開皇初，封舞陰郡公，領漕渠監，[6]以年老致事，終於家。世雄爲兒童時，與群輩游戲，輒畫地爲城郭，令諸兒爲攻守之勢，有不從令者，世雄輒撻之，諸兒畏憚，莫不齊整。其父見而奇之，謂人曰："此兒當興吾家矣。"年十七，從周武帝平齊，以功拜帥都督。[7]開皇時，數有戰功，累遷儀同三司、右親衛車騎將軍。[8]

[1]薛世雄：人名。傳另見《北史》卷七六。

[2]河東：郡名。治所在今山西永濟市西南蒲州鎮。 汾陰：縣名。治所在今山西萬榮縣西南寶井村。

[3]關中：地區名。與"關內"意同。秦至唐時稱函谷或潼關以西、隴坂以東、終南山以北爲關中。

[4]回：人名。即薛回。事略見《周書》卷六《武帝紀下》。

[5]涇州：治所在今甘肅涇川縣北涇河北岸。

[6]漕渠監：官名。監理漕渠修建。品秩不詳。

[7]帥都督：官名。爲北周十一等勳官的第十等。正七命。

[8]右親衛：官署名。隋中央左右衛各統親衛，掌從侍衛。車騎將軍：官名。隋初爲府兵制中統領驃騎府兵的軍事副長官，正五品上。煬帝大業三年改驃騎府爲鷹揚府，車騎將軍遂改稱鷹揚副郎將，大業五年又改稱鷹擊郎將，降爲從五品。

煬帝嗣位，番禺夷、獠相聚爲亂，[1]詔世雄討平之。遷右監門郎將。[2]從帝征吐谷渾，進位通議大夫。[3]世雄性廉謹，凡所行軍破敵之處，秋毫無犯，帝由是嘉之。帝嘗從容謂群臣曰："我欲舉好人，未知諸君識不？"群臣咸曰："臣等何能測聖心。"帝曰："我欲舉者薛世雄。"群臣皆稱善。帝復曰："世雄廉正節概，有古人之風。"於是超拜右翊衛將軍。[4]

[1]番禺：縣名。治所在今廣東廣州市。

[2]右監門郎將：官名。隋中央軍事機關十二衛中有左右監門府，置將軍一人爲長官，並置郎將二人副之。掌宫廷門禁、守衛等事。正四品。

[3]通議大夫：官名。隋煬帝初年，對隋初的散實官制度加以改革，置光禄等九大夫，爲散實官，授予官員中功高德厚者，爲其加官，以示崇敬，並不理事。通議大夫爲第七等。從四品。

[4]右翊衛將軍：官名。隋初中央軍事機關十二衛中有左右衛府，掌宫掖禁禦，督攝仗衛，置大將軍爲長官，並置將軍二人副之，協理府内事務。從三品。隋煬帝大業三年，改左右衛爲左右翊衛，仍置將軍。品秩不變。

　　歲餘，以世雄爲玉門道行軍大將，[1]與突厥啓民可汗連兵擊伊吾。[2]師次玉門，[3]啓民可汗背約，兵不至，世雄孤軍度磧。[4]伊吾初謂隋軍不能至，皆不設備，及聞世雄兵已度磧，大懼，請降，詣軍門上牛酒。世雄遂於漢舊伊吾城東築城，號新伊吾，[5]留銀青光禄大夫王威以甲卒千餘人戍之而還。[6]天子大悦，進位正議大夫，[7]賜物二千段。

[1]玉門道：特區名。約今甘肅玉門市及其周圍地區。隋朝在戰爭中於地方設置的特區，稱“道”。　行軍大將：使職。出征軍隊的軍事長官，多爲戰時臨時委派，戰事結束即撤。按，《北史》卷七六《薛世雄傳》載爲“行軍大將軍”。

[2]啓民可汗：即東突厥首領，名染干，沙鉢略可汗之子。事見本書卷八四、《舊唐書》卷一九四、《新唐書》卷二一五《突厥

傳》。　伊吾：古國名。爲西域諸胡雜居之地，曾依附於西突厥汗國。事略見本書卷八三《高昌傳》、卷八四《突厥傳》。

[3]玉門：縣名。治所在今甘肅玉門市西北赤金堡。

[4]磧（qì）：淺水中的沙石。

[5]新伊吾：郡名。治所在今新疆哈密市。

[6]銀青光禄大夫：官名。隋散實官的第四等。正三品。隋煬帝大業三年降爲第五等。從三品。　王威：人名。隋時人，具體事迹不詳。

[7]正議大夫：官名。隋散實官的第六等。正四品。

遼東之役，以世雄爲沃沮道軍將，[1]與宇文述同敗績於平壤。還次白石山，[2]爲賊所圍百餘重，四面矢下如雨。世雄以羸師爲方陣，選勁騎二百先犯之，賊稍却，因而縱擊，遂破之而還。所亡失多，竟坐免。明年，帝復征遼東，拜右候衛將軍，[3]兵指蹋頓道。[4]軍至烏骨城，[5]會楊玄感作亂，班師。帝至柳城，以世雄爲東北道大使，[6]行燕郡太守，鎮懷遠。[7]于時突厥頗爲寇盜，緣邊諸郡多苦之，詔世雄發十二郡士馬，巡塞而還。

[1]沃沮道：特區名。《通鑑》卷一八一《隋紀》煬帝大業八年胡注載“帝指授諸軍所出之道，多用漢縣舊名……沃沮，亦古地名，是時其地已入新羅界”。西漢時置沃沮縣，治所在今朝鮮咸鏡南道咸興市，一説即咸鏡北道境城或咸鏡南道北青。東漢時廢。

[2]白石山：在今河北淶源縣南。

[3]右候衛將軍：官名。隋初中央軍事機關十二衛中有左右武候府，掌車駕出，先驅後殿，晝夜巡察，執捕奸非，烽候道路，水

草所置。巡狩師田，則掌其營禁。置大將軍爲長官，將軍二人副之，協理府内事務。大業三年，改左右武候府爲左右候衛府，仍負責宮廷守備及隨侍皇帝出行、護衛。右候衛將軍爲其衛副長官，從三品。

[4]蹋頓道：特區名。蹋頓爲遼西烏桓的首領，其領地約今遼寧河北的交界處。

[5]烏骨城：高麗城名。在今遼寧鳳城市東南鳳凰山山城。

[6]東北道：特區名。其範圍約當今河南、河北以及遼寧一帶。大使：使職名。指特派出巡的大臣，多爲探察民情、安撫百姓或軍事鎮守而派出，事畢即撤。

[7]懷遠：鎮名。隋煬帝與高麗作戰所用的米糧儲存於此。一說在今遼寧遼中縣附近，一說即今遼寧黑山縣東姜家屯北古城子。

十年，復從帝至遼東，遷左禦衛大將軍，[1]仍領涿郡留守。[2]未幾，李密逼東都，[3]中原騷動，詔世雄率幽、薊精兵將擊之。[4]軍次河間，[5]營於郡城南，河間諸縣並集兵，依世雄大軍爲營，欲討竇建德。[6]建德將家口遁，自選精銳數百，夜來襲之。先犯河間兵，潰奔世雄營。時遇霧霧晦冥，莫相辨識，軍不得成列，皆騰柵而走，於是大敗。世雄與左右數十騎遁入河間城，慚恚發病，歸於涿郡，未幾而卒，時年六十三。有子萬述、萬淑、萬鈞、萬徹，[7]並以驍武知名。

[1]左禦衛大將軍：官名。隋煬帝時對隋初中央軍事機關十二衛進行了調整，加置左右禦衛，負責皇帝的宿衛，置大將軍爲長官，總理府事。正三品。

[2]涿郡：治所在今北京城西南。　留守：使職。皇帝出巡或

親征時指定親王或大臣留守京城，得便宜行事，稱京城留守；其陪京和行都則常設留守，以地方行政長官兼任。

[3]李密：人名。傳見本書卷七〇、《舊唐書》卷五三、《新唐書》卷八四，《北史》卷六〇有附傳。

[4]幽、薊：地區名。即今北京、天津、河北、山西一帶。

[5]河間：郡名。治所在今河北河間市。

[6]竇建德：人名。隋末反隋主力之一，唐武德元年於河北稱帝建立夏國。傳見《舊唐書》卷五四、《新唐書》卷八五。

[7]萬述：人名。即薛萬述。具體事迹不詳。　萬淑：人名。即薛萬淑。貞觀初爲營州都督，檢校東夷校尉。事略見《舊唐書》卷六九、《新唐書》卷九四《薛萬鈞傳》。　萬鈞：人名。即薛萬鈞。唐代任左屯衛大將軍，進封潞國公。傳見《新唐書》卷九四，《舊唐書》卷六九有附傳。　萬徹：人名。即薛萬徹。仕唐爲右武衛大將軍，封武安郡公。傳見《舊唐書》卷六九，《新唐書》卷九四有附傳。

王仁恭

王仁恭，[1]字元實，天水上邽人也。[2]祖建，[3]周鳳州刺史。[4]父猛，[5]鄯州刺史。[6]仁恭少剛毅修謹，工騎射。弱冠，[7]州補主簿，[8]秦孝王引爲記室，[9]轉長道令，[10]遷車騎將軍。[11]從楊素擊突厥於靈武，[12]以功拜上開府，賜物三千段。以驃騎將軍典蜀王軍事。[13]山獠作亂，蜀王命仁恭討破之，賜奴婢三百口。及蜀王以罪廢，官屬多罹其患。上以仁恭素質直，置而不問。

[1]王仁恭：人名。傳另見《北史》卷七八。

[2]上邽（guī）：縣名。爲天水郡治所，在今甘肅天水市。

[3]建：人名。即王建。北周時任鳳州刺史，其他事迹不詳。

[4]鳳州：治所在今陝西鳳縣東北鳳州鎮。

[5]猛：人名。即王猛。隋時任鄯州刺史，其他事迹不詳。

[6]鄯州：治所在今青海樂都縣。

[7]弱冠：古代男子二十歲行冠禮，故用以指男子二十歲左右的年齡。

[8]主簿：官名。地方行政機構的屬官，典領州府文書。品秩隨州縣品級而定，其中雍州州主簿爲流内視正八品，其他諸州主簿爲流内視從八品。

[9]記室：官名。隋親王府屬官之一，掌王府内章表書記文檄。從六品。

[10]長道：縣名。治所在今甘肅西和縣東北長道鎮。

[11]車騎將軍：官名。隋置車騎等四十三散號將軍，品凡十六等，爲散號官。授予大臣以示尊崇，並不理事。正五品。

[12]靈武：郡名。治所在今寧夏靈武市西南。

[13]驃騎將軍：官名。隋置驃騎等四十三散號將軍，品凡十六等，爲散號官。授予大臣以示尊崇，並不理事。正四品。　蜀王：即隋文帝第四子楊秀。開皇元年立爲越王，不久改封蜀王。傳見本書卷四五、《北史》卷七一。

　　煬帝嗣位，漢王諒舉兵反，從楊素擊平之。以功進位大將軍，拜吕州刺史，賜帛四千匹，女妓十人。歲餘，轉衛州刺史，[1]尋改爲汲郡太守，[2]有能名。徵入朝，帝呼上殿，勞勉之，賜雜彩六百段，良馬二匹。遷信都太守，[3]汲郡吏民扣馬號哭於道，數日不得出境，其得人情如此。

［1］衛州：治所在今河南淇縣。

［2］汲郡：隋大業時以衛州改置，移治今河南淇縣東。

［3］信都：郡名。治所在今河北冀州市。

遼東之役，以仁恭爲軍將。及帝班師，仁恭爲殿，遇賊，擊走之。進授左光禄大夫，賜絹六千段，馬四十匹。明年，復以軍將指扶餘道，[1]帝謂之曰：“往者諸軍多不利，公獨以一軍破賊。古人云，敗軍之將不可以言勇，諸將其可任乎？今委公爲前軍，當副所望也。”賜良馬十匹，黃金百兩。仁恭遂進軍，至新城，[2]賊數萬背城結陣，仁恭率勁騎一千擊破之。賊嬰城拒守，仁恭四面攻圍。帝聞而大悅，遣舍人詣軍勞問，賜以珍物。進授光禄大夫，賜絹五千匹。會楊玄感作亂，其兄子武賁郎將仲伯預焉，[3]仁恭由是坐免。

［1］扶餘道：特區名。即以扶餘爲中心的戰爭特區。隋朝在戰爭中於地方設置的特區，稱“道”。

［2］新城：城名。在今遼寧撫順市北高爾山城。

［3］仲伯：人名。即王仲伯。隋光禄大夫王仁恭兄子，參與楊玄感起兵反隋，楊玄感失敗後與李密投奔郝孝德，未得重用，潛歸天水，後不知所終。事亦見《通鑑》卷一八二《隋紀》大業九年條、《册府元龜》卷九四九《總錄部·亡命》等。

尋而突厥屢爲寇患，帝以仁恭宿將，頻有戰功，詔復本官，領馬邑太守。[1]其年，始畢可汗率騎數萬來寇馬邑，[2]復令二特勤將兵南過。[3]時郡兵不滿三千，仁恭簡精銳逆擊，破之。其二特勤衆亦潰，仁恭縱兵乘之，獲數千級，并斬二特勤。帝大悅，賜縑三千匹。其後突厥復入定襄，仁恭率兵四千掩擊，斬千餘級，大獲六畜而歸。

[1]馬邑：郡名。治所在今山西朔州市。

[2]始畢可汗：東突厥首領，啟民可汗之子。事見本書卷八四、《北史》卷九九《突厥傳》。按，其名諸書記載不一，本書卷八四載其名爲"咄吉世"，《北史·突厥傳》載"吐吉"，《舊唐書》卷一九四、《新唐書》卷二一五《突厥傳》皆載"咄吉"。查《通鑑》卷一八一《隋紀》煬帝大業五年、《通典》卷一九七《邊防》、《文獻通考》卷三四三《四裔考》、《讀史方輿紀要》卷四五《山西》同載爲"咄吉"。可知《北史》記載可能有誤，而新、舊《唐書》爲避李世民之諱而省字，後世著述因抄新、舊《唐書》，故省而未添。暫可判定始畢可汗名爲咄吉世。

[3]特勤：突厥語音譯。突厥、回鶻官名，以可汗子弟及宗室充任，地位僅次於葉護和設。底本、宋刻遞修本、殿本、庫本皆爲"特勒"。據《闕特勤碑》當爲"特勤"（參錢大昕《駕齋養新錄》卷六《特勤當從石刻》）。

于時天下大亂，百姓饑餒，道路隔絕，仁恭頗改舊節，受納貨賄，又不敢輒開倉廩，賑恤百姓。其麾下校尉劉武周與仁恭侍婢姦通，[1]恐事泄，將爲亂，每宣言郡中曰："父老妻子凍餒，填委溝壑，而王府君閉倉不救百姓，是何理也！"以此激怒衆，吏民頗怨之。其後仁恭正坐廳事，武周率其徒數十人大呼而入，因害之，時年六十。武周於是開倉賑給，郡内皆從之，自稱天子，署置百官，轉攻傍郡。

[1]校尉：官名。隋鷹揚府之下設團，長官稱校尉。正六品。

劉武周：人名。隋末群雄之一，以馬邑爲中心，依附突厥，圖謀帝業。傳見《舊唐書》卷五五、《新唐書》卷八六。

權武

權武，[1]字武挓，天水人也。祖超，[2]魏秦州刺史。[3]父襲慶，[4]周開府，從武元皇帝與齊師戰于并州，[5]被圍百餘重。襲慶力戰矢盡，短兵接戰，殺傷甚衆，刀稍皆折，脫胄擲地，向賊大罵曰："何不來斫頭也！"賊遂殺之。武以忠臣子，起家拜開府，襲爵齊郡公，[6]邑千二百户。武少果勁，勇力絕人，能重甲上馬。嘗倒投於井，未及泉，復躍而出，其拳捷如此。從王謙破齊服龍等五城，[7]增邑八百户。平齊之役，攻陷邵州，[8]别下六城，以功增邑三百户。宣帝時，拜勁捷左旅上大夫，[9]進位上開府。

[1]權武：人名。傳另見《北史》卷七八。

[2]超：人名。即權超。西魏時任秦州刺史，其他事迹不詳。

[3]秦州：北魏州名。治所在今甘肅天水市。

[4]襲慶：人名。即權襲慶。北周爲開府儀同三司，其他事迹不詳。

[5]武元皇帝：即隋文帝楊堅的父親楊忠。隋文帝登基後追尊楊忠爲武元皇帝。傳見《周書》卷一九，事另見《北史》卷一一《隋文帝紀》。 并州：治所在今山西太原市西南。

[6]齊郡公：爵名。北周十一等爵的第五等。正九命。

[7]王謙：人名。北周柱國大將軍，因反對楊堅輔政，兵敗被殺。傳見《周書》卷二一，《北史》卷六〇有附傳。 服龍：城名。北齊位置不詳。

[8]邵州：北齊時治所不清，北周、隋時治所在今山西垣曲縣東南城關。

[9]勁捷左旅上大夫：官名。北周時其隸屬、職掌未詳，王仲犖歸入"六官餘録"。正四命。（參見王仲犖《北周六典》卷七《六官餘録第十三》，第507頁）

高祖爲丞相，引置左右。及受禪，增邑五百户。後六歲，拜浙州刺史。[1]伐陳之役，以行軍總管從晋王出六合，[2]還拜豫州刺史。[3]在職數年，以創業之舊，進位大將軍，檢校潭州總管。其年，桂州人李世賢作亂，[4]武以行軍總管與武候大將軍虞慶則擊平之。[5]慶則以罪誅，功竟不録，復還于州。多造金帶，遺嶺南酋領，其人復答以寶物，武皆納之，由是致富。

[1]浙州：宋刻遞修本、汲古閣本、殿本、庫本同底本，中華本作"淅州"。岑仲勉指出：衲本、清補本均作浙州。又"浙"應作"淛"，蓋自六朝迄唐，從扌、從木之字，往往混用，未得爲誤（參見岑仲勉《隋書求是》第10、237頁）。淅州，治所在今河南西峽縣北。

[2]六合：縣名。治所在今江蘇南京市六合區。

[3]豫州：治所在今河南汝南縣。

[4]其年，桂州人李世賢作亂：本書卷二《高祖紀下》載權武檢校潭州刺史是在開皇十二年，而李世賢反則在開皇十七年，故此句"其年"有誤。李世賢，人名。《北史》卷一一《隋文帝紀》、《通鑑》卷一七八《隋紀》開皇十七年皆爲"李世賢"，本書《高

祖紀下》作“李代賢”，岑仲勉指出，李代賢“即六五《權武傳》
之李世賢，四〇《虞慶則傳》之李賢”（參見岑仲勉《隋書求是》，
中華書局 2004 年版，第 15、288 頁）。中華本校勘記亦云：“應作
‘李世賢’，唐人諱改。書中或省稱‘李賢’。”

　　[5]武候大將軍：檢本書卷四〇《虞慶則傳》知其所任爲右武
候大將軍。　虞慶則：人名。傳見本書卷四〇、《北史》卷七三。

　　後武晚生一子，與親客宴集，酒酣，遂擅赦所部内
獄囚。武常以南越邊遠，[1]治從其俗，務適便宜，不依
律令，而每言當今法急，官不可爲。上令有司案其事，
皆驗。上大怒，命斬之。武於獄中上書，言其父爲武元
皇帝戰死於馬前，以此求哀。由是除名爲民。仁壽中，
復拜大將軍，封邑如舊。未幾，授太子右衛率。

　　[1]南越：地區名。一作南粤。泛指今廣東、廣西及越南北部
一帶。

　　煬帝即位，拜右武衛大將軍，[1]坐事免，授桂州刺
史。俄轉始安太守。[2]久之，徵拜右屯衛大將軍，[3]尋坐
事除名。卒于家。有子弘。[4]

　　[1]右武衛大將軍：《北史》卷七八《權武傳》作“右武衛將
軍”。按，本書《百官志下》載：左右武衛各大將軍一人，正三
品；將軍二人，從三品。檢本書卷三《煬帝紀上》：仁壽四年七月
煬帝即位，十二月“戊辰，以柱國李景爲右武衛大將軍”。又本卷
《李景傳》亦云：仁壽中平漢王諒“尋被徵入京，進位柱國，拜右
武衛大將軍”。則煬帝即位拜右武衛大將軍者乃是李景。又太子右

衛率爲正四品上，至煬帝即位時間較短，上升一階任從三品右武衛將軍也更符合常理。故此當從《北史》作“右武衛將軍”更妥。

[2]始安：郡名。隋大業三年以桂州改置，治所在今廣西桂林市。

[3]右屯衛大將軍：官名。隋初中央軍事機關十二衛中有左右領軍府，掌十二軍籍帳、差科、辭訟之事。不置將軍，唯有長史、司馬等屬官。煬帝大業三年，改左右領軍府爲左右屯衛府，各置大將軍爲長官，總理府事。正三品。

[4]弘：人名。即權弘。具體事迹不詳。

吐萬緒

吐萬緒，[1]字長緒，代郡鮮卑人也。[2]父通，[3]周郢州刺史。[4]緒少有武略，在周，起家撫軍將軍，[5]襲爵元壽縣公。數從征伐，累遷大將軍、少司武。[6]

[1]吐萬緒：人名。傳另見《北史》卷七八。
[2]代郡：治所在今山西大同市東北。　鮮卑：古族名。東胡族的一支。秦漢時游牧於今西拉木倫河與洮兒河之間，附於匈奴。北匈奴西遷後，進入匈奴故地，並其餘衆，實力漸盛。魏晋南北朝時，有慕容、乞伏、禿髮、宇文、拓跋等部先後在今華北及西北地區建立政權。内遷的鮮卑人多轉向農業生産，漸與漢人及其他各族相融和。傳見《後漢書》卷九〇、《三國志》卷三〇。
[3]通：人名。即吐萬通。北周時任郢州刺史，其他事迹不詳。
[4]郢州：治所在今湖北鍾祥市。
[5]撫軍將軍：官名。北周置諸戎號，授予有軍功的大臣，撫軍將軍爲其中之一。八命。
[6]大將軍：官名。爲北周十一等勳官的第四等。正九命。

少司武：官名。全稱爲小司武大夫，分左右。執掌和品秩不詳。

高祖受禪，拜襄州總管，[1] 進封穀城郡公，邑二千五百户。尋轉青州總管，[2] 頗有治名。歲餘，突厥寇邊，朝廷以緒有威略，徙爲朔州總管，甚爲北夷所憚。其後高祖潛有吞陳之志，轉徐州總管，[3] 令修戰具。及大舉濟江，以緒領行軍總管，與西河公紇豆陵洪景屯兵江北。[4] 及陳平，拜夏州總管。[5]

[1] 襄州：治所在今湖北襄樊市。
[2] 青州：治所在今山東青州市。
[3] 徐州：治所在今江蘇徐州市。
[4] 紇豆陵洪景：人名。即竇洪景。北周賜姓"紇豆陵氏"，具體事迹不詳。
[5] 夏州：治所在今陝西靖邊縣東北白城子。

晋王廣之在藩也，頗見親遇，及爲太子，引爲左虞候率。[1] 煬帝嗣位，漢王諒時鎮并州，帝恐其爲變，拜緒晋、絳二州刺史，馳傳之官。緒未出關，諒已遣兵據蒲坂，[2] 斷河橋，緒不得進。詔緒率兵從楊素擊破之，拜左武候將軍。[3]

[1] 左虞候率：官名。隋初於左虞候各置左虞候開府一員爲長官。煬帝大業三年改左虞候開府爲左虞候率，掌東宫斥候伺奸非，正四品。
[2] 蒲坂：縣名。隋初治所在今山西永濟市西南蒲州鎮。開皇六年移治蒲州鎮東。大業二年廢。

〔3〕左武候將軍：官名。隋初中央軍事機關十二衛中有左右武候府，掌車駕出，先驅後殿，晝夜巡察，執捕奸非，烽候道路，水草所置。巡狩師田，則掌其營禁。置大將軍爲長官，將軍二人副之，協理府内事務。大業三年，改左右武候府爲左右候衛府，仍負責宮廷守備及隨侍皇帝出行、護衛。左候衛將軍爲其衛副長官，從三品。

　　大業初，轉光禄卿。[1]賀若弼之遇讒也，引緒爲證，緒明其無罪，由是免官。歲餘，守東平太守。[2]未幾，帝幸江都，路經其境，迎謁道傍。帝命升龍舟，緒因頓首陳謝往事。帝大悦，拜金紫光禄大夫，太守如故。遼東之役，請爲先鋒，帝嘉之，拜左屯衛大將軍，[3]率馬步數萬指蓋馬道。[4]及班師，留鎮懷遠，進位左光禄大夫。

　　〔1〕光禄卿：官名。隋光禄寺長官。掌皇室膳食，統太官、肴藏、良醖、掌醢等署。隋初爲正三品，大業初降爲從三品。
　　〔2〕守：階卑而職高稱“守”，階高而職卑稱“行”。　東平：郡名。隋大業初以鄆州改置，治所在今山東鄆城縣東。
　　〔3〕左屯衛大將軍：官名。隋初中央軍事機關十二衛中有左右領軍府，掌十二軍籍帳、差科、辭訟之事。不置將軍，唯有長史、司馬等屬官。煬帝大業三年，改左右領軍府爲左右屯衛府，各置大將軍一人爲主官，總理府事。正三品。
　　〔4〕蓋馬道：特區名。其地約當今遼寧新賓滿族自治縣及今朝鮮咸鏡南道咸興一帶。

　　時劉元進作亂江南，[1]以兵攻潤州，[2]帝徵緒討之。

緒率衆至楊子津，[3]元進自茅浦將度江，[4]緒勒兵擊走。緒因濟江，背水爲柵。明旦，元進來攻，又大挫之，賊解潤州圍而去。緒進屯曲阿，[5]元進復結柵拒。緒挑之，元進出戰，陣未整，緒以騎突之，賊衆遂潰，赴江水而死者數萬。元進挺身夜遁，歸保其壘。僞署僕射朱燮、管崇等屯於毗陵，[6]連營百餘里。緒乘勢進擊，復破之，賊退保黃山。[7]緒進軍圍之，賊窮蹙請降，元進、朱燮僅以身免。於陣斬管崇及其將軍陸顗等五千餘人，[8]收其子女三萬餘口，送江都宮。[9]進解會稽圍。[10]元進復據建安，[11]帝令進討之，緒以士卒疲敝，請息甲待至來春。帝不悅，密令求緒罪失，有司奏緒怯懦違詔，於是除名爲民，配防建安。尋有詔徵詣行在所，緒鬱鬱不得志，還至永嘉，[12]發疾而卒。

[1]劉元進：人名。傳見本書卷七〇、《北史》卷四一。

[2]潤州：隋開皇十五年置，治所在今江蘇鎮江市，大業三年廢。

[3]楊子津：津渡名。蓋爲今揚子津，在今江蘇揚州市南。

[4]茅浦：地名。在今江蘇丹陽市東北。

[5]曲阿：縣名。屬江都郡，治所在今江蘇丹陽市。

[6]朱燮：人名。大業九年八月聚衆起兵反隋，有衆十餘萬。後爲王世充所敗，戰死。事略見本書卷四《煬帝紀下》、卷六四《魚俱羅傳》等。按，本書《煬帝紀下》作“朱燮”，《魚俱羅傳》作“朱爕”。　管崇：人名。大業九年八月聚衆起兵反隋，有衆十餘萬。後爲王世充所敗，戰死。事略見本書《煬帝紀下》《魚俱羅傳》等。

[7]黃山：一名筆架山。在今江蘇蘇州市西南。

〔8〕陸頊（yǐ）：人名。隋時人。事略見《通鑑》卷一八二《隋紀》煬帝大業九年。

〔9〕江都宮：宮殿名。隋煬帝置，在今江蘇揚州市西。

〔10〕會稽：郡名。治所在今浙江紹興市。

〔11〕建安：郡名。治所在今福建福州市。

〔12〕永嘉：郡名。治所在今浙江麗水市東南。

董純

董純，[1]字德厚，隴西成紀人也。[2]祖和，[3]魏太子左衛率。[4]父昇，[5]周柱國。[6]純少有膂力，便弓馬。在周仕歷司御上士、典馭下大夫，[7]封固始縣男，[8]邑二百戶。從武帝平齊，以功拜儀同，進爵大興縣侯，[9]增邑通前八百戶。

〔1〕董純：人名。傳另見《北史》卷七八。

〔2〕隴西：郡名。治所在今甘肅隴西縣。　成紀：縣名。治所在今甘肅靜寧縣。

〔3〕和：人名。即董和。西魏時任太子左衛率，其他事迹不詳。

〔4〕太子左衛率：官名。魏置太子左右衛府，以備儲闈武衛之職。左衛率爲其府最高軍事長官。從三品。

〔5〕昇：人名。即董昇。北周時人，其他事迹不詳。

〔6〕柱國：官名。全稱爲柱國大將軍，爲北周十一等勳官的第二等。正九命。

〔7〕司御上士：官名。或屬夏官，執掌不詳。正三命。　典馭下大夫：官名。或屬夏官，執掌不詳。正四命。

〔8〕固始縣男：爵名。北周十一等爵的第十等。正五命。

[9]大興縣侯：爵名。北周十一等爵的第七等。正八命。

高祖受禪，進爵漢曲縣公，[1]累遷驃騎將軍。後以軍功進位上開府。開皇末，以勞舊擢拜左衛將軍，[2]尋改封順政縣公。漢王諒作亂并州，以純爲行軍總管、河北道安撫副使，[3]從楊素擊平之。以功拜柱國，進爵爲郡公，增邑二千户。轉左備身將軍，[4]賜女妓十人，縑彩五千匹。數年，轉左驍衛將軍、彭城留守。[5]

[1]漢曲縣公：爵名。隋九等爵的第五等。從一品。

[2]左衛將軍：官名。隋初中央軍事機關十二衛中有左右衛，掌宮掖禁禦，督攝仗衛。各置大將軍爲長官，並置將軍二人副之，協理府事。大業三年，隋煬帝改革官制，將左右衛改爲左右翊衛，仍置將軍。從三品。

[3]河北道：特區名。即在黃河中下游以北設置的特區。　安撫副使：使職。多爲行軍主帥或總管的兼職，戰時臨時委派，負責巡察戰區的軍民兩政，戰事結束即撤。

[4]左備身將軍：官名。隋開皇十八年置左右備身府，隨侍皇帝左右，編制與隋初十二衛相似，各置大將軍爲長官，將軍二人副之，協理府事。大業三年，改左右備身爲左右驍衛，而將隋初左右領左右府改爲左右備身府，編制未變。從三品。

[5]左驍衛將軍：官名。即左驍衛將軍。隋開皇十八年置左右備身府，隨侍皇帝左右，編制與隋初十二衛相似，各置大將軍爲長官，將軍二人副之，協理府事。大業三年，改左右備身爲左右驍衛，編制未變。從三品。　彭城：郡名。治所在今江蘇徐州市。

齊王暕之得罪也，純坐與交通，帝庭譴之曰："汝階緣宿衛，以至大官，何乃附傍吾兒，欲相離間也?"純曰:"臣本微賤下才，過蒙獎擢，先帝察臣小心，寵逾涯分，陛下重加收採，位至將軍。欲竭餘年，報國恩耳。比數詣齊王者，徒以先帝、先后往在仁壽宮，[1]置元德太子及齊王於膝上，[2]謂臣曰:'汝好看此二兒，勿忘吾言也。'臣奉詔之後，每於休暇出入，未嘗不詣王所。臣誠不敢忘先帝之言。于時陛下亦侍先帝之側。"帝改容曰:"誠有斯旨。"於是捨之。後數日，出爲汶山太守。[3]

[1]仁壽宮:宮殿名。隋置，在今陝西麟游縣西。

[2]元德太子:即隋煬帝長子楊昭。傳見本書卷五九、《北史》卷七一。

[3]汶山:郡名。治所在今四川茂縣。

歲餘，突厥寇邊，朝廷以純宿將，轉爲榆林太守。虜有至境，純輒擊却之。會彭城賊帥張大彪、宗世模等衆至數萬，[1]保懸薄山，[2]寇掠徐、兗。[3]帝令純討之。純初閉營不與戰，賊屢挑之不出，賊以純爲怯，不設備，縱兵大掠。純選精銳擊之，合戰於昌慮，[4]大破之，斬首萬餘級，築爲京觀。賊魏騏驎衆萬餘人，據單父，純進擊，又破之。[5]

[1]張大彪:人名。隋末農民起義軍領導者。事略見本書卷四《煬帝紀下》、《通典》卷一五三《兵典》。 宗世模:人名。隋末農民起義軍領導者。事略見《通典》卷一五三《兵典》。

　　[2]懸薄山：今名及具體地點不詳。按，《北史》卷一二《隋
煬帝紀》作"縣薄山"。

　　[3]兗：州名。治所在今山東兗州市。

　　[4]昌慮：郡名。治所在今山東滕州市東南。

　　[5]"斬首萬餘級"至"又破之"：此句底本原無，據宋刻遞
修本、中華本補。魏騏驎，人名。隋末農民起義軍領導者，具體事
迹不詳。單父，縣名。治所在今山東單縣南。

　　及帝重征遼東，復以純爲彭城留守。東海賊彭孝才
衆數千，[1]掠懷仁縣，[2]轉入沂水，[3]保五不及山。[4]純以
精兵擊之，擒孝才於陣，車裂之，[5]餘黨各散。時百姓
思亂，盜賊日益，純雖頻戰克捷，所在蜂起。有人譖純
怯懦，不能平賊，帝大怒，遣使鎖純詣東都。有司見帝
怒甚，遂希旨致純死罪，竟伏誅。

　　[1]東海：郡名。治所在今江蘇連雲港市西南海州區。　彭孝
才：人名。東海人，隋末農民起義軍領導者。事略見《通鑑》卷一
八二《隋紀》煬帝大業九年。

　　[2]懷仁縣：治所在今江蘇贛榆縣。

　　[3]沂水：即今山東東南部、江蘇北部的沂河，唯下游古今略
有變遷。

　　[4]五不及山：今地不詳。

　　[5]車裂：亦稱轘裂，俗稱五馬分尸。中國古代執行死刑的一
種殘酷方式。即將人頭和四肢分別拴在五輛車上，以五馬駕車，同
時分馳，撕裂肢體。周代已有，歷代延用，從唐代開始基本廢除，
後代甚少使用。

趙才

趙才，[1]字孝才，張掖酒泉人也。[2]祖隗，[3]魏銀青光禄大夫、樂浪太守。[4]父壽，[5]周順政太守。[6]才少驍武，便弓馬，性粗悍，無威儀。周世爲興正上士。[7]高祖受禪，屢以軍功遷上儀同三司，配事晉王。

[1]趙才：人名。傳另見《北史》卷七八。

[2]張掖：郡名。治所在今甘肅張掖市。　酒泉：縣名。治所在今甘肅張掖市西北，大業二年移治今張掖市。

[3]隗（wěi）：人名。即趙隗。西魏任樂浪太守，其他事迹不詳。

[4]銀青光禄大夫：官名。北魏置諸散官，作爲大臣的兼官，並不理事。銀青光禄大夫爲其一，從第二品中，宣武帝時降爲第三品。　樂浪：郡名。治所在今遼寧義縣北。

[5]壽：人名。即趙壽。北周時任順政太守，其他事迹不詳。

[6]順政：郡名。治所在今陝西略陽縣。

[7]興正上士：官名。或夏官之屬，執掌不詳。正三命。

及王爲太子，拜右虞候率。煬帝即位，轉左備身驃騎，[1]後遷右驍衛將軍。[2]帝以才藩邸舊臣，漸見親待。才亦恪勤匪懈，所在有聲。歲餘，轉右候衛將軍。從征吐谷渾，以爲行軍總管，率衛尉卿劉權、兵部侍郎明雅等出合河道，[3]與賊相遇，擊破之，以功進位金紫光禄大夫。

[1]左備身驃騎：官名。全稱爲左備身驃騎將軍。隋開皇十八年置左右備身府，隨侍皇帝左右，編制與隋初十二衛相似，統諸驃

騎府，長官爲驃騎將軍。大業三年，改驃騎府爲鷹揚府，改驃騎將軍爲鷹揚郎將。正五品。

[2]右驍衛將軍：官名。即右騎衛將軍。隋開皇十八年置左右備身府，隨侍皇帝左右，編制與隋初十二衛相似，各置大將軍爲長官，將軍二人副之，協理府事。大業三年，改左右備身爲左右騎衛，編制未變。從三品。

[3]衛尉卿：官名。隋衛尉寺長官，置一人。掌宮門警衛，儀仗帳幕等，統公車、武庫、守宮等署。隋文帝時爲正三品，煬帝大業三年改制時降爲從三品。　劉權：人名。傳見本書卷六三、《北史》卷七六。　兵部侍郎：官名。隋兵部侍郎一人爲副長官，協助長官兵部尚書處理部內事務。正四品。　明雅：人名。大業時任兵部侍郎，從征吐谷渾，征伐高句麗時以罪廢。事亦見本書卷七〇《斛斯政傳》。　合河道：特區名。其地約今山西興縣附近。

及遼東之役，再出碣石道，[1]還授左候衛將軍。俄遷右候衛大將軍。[2]時帝每有巡幸，才恒爲斥候，[3]肅遏姦非，無所迴避。在塗遇公卿妻子有違禁者，才輒醜言大罵。多所援及，時人雖患其不遜，然才守正，無如之何。十年，駕幸汾陽宮，[4]以才留守東都。

[1]碣石道：特區名。據胡三省引杜佑曰："在樂浪郡遂城縣。"即今朝鮮平壤西南西江郡一帶。

[2]右候衛大將軍：官名。隋初中央軍事機關十二衛中有左右武候府，掌車駕出，先驅後殿，晝夜巡察，執捕奸非，烽候道路，水草所置。巡狩師田，則掌其營禁。置大將軍一人爲長官，總理府內事務。大業三年，改左右武候府爲左右候衛府，仍負責宮廷守備及隨侍皇帝出行、護衛。正三品。

[3]斥候：偵察，候望。

[4]汾陽宮：宮殿名。隋大業四年建，故址在今山西寧武縣西南管涔山上。

　　十二年，帝在洛陽，將幸江都。才見四海土崩，恐爲社稷之患，自以荷恩深重，無容坐看亡敗，於是入諫曰：“今百姓疲勞，府藏空竭，盜賊蜂起，禁令不行。願陛下還京師，安兆庶，臣雖愚蔽，敢以死請。”帝大怒，以才屬吏。旬日，帝意頗解，乃令出之。帝遂幸江都，待遇逾昵。時江都糧盡，將士離心，内史侍郎虞世基、秘書監袁充等多勸帝幸丹陽。[1]帝廷議其事，才極陳入京之策，世基盛言度江之便。帝默然無言，才與世基相忿而出。宇文化及弒逆之際，[2]才時在苑北，化及遣驍果席德方矯詔追之。[3]才聞詔而出，德方命其徒執之，以詣化及。化及謂才曰：“今日之事，祇得如此，幸勿爲懷。”才默然不對。化及忿才無言，將殺之，三日乃釋。以本官從事，鬱鬱不得志。才嘗對化及宴飲，請勸其同謀逆者一十八人楊士覽等酒，[4]化及許之。才執杯曰：“十八人止可一度作，勿復餘處更爲。”諸人默然不對。行至聊城，[5]遇疾。俄而化及爲竇建德所破，才復見虜。心彌不平，數日而卒，時年七十三。

　　[1]内史侍郎：官名。隋内史省副長官，佐宰相之職的本省長官内史監、令處理政務。初設四員，正四品下；大業三年減爲二員，正四品。　虞世基：人名。傳見本書卷六七、《北史》卷八三。
　　秘書監：官名。隋秘書省長官，掌全國圖書秘記，古今文字，兼掌國史等。隋初爲正三品，煬帝大業三年降爲從三品。　袁充：人名。傳見本書卷六九、《北史》卷七四。

[2]宇文化及：人名。傳見本書卷八五，《北史》卷七九有附傳。

[3]驍果：軍士名。募民爲之。以折衝、果毅、武勇、雄武等郎將領之。武勇郎將爲副長官，主掌宿衛，上屬於左右備身府。席德方：人名。隋末爲驍果禁軍，參與弑殺隋煬帝的江都宮變。

[4]楊士覽：人名。宇文智及外甥，隋末爲勳侍，參與縊殺隋煬帝的江都宮變，武德二年爲竇建德所殺。事略見本書《宇文化及傳》、《通鑑》卷一八五《唐紀》高祖武德元年及卷一八七《唐紀》高祖武德二年。

[5]聊城：縣名。治所在今山東聊城市東北。

仁壽、大業間，有蘭興浴、賀蘭蕃，[1]俱爲武候將軍，剛嚴正直，不避强禦，咸以稱職知名。

[1]蘭興浴：人名。其他事迹不詳。按，《北史》卷七八《趙才傳》記爲“蘭興洛”，不知何者爲確。　賀蘭蕃：人名。其他事迹不詳。

史臣曰：羅睺、法尚、李景、世雄、慕容三藏並以驍武之姿，當有事之日，致茲富貴，自取之也。仁恭初在汲郡，以清能顯達，後居馬邑，以貪吝敗亡，鮮克有終，惜矣！吐萬緒、董純各以立效當年，取斯高秩。緒請息兵見責，純遭譖毀被誅。大業之季，盜可盡乎！淫刑暴逞，能不及焉！趙才雖人而無儀，志在强直，固拒世基之議，可謂不苟同矣。權武素無行檢，不拘刑憲，終取黜辱，宜哉。

隋書　卷六六

列傳第三十一

李諤

　　李諤，[1]字士恢，趙郡人也。[2]好學，[3]解屬文。仕齊爲中書舍人，[4]有口辯，每接對陳使。[5]周武帝平齊，[6]拜天官都上士。[7]諤見高祖有奇表，[8]深自結納。及高祖爲丞相，[9]甚見親待，訪以得失。于時兵革屢動，國用虛耗，諤上《重穀論》以諷焉。高祖深納之。及受禪，歷比部、考功二曹侍郎，[10]賜爵南和伯。[11]諤性公方，明達世務，爲時論所推。遷治書侍御史。[12]上謂群臣曰：“朕昔爲大司馬，[13]每求外職。李諤陳十二策，苦勸不許，朕遂決意在內。今此事業，諤之力也。”賜物二千段。

　　[1]李諤：人名。傳另見《北史》卷七七。
　　[2]趙郡：治所在今河北趙縣。
　　[3]好：《北史·李諤傳》作“博”。

[4]齊：即北齊（550—577），或稱高齊，都鄴（今河北臨漳縣西南鄴鎮東）。 中書舍人：官名。爲中書省之舍人省屬官。置十人，掌署敕行下，宣旨勞問。北齊第六品。

[5]陳：即南朝陳（557—589），都建康（今江蘇南京市）。

[6]周武帝：北周皇帝宇文邕諡號。紀見《周書》卷五、六，《北史》卷一〇。

[7]天官都上士：官名。北周天官府屬官，輔佐天官大冢宰卿掌管府事。正三命。（參見王仲犖《北周六典》卷二《天官府第二》，中華書局1979年版，第31頁）

[8]高祖：隋文帝楊堅廟號。紀見本書卷一、二，《北史》卷一一。

[9]丞相：官名。北周“左大丞相”或“大丞相”簡稱。北周靜帝大象二年（580）置左、右大丞相，以宗室親王宇文贊爲右大丞相，但僅有虛名；以外戚楊堅爲左大丞相，總攬朝政。旋又去左右之號，獨以楊堅爲大丞相，實爲控制北周朝廷的權臣。

[10]比部：官名。即比部侍郎。隋尚書省都官曹（後改刑部）比部的長官，置一員，掌中央財務審計。隋初爲正六品上，開皇三年（583）升爲從五品。煬帝大業三年（607）改諸曹侍郎爲郎，比部侍郎遂改稱比部郎。 考功：官名。即考功侍郎。隋尚書省吏部考功曹長官，置一員，掌全國文武官員的考課和生平事迹。隋初爲正六品上，開皇三年升爲從五品。煬帝大業三年改諸曹侍郎爲郎，考功侍郎遂改稱考功郎。

[11]南和伯：爵名。隋九等爵的第七等。正三品。

[12]治書侍御史：官名。隋御史臺副長官，實主臺務，並佐御史大夫掌彈劾百官。初爲從五品下，煬帝大業三年升爲正五品，五年又降爲從五品。按，《北史·李諤傳》“書”上闕一“治”字，《通典》卷一六《選舉四》作“持書侍御史”，二書當爲避唐高宗諱所改，作“治書侍御史”是。

[13]大司馬：官名。北周“大司馬卿”簡稱。西魏恭帝三年

（556）仿《周禮》建六官，置大司馬卿爲夏官府最高長官，掌邦政，征伐敵國及四時治兵講武皆由其主持，大祭祀則掌宿衛，廟社則奉羊牲。北周同，正七命。

諤見禮教凋敝，公卿薨亡，其愛妾、侍婢，子孫輒嫁賣之，遂成風俗。諤上書曰：

"臣聞追遠慎終，民德歸厚，[1]三年無改，方稱爲孝。如聞朝臣之內，有父祖亡没，[2]日月未久，[3]子孫無賴，便分其妓妾，嫁賣取財。有一於兹，實損風化。妾雖微賤，親承衣履，服斬三年，[4]古今通式。豈容遽褫縗絰，[5]强傅鉛華，泣辭靈几之前，送付他人之室。凡在見者，猶致傷心，況乎人子，能堪斯忍？復有朝廷重臣，位望通貴，[6]平生交舊，情若弟兄。及其亡没，杳同行路，朝聞其死，夕規其妾，方便求娉，以得爲限，無廉恥之心，棄友朋之義。且居家理治，可移於官，既不正私，何能贊務？"

上覽而嘉之。五品以上妻妾不得改醮，[7]始於此也。

［1］追遠慎終，民德歸厚：謂對父母喪事要依禮做到謹慎合理。語出《論語‧學而》："曾子曰：'慎終追遠，民德歸厚矣。'"

［2］没：《文苑英華》卷六八六《論妓妾改嫁書》（此文下引《文苑英華》出處同此）作"殁"。後句"及其亡没"同。

［3］久：《文苑英華》作"遠"。

［4］斬：此指斬衰，五種喪服中最重的一種。女子喪夫服斬衰。

［5］褫（chǐ）：解下。　縗（cuī）：通"衰"，古代用麻布做的喪服。　絰（dié）：古代喪服中的麻帶，繫在腰間或頭上。

［6］貴：《文苑英華》作"顯"。

[7]改醮（jiào）：改嫁。

謂又以屬文之家，[1]體尚輕薄，遞相師效，流宕忘反，於是上書曰：“臣聞古先哲王之化民也，必變其視聽，防其嗜欲，塞其邪放之心，示以淳和之路。五教六行爲訓民之本，[2]《詩》《書》《禮》《易》爲道義之門。故能家復孝慈，人知禮讓，正俗調風，莫大於此。其有上書獻賦，制誄鐫銘，[3]皆以褒德序賢，明勳證理。苟非懲勸，義不徒然。

[1]屬（zhǔ）文：撰著文辭。

[2]五教：指五種儒家倫理道德，父義、母慈、兄友、弟恭、子孝。 六行：指六種善行，《周禮·地官·大司徒》云：“六行：孝、友、睦、婣（姻）、任、恤。”

[3]上書獻賦，制誄鐫銘：書、賦、誄、銘爲中國古代四種常用文體。誄，叙述死者生平德行以哀悼死者的文辭。

“降及後代，風教漸落。魏之三祖，[1]更尚文詞，忽君人之大道，好雕蟲之小藝。下之從上，有同影響，競騁文華，遂成風俗。江左齊、梁，[2]其弊彌甚，貴賤賢愚，唯務吟詠。遂復遺理存異，尋虛逐微，競一韻之奇，爭一字之巧。連篇累牘，不出月露之形；積案盈箱，唯是風雲之狀。世俗以此相高，[3]朝廷據兹擢士，[4]禄利之路既開，愛尚之情愈篤。於是閭里童昏，貴游總卯，[5]未窺六甲，[6]先製五言。至如羲皇、舜、禹之典，[7]伊、傅、周、孔之説，[8]不復關心，何嘗入耳。以

傲誕爲清虛，以緣情爲勳績。[9]指儒素爲古拙，用詞賦
爲君子。故文筆日繁，[10]其政日亂，良由棄大聖之軌
模，[11]構無用以爲用也。損本逐末，[12]流遍華壤，[13]遞
相師祖，久而愈扇。[14]

[1]魏之三祖：指建安文學代表作家曹操、曹丕、曹植。

[2]江左：地區名。亦稱江東，泛指長江下游以東地區。此指
南朝政權。　齊：即南朝齊（479—502），或稱蕭齊，都建康（今
江蘇南京市）。　梁：即南朝梁（502—557），或稱蕭梁，都建康
（今江蘇南京市）。

[3]世：《通典》卷一六《選舉四》（本文下引《通典》出處
同此）作“代”，當避唐太宗李世民諱所改。

[4]擢：《文苑英華》卷六七九《上隋高祖革文華書》（本文下
引《文苑英華》出處同此）作“取”。

[5]總丱（guàn）：兒童束髮成兩角的樣子。

[6]六甲：用天干地支計算時日，其中甲子、甲戌、甲申、甲
午、甲辰、甲寅謂之六甲。古代兒童入小學，先學六甲內容。

[7]羲皇：傳說中三皇之一伏羲氏。詳見《史記》卷一《五帝
本紀》。　舜：傳說中的古帝名。詳見《史記·五帝本紀》。　禹：
古帝名。詳見《史記》卷二《夏本紀》。

[8]傅：指傅說，商代著名大臣。詳見《史記》卷三《殷本
紀》。　周：指周公旦，西周文王第四子。詳見《史記》卷三三
《魯周公世家》。　孔：指孔子。詳見《史記》卷四七《孔子世
家》。

[9]績：《文苑英華》作“業”。

[10]文筆：六朝時兩種文體。有韻作品稱爲文，無韻作品稱
爲筆。

[11]模：《通典》作“範”。

［12］損：《文苑英華》與《通典》作"捐"。

［13］華：《文苑英華》作"天"。

［14］久而：《通典》作"澆漓"。　扇（shān）：泛指興起。

　　"及大隋受命，[1]聖道聿興，屏出輕浮，[2]遏止華僞。
自非懷經抱質，[3]志道依仁，不得引預搢紳，參廁纓冕。
開皇四年，[4]普詔天下，公私文翰，並宜實録。其年九
月，泗州刺史司馬幼之文表華艷，[5]付所司治罪。[6]自是
公卿大臣，咸知正路，莫不鑽仰墳集，[7]棄絶華綺，擇
先王之令典，行大道於兹世。

　　［1］大：《文苑英華》作"皇"。

　　［2］出：《文苑英華》《通典》及《北史》卷七七《李諤傳》
均作"黜"，中華本據此改，當是。

　　［3］懷經抱質：經、質均爲儒家治國平天下的經典。

　　［4］開皇：隋文帝楊堅年號（581—600）。《通典》"開皇"之
前有"是以"二字。

　　［5］泗州：治所在今江蘇宿遷市東南。　司馬幼之：人名。歷
北齊、北周、隋三朝，入隋官至眉州刺史。事亦見《北齊書》卷八
《後主高緯傳》及卷四二《陽休之傳》。

　　［6］治：《北史·李諤傳》作"推"，《通典》作"理"，均爲
避諱所改。

　　［7］墳集：各本均同，《文苑英華》《通典》及《北史·李諤
傳》均作"墳素"。按，"墳集"與"墳籍"同，泛指古代典籍，
故"素"當爲"集"傳抄之誤。

　　"如聞外州遠縣，[1]仍踵敝風，選吏舉人，未遵典

則。至有宗黨稱孝，鄉曲歸仁，[2]學必典謨，交不苟合，則擯落私門，不加收齒。其學不稽古，逐俗隨時，作輕薄之篇章，結朋黨而求譽，[3]則選充吏職，舉送天朝。蓋由縣令、刺史未行風教，猶挾私情，不存公道。臣既忝憲司，[4]職當糾察。若聞風即劾，恐掛網者多，請勒諸司，普加搜訪，有如此者，具狀送臺。"[5]

[1]外州遠縣：《通典》作"在外州縣"。

[2]曲：《文苑英華》作"里"。

[3]求：《通典》作"稱"。

[4]憲司：魏晉以來對御史臺的通稱。

[5]狀：下級向上級陳述文書的一種。　臺：指御史臺。

諤又以當官者好自矜伐，復上奏曰：

"臣聞舜戒禹云：'汝惟不矜，天下莫與汝争能；汝惟不伐，天下莫與汝争功。'[1]言偃又云：'事君數，斯辱矣，朋友數，斯疏矣。'[2]此皆先哲之格言，後王之軌轍。然則人臣之道，陳力濟時，雖勤比大禹，功如師望，[3]亦不得厚自矜伐，上要君父。況復功無足紀，勤不補過，而敢自陳勳績，輕干聽覽。世之喪道，極於周代，下無廉恥，上使之然。用人唯信其口，取士不觀其行。矜誇自大，便以幹濟蒙擢；謙恭静退，多以恬默見遺。是以通表陳誠，先論己之功狀；承顏敷奏，亦道臣最用心。自衒自媒，都無慚耻之色；强干横請，唯以乾没爲能。自隋受命，此風頓改，耕夫販婦，無不革心，況乃大臣，仍遵敝俗！如聞刺史入京朝覲，乃有自陳勾檢之功，[4]詣訴堦墀之側，[5]言辭不遜，高自稱譽，上瀆冕旒，[6]特爲難恕。凡如此輩，具狀送臺，明加罪黜，以懲風軌。”

[1]“汝惟不矜”至“與汝争功”：語見《尚書·大禹謨》。

[2]言偃：人名。字子游，孔子弟子之一。詳見《史記》卷六七《仲尼弟子列傳》。　“事君數”至“斯疏矣”：語見《論語·里仁》。

[3]師望：即西周太公望吕尚。詳見《史記》卷三二《齊太公世家》。

[4]勾檢：考核檢查。

[5]堦（jiē）墀（chí）：意指朝堂。

[6]冕旒：本指帝王之冠冕，此代指帝王。

上以諤前後所奏頒示天下，四海靡然向風，深革其弊。諤在職數年，務存大體，不尚嚴猛。由是無剛謇之譽，[1]而潛有匡正多矣。

[1]剛謇：亦作剛蹇，剛直。

邴公蘇威以臨道店舍乃求利之徒，[1]事業污雜，非敦本之義。遂奏高祖，約遣歸農，有願依舊者，所在州縣録附市籍，[2]仍撤毁舊店，並令遠道，限以時日。正值冬寒，莫敢陳訴。諤因别使，見其如此，以爲四民有業，[3]各附所安，逆旅之與旗亭，[4]自古非同一概，即附市籍，於理不可。且行旅之所依託，豈容一朝而廢，徒爲勞擾，於事非宜。遂專決之，並令依舊。使還詣闕，然後奏聞。高祖善之曰："體國之臣，當如此矣。"

[1]邴公：爵名。全稱爲邴國公，隋九等爵的第三等。從一品。蘇威：人名。傳見本書卷四一，《北史》卷六三有附傳。

[2]市籍：商賈之户籍。

[3]四民：古士、農、工、商謂之"四民"。

[4]逆旅：客舍、旅館。 旗亭：古代觀察、指揮集市之樓亭，因上立有旗幟，故稱。

以年老出拜通州刺史，[1]甚有惠政，民夷悦服。後三歲，卒官。有子四人。大體、大鈞，[2]並官至尚書郎。[3]世子大方襲爵，[4]最有材品。大業初，[5]判內史舍人。[6]帝方欲任之，遇卒。

[1]通州：治所在今四川達縣。

[2]大體：人名。李諤之子，事亦見《北史》卷七七《李諤傳》。 大鈞：人名。李諤之子，事亦見《北史·李諤傳》。

[3]尚書郎：官名。尚書省所轄各曹司的侍郎、郎中等官通稱，此具體所指不詳。

[4]世子：天子或諸侯王嫡長子。 大方：人名。李諤之子，事亦見《北史·李諤傳》。

[5]大業：隋煬帝楊廣年號（605—618）。

[6]判：官制用語。以本官署理他官之職事，稱判某職或判某職事。始於北齊，唐以後意有變化。 內史舍人：官名。內史省的屬官，掌參議表章，草擬詔敕。隋初置八人，正六品上，開皇三年升爲從五品。煬帝大業三年減置四人，大業末改內史省爲內書省，內史舍人遂改稱爲內書舍人。

鮑宏

鮑宏，[1]字潤身，東海郯人也。[2]父機，[3]以才學知名，事梁，官至治書侍御史。[4]宏七歲而孤，爲兄泉之所愛育。[5]年十二，能屬文。嘗和湘東王繹詩，[6]繹嗟賞不已，引爲中記室。[7]遷鎮南府諮議、尚書水部郎，[8]轉通直散騎侍郎。[9]

[1]鮑宏：人名。傳另見《北史》卷七七。

[2]東海：郡名。秦置，治所在今山東郯城縣北，南朝宋移治今山東蒼山縣南，後廢。按，此言郡望以舊郡名。　郯（tán）：縣名。治所在今山東郯城縣北。

[3]機：人名。即鮑機，南朝梁人。事見《梁書》卷三〇、《南史》卷六二《鮑泉傳》。按，《南史》作“幾”。

[4]治書侍御史：官名。掌舉劾官品第六班以下，分統侍御史。南朝梁官品第六班。按，《南史·鮑泉傳》云：“終於湘東王諮議參軍。”未載其任治書侍御史。《梁書·鮑泉傳》亦載：“父機，湘東王諮議參軍。”

[5]泉：人名。即鮑泉，南朝梁人，官至王府長史，卒於侯景之亂。傳見《梁書》卷三〇、《南史》卷六二。

[6]湘東王：爵名。南朝梁元帝蕭繹稱帝之前的封爵名，全稱是湘東郡王。爲南朝梁十五等爵的第一等。　繹：人名。即梁元帝蕭繹。紀見《梁書》卷五、《南史》卷八。

[7]中記室：官名。中記室參軍，王府屬官。官品隨王級別不同而異，南朝梁最高爲八班。

[8]諮議：官名。諮議參軍，王公軍府屬官，掌顧問詔對。南朝梁品秩不詳。　尚書水部郎：官名。尚書省二十三郎之一，掌設

國之五溝、五塗而達其道路。南朝梁官品第五班。

[9]通直散騎侍郎：官名。備皇帝顧問，侍從左右，不典事。南朝梁官品第六班。

江陵既平，[1]歸于周。[2]明帝甚禮之，[3]引爲麟趾殿學士。[4]累遷遂伯下大夫，[5]與杜子暉聘于陳，[6]謀伐齊也。陳遂出兵江北以侵齊。帝嘗問宏取齊之策，宏對云：“我強齊弱，勢不相侔。齊主昵近小人，政刑日紊；至尊仁惠慈恕，法令嚴明。事等建瓴，何憂不剋。但先皇往日出師雒陽，[7]彼有其備，每不剋捷。如臣計者，進兵汾、潞，[8]直掩晉陽，[9]出其不虞，以爲上策。”帝從之。及定山東，[10]除少御正，[11]賜爵平遥縣伯，[12]邑六百户，[13]加上儀同。[14]

[1]江陵：縣名。梁元帝在此即位稱帝，後爲梁都城。治所在今湖北荆州市。

[2]周：即北周（557—581），都長安（今陝西西安市西北）。

[3]明帝：北周皇帝宇文毓。紀見《周書》卷四、《北史》卷九。

[4]麟趾殿學士：官名。北周明帝即位後，集公卿以下有文學者八十餘人，番上入值宮內麟趾殿，掌著述、勘校經史、考校圖籍，稱爲“麟趾殿學士”。屬臨時差遣之職，品秩不固定。

[5]遂伯下大夫：官名。掌地方之政。北周官品正四命。

[6]杜子暉：人名。北周時人，聘陳事亦見《陳書》卷三二、《南史》卷七四《謝貞傳》。

[7]雒陽：地名。在今河南洛陽市。

[8]汾：州名。北周時治所在今陝西宜川縣東北。 潞：州名。

北周時治所在今山西長治市北古驛。

[9]晉陽：縣名。北周時治所在今山西太原市。

[10]山東：地區名。戰國秦漢時代通稱華山或崤山以東爲山東，函括今河北、河南、山東等省。魏晉南北朝隋唐時期亦稱太行山以東地區爲山東。此處代指北齊所轄地區。

[11]除：官制用語。拜官、授職。　少御正：官名。全稱爲小御正下大夫，西魏恭帝三年仿《周禮》建六官，隸天官冢宰府。掌草擬詔告文册，侍帝左右，凡軍國大事，均需參議。北周沿之，正四命。

[12]平遥縣伯：爵名。北周十一等爵的第九等。正七命。

[13]邑：也稱食邑、封邑。是古代君王封賜給有爵位之人的一種食禄制度，受封者可徵收封地内的民户租税充作食禄。魏晉以後，食邑分爲虚封和實封兩類：虚封一般僅冠以“邑”或“食邑”之名，這祇是一種榮譽性加衔，受封者並不能獲得實際的食禄收入；而實封一般須冠以“真食”“食實封”等名，受封者可真正獲得食禄收入。

[14]上儀同：勳官名。全稱爲上儀同大將軍。北周武帝置。位在儀同大將軍上，授予有軍勳的功臣及其子弟，無具體職掌。九命。

　　高祖作相，奉使山南。會王謙舉兵於蜀，[1]路次潼州，[2]爲謙將達奚惎所執，[3]逼送成都，[4]竟不屈節。謙敗之後，馳傳入京，高祖嘉之，賜以金帶。及受禪，加開府，[5]除利州刺史，[6]進爵爲公。[7]轉邛州刺史，[8]秩滿還京。時有尉義臣者，[9]其父崇不從尉迥，[10]後復與突厥戰死，[11]上嘉之，將賜姓爲金氏。[12]訪及群下，宏對曰：“昔項伯不同項羽，漢高賜姓劉氏；秦真父能死難，[13]魏武賜姓曹氏。如臣愚見，請賜以皇族。”高祖曰“善。”因賜義臣姓爲楊氏。

[1]王謙：人名。北周柱國大將軍，因反對楊堅輔政，兵敗被殺。傳見《周書》卷二一，《北史》卷六〇有附傳。

[2]潼州：北周時治所在今四川綿陽市東。

[3]達奚惎（jì）：人名。北周將領，官至車騎將軍。事見《周書》卷一九、《北史》卷六五《達奚武傳》。

[4]成都：地名。在今四川成都市。

[5]開府：官名。全稱是開府儀同三司。隋文帝因改北周十一等勳官之制形成十一等散實官，用以酬勤勞，無實際職掌。開府是第六等，可開府置僚佐。正四品上。

[6]利州：按，據本書《地理志》載隋初有兩利州：一治所在今四川廣元市；二在今越南河静省河静西北。從上下文分析，第一種可能性較大。又岑仲勉《隋書州郡牧守編年表》第十二“邛州條”載：“開皇初，和州刺史鮑宏爲刺史，秩滿還京。”似“利州”爲“和州”。

[7]公：爵名。全稱爲平遥縣公。隋九等爵的第五等。從一品。

[8]邛州：治所在今四川邛崍市東南。

[9]尉義臣：人名。又名尉遲義臣或楊義臣。傳見本書卷六三、《北史》卷七三。

[10]崇：人名。即尉遲崇。事見本書卷六三、《北史》卷七三《楊義臣傳》。 尉迥：人名。即尉遲迥，北周太祖宇文泰之甥，周宣帝時任大前疑、相州總管。傳見《周書》卷二一、《北史》卷六二。

[11]突厥：古族名、國名。廣義包括突厥、鐵勒諸部落，狹義專指突厥。公元六世紀時游牧於金山（今阿爾泰山）以南，因金山形似兜鍪，俗稱“突厥”，遂以名部落。西魏廢帝元年（552），土門自號伊利可汗，建立突厥汗國，樹庭於鬱督軍山（今杭愛山東

段，鄂爾渾河左岸）。隋開皇二年西面可汗達頭與大可汗沙鉢略不睦，分裂爲西突厥、東突厥兩個汗國。傳見本書卷八四、《周書》卷五〇、《北史》卷九九、《舊唐書》卷一九四、《新唐書》卷二一五。

［12］賜姓：在古代宗法制下，皇帝因臣下有功，賜姓以示褒寵。

［13］秦真：人名。即曹真，曹操族子。傳見《三國志》卷九。

後授均州刺史，[1]以目疾免，卒於家。時年九十六。初，周武帝敕宏修《皇室譜》一部，[2]分爲《帝緒》《疏屬》《賜姓》三篇。有集十卷，[3]行於世。

［1］均州：治所在今湖北丹江口市西北。

［2］周武帝：北周皇帝宇文邕謚號。紀見《周書》卷五、六，《北史》卷一〇。

［3］有集十卷：據《舊唐書·經籍志下》載：《小博經》一卷、《博塞經》一卷，鮑宏撰。《新唐書·藝文志三》載：《小博經》一卷、《博塞經》一卷、《雜博戲》五卷，鮑宏撰。本書《經籍志》未載。唐代未載有名“鮑宏”者，故三書當爲本傳主所撰。又本傳言“有集十卷”，《新唐書》衹記七卷，其他三卷當考。

裴政

裴政，[1]字德表，河東聞喜人也。[2]高祖壽孫，[3]從宋武帝徙家于壽陽，[4]歷前軍長史、廬江太守。[5]祖邃，[6]梁侍中、左衛將軍、豫州大都督。[7]父之禮，[8]廷尉卿。[9]

[1]裴政：人名。傳另見《北史》卷七七。

[2]河東：郡名。治所在今山西永濟縣西南。　聞喜：縣名。治所在今山西聞喜縣。

[3]壽孫：人名。南朝宋人。事見《梁書》卷二八、《南史》卷五八《裴邃傳》。

[4]宋武帝：南朝宋皇帝劉裕謐號。紀見《宋書》卷一至三，《南史》卷一。　壽陽：地名。治所在今安徽壽縣境内。

[5]前軍長史：官名。南朝宋置前後左右四軍，典宿衛禁軍。前軍長史爲前軍將軍屬官。第七品。　廬江：郡名。南朝宋時治所在今安徽舒城縣。

[6]邃：人名。即裴邃，南朝齊、梁時人。傳見《梁書》卷二八、《南史》卷五八。

[7]侍中：官名。掌侍從左右，擯相威儀，盡規獻納，糾正違闕。南朝梁官品第十二班。　左衛將軍：官名。領宿衛營兵，禁衛宮廷。南朝梁官品第十二班。　豫州大都督：官名。梁時任刺史者加都督比單任刺史高一品。職掌都督豫州諸軍事。按，據《梁書·裴邃傳》載：“普通二年……督豫州、北豫、霍三州諸軍事、豫州刺史，鎮合肥。……（五年）五月，卒於軍中。追贈侍中、左衛將軍。”《南史·裴邃傳》載：“普通二年……除豫州刺史，加督，鎮合肥。……（五年）尋卒，贈侍中、左衛將軍。”可知三官職中，裴邃衹任過“豫州大都督”，其餘衹是贈官，非實職。

[8]之禮：人名。即裴之禮，南朝梁人。《梁書》卷二八、《南史》卷五八有附傳。

[9]廷尉卿：官名。梁初曰大理，天監元年（502）復改爲廷尉，長官爲卿，掌司法。南朝梁官品第十一班。按，《梁書·裴邃傳》載裴之禮“徵太子左衛率，兼衛尉卿，轉少府卿。卒”。《南史·裴邃傳》則載：“之禮卒於少府卿。”均未言曾任“廷尉卿”，

疑廷尉卿乃“衛尉卿”之誤。

　　政幼明敏，博聞强記，達於時政，爲當時所稱。年十五，辟邵陵王府法曹參軍事，[1]轉起部郎、枝江令。[2]湘東王之臨荆州也，[3]召爲宣惠府記室，[4]尋除通直散騎侍郎。侯景作亂，[5]加壯武將軍，[6]帥師隨建寧侯王琳進討之。[7]擒賊率宋子仙，[8]獻于荆州。及平侯景，先鋒入建鄴，[9]以軍功連最，封夷陵侯。[10]徵授給事黄門侍郎。[11]復帥師副王琳拒蕭紀，[12]破之於硤口。[13]加平越中郎將、鎮南府長史。[14]

　　[1]邵陵王：爵名。南朝梁蕭綸封爵名，全稱是邵陵郡王。爲梁十五等爵的第一等。傳見《梁書》卷二九、《南史》卷五三。
　　法曹參軍事：官名。梁諸公王府皆置法曹，主刑法事，長官爲參軍事。南朝梁爲位不登二品者第七班。
　　[2]起部郎：官名。梁尚書省置起部郎，掌宗廟宮室營造。南朝梁官品第五班。　枝江：縣名。南朝梁時治所在今湖北枝江市西南。
　　[3]湘東王：即蕭繹。　荆州：南朝梁時治所在今湖北江陵縣。
　　[4]宣惠府記室：官名。宣惠府將軍記室，掌章表書記文檄。南朝梁官品第四班。
　　[5]侯景作亂：南朝梁武帝末年東魏降將侯景發動的一場叛亂，歷時五年（548—552）。侯景，人名。傳見《梁書》卷五六、《南史》卷八〇。
　　[6]壯武將軍：官名。屬武將。南朝梁官品將軍品階十二班。
　　[7]建寧侯：爵名。全稱爲建寧縣侯，南朝梁十五等爵的第十等。《北齊書》卷三二、《南史》卷六四《王琳傳》均載爲“建寧

縣侯"。　王琳：人名。南北朝時梁、北齊大將。傳見《北齊書》卷三二、《南史》卷六四。

[8]宋子仙：人名。侯景部將，侯景叛亂時，被任命爲太保。事略見《梁書》卷五六、《南史》卷八〇《侯景傳》。

[9]建鄴：地名。在今江蘇南京市。

[10]夷陵侯：爵名。全稱爲夷陵縣侯，南朝梁十五等爵的第十等。

[11]給事黃門侍郎：官名。與侍中同掌"侍從左右，擯相威儀，盡規獻納，糾正違闕。監合嘗御藥，封璽書"。南朝梁官品第十班。

[12]蕭紀：人名。梁武帝蕭衍第八子，武帝死後於成都自立爲帝。傳見《梁書》卷五五、《南史》卷五三。

[13]硤口：地名。在今湖北宜昌市西北。

[14]平越中郎將：官名。屬武將。南朝梁官品第八班。　長史：官名。王府佐官，總管府事。南朝梁官品第八班。

及周師圍荆州，琳自桂州來赴難，[1]次于長沙。[2]政請從間道先報元帝。[3]至百里洲，[4]爲周人所獲，蕭詧謂政曰：[5]"我，武皇帝之孫也，[6]不可爲爾君乎？爾亦何煩殉身於七父？[7]若從我計，則貴及子孫；如或不然，分腰領矣。"政詭曰："唯命。"詧鏁之，送至城下，使謂元帝曰："王僧辯聞臺城被圍，[8]已自爲帝。王琳孤弱，不復能來。"政許之。既而，告城中曰："援兵大至，各思自勉。吾以間使被擒，當以碎身報國。"監者擊其口，終不易辭。詧怒，命趣行戮。蔡大業諫曰：[9]"此民望也。若殺之，則荆州不可下矣。"因得釋。會江陵陷，與城中朝士俱送于京師。

[1]桂州：南朝梁時治所在今廣西柳州市東南。

[2]長沙：縣名。南朝梁時治所在今湖南長沙市。

[3]元帝：南朝梁元帝蕭繹。

[4]百里洲：地名。在今湖北枝江市南長江中。

[5]蕭詧：人名。南朝後梁國（555—587）的第一代君主，都於江陵（今湖北荆州市），臣屬西魏、北周，受封爲梁王。傳見《周書》卷四八、《北史》卷九三。

[6]武皇帝：南朝梁武帝蕭衍。紀見《梁書》卷一至三，《南史》卷六、七。

[7]七父：指梁元帝蕭繹。按，蕭繹爲梁武帝第七子，而蕭詧乃武帝長子昭明太子第三子，故稱蕭繹爲“七父”。

[8]王僧辯：人名。南朝梁大將。傳見《梁書》卷四五，《南史》卷六三有附傳。

[9]蔡大業：人名。歷仕南朝梁、陳，陳滅入隋，任起居舍人。《周書》卷四八有附傳。

周文帝聞其忠，[1]授員外散騎侍郎，[2]引事相府。命與盧辯依《周禮》建六卿，[3]設公卿、大夫、士。[4]并撰次朝儀，車服器用，多遵古禮，革漢、魏之法，事並施行。尋授刑部下大夫，[5]轉少司憲。[6]政明習故事，又參定《周律》。能飲酒，至數斗不亂。簿案盈机，[7]剖決如流，用法寬平，無有冤濫。囚徒犯極刑者，乃許其妻子入獄就之。至冬，將行決，皆曰：“裴大夫致我於死，死無所恨。”其處法詳平如此。又善鍾律，嘗與長孫紹遠論樂，[8]語在《音律志》。[9]宣帝時，[10]以忤旨免職。

[1]周文帝：北周皇帝宇文泰。紀見《周書》卷一、二，《北史》卷九。

[2]員外散騎侍郎：官名。屬散官，掌勸諫獻納。北魏初爲從四品下，太和二十三年（499）改爲七品上。北周爲正三命。

[3]盧辯：人名。西魏時官至尚書右僕射，爲當時碩儒，北周明帝時進位大將軍。傳見《周書》卷二四，《北史》卷三〇有附傳。　六卿：官名合稱。西魏仿《周禮》設天官大冢宰卿、地官大司徒卿、春官大宗伯卿、夏官大司馬卿、秋官大司寇卿、冬官大司空卿，合稱六卿，亦稱六官。

[4]設公卿、大夫、士：中華本此“公卿、大夫、士”未加標點。據《周禮》載公卿、大夫、士乃職官等級名，故此之間應用頓號分隔。

[5]刑部下大夫：官名。秋官府屬官，掌刑罰。北周正四命。（參見王仲犖《北周六典》卷六《秋官府第十一》，第408頁）

[6]少司憲：官名。司憲上士。北周正三命。（參見王仲犖《北周六典》卷六《秋官府第十一》，第406頁）

[7]机：宋刻遞修本、汲古閣本同，殿本、庫本、中華本及《北史》卷七七《裴政傳》作“几”。

[8]長孫紹遠：人名。北周時任大司樂。傳見《周書》卷二六。

[9]《音律志》：中華本校勘記云：“《音律志》，指本書《音樂志》。按：裴政論樂事，見《周書·長孫紹遠傳》，不見本書《音樂志》。”檢本書《音樂志》祇長孫紹遠語，實無裴政論事。

[10]宣帝：北周宣帝宇文贇。紀見《周書》卷七、《北史》卷一〇。

　　高祖攝政，召復本官。開皇元年，轉率更令，[1]加位上儀同三司，[2]詔與蘇威等修定律令。[3]政採魏、晉刑典，下至齊、梁，沿革輕重，取其折衷。同撰著者十有餘人，凡疑滯不通，皆取決於政。

[1]率更令：官名。爲太子率更寺長官，置一員，掌東宮禮樂、漏刻等事。從四品上。

[2]上儀同三司：官名。亦簡稱"上儀同"。隋文帝因改北周十一等勳官之制形成十一等散實官，用以酬勤勞，無實際職掌。上儀同三司是十一等散實官的第七等，可開府置僚佐。從四品上。

[3]蘇威：人名。傳見本書卷四一，《北史》卷六三有附傳。

進位散騎常侍，[1]轉左庶子，[2]多所匡正，見稱純愨。[3]東宮凡有大事，皆以委之。右庶子劉榮，[4]性甚專固。時武職交番，[5]通事舍人趙元愷作辭見帳，[6]未及成。太子有旨，再三催促。榮語元愷云："但爾口奏，不須造帳。"及奏，太子問曰："名帳安在？"元愷曰："稟承劉榮，不聽造帳。"太子即以詰榮，榮便拒諱，云"無此語"。太子付政推問。未及奏狀，有附榮者先言於太子曰："政欲陷榮，推事不實。"太子召責之，政奏曰："凡推事有兩：一察情，一據證。審其曲直，以定是非。臣察劉榮，位高任重，縱令實語元愷，蓋是纖介之愆，計理而論，不須隱諱。又察元愷受制於榮，豈敢以無端之言妄相點累。二人之情，理正相似。元愷引左衛率崔蒨等爲證，[7]蒨等款狀悉與元愷符同。察情既敵，須以證定。臣謂榮語元愷，事必非虛。"太子亦不罪榮，而稱政平直。

［1］散騎常侍：官名。爲門下省屬官，置四員，掌陪從朝直，獻納得失，實則爲閑散虛職，多用作加官。從三品。煬帝大業三年罷廢。

［2］左庶子：官名。東宮門下坊置二員，掌侍從贊相，駁正啓奏，制比門下省侍中。正四品上。

［3］愨（què）：誠實、謹慎。

［4］右庶子：官名。隋東宮典書坊置二人，掌侍從、獻納、啓奏，制比中書省中書令。正四品下。　劉榮：人名。隋時人。事亦見《北史》卷七七《裴政傳》、《册府元龜》卷七〇九《宮臣部·正直》。

［5］武職交番：宿衛之府兵輪番。

［6］通事舍人：官名。隋初置爲内史省屬官，掌導引宮臣辭見，承旨傳宣之事。從六品。煬帝大業三年改名通事謁者，隸謁者臺。

趙元愷：人名。隋時人。事亦見《北史·裴政傳》、《册府元龜》卷七〇九《宮臣部·正直》。

［7］左衛率：官名。太子東宮設左右衛率各一人，掌東宮禁衛。從四品上。　崔蒨：人名。隋時人。事亦見《北史·裴政傳》、《册府元龜》卷七〇九《宮臣部·正直》。

　　政好面折人短，而退無後言。時雲定興數入侍太子，[1]爲奇服異器，進奉後宮，又緣女寵，來往無節。政數切諫，太子不納。政因謂定興曰："公所爲者，不合禮度。又元妃暴薨，[2]道路籍籍，此於太子非令名也。願公自引退，不然將及禍。"定興怒，以告太子，太子益疏政。

［1］雲定興：人名。傳見本書卷六一，《北史》卷七九有附傳。

［2］元妃：元孝矩女，太子楊勇妃。

　　由是出爲襄州總管。[1]妻子不之官，所受秩奉，散給僚吏。民有犯罪者，陰悉知之，或竟歲不發，至再三犯，乃因都會時，於衆中召出，[2]親案其罪，五人處死，流徙者甚衆。[3]合境惶懼，令行禁止，小民蘇息，稱爲神明。爾後不修囹圄，殆無爭訟。卒官，年八十九。著《承聖降録》十卷。[4]及太子廢，高祖追憶之曰："向遣裴政、劉行本在，[5]共匡弼之，猶應不令至此。"子南金，[6]仕至膳部郎。[7]

　　[1]襄州：治所在今湖北襄樊市。　總管：官名。全稱是總管刺史加使持節。總管的統轄範圍可達數州至十餘州，成一軍政管轄區。隋文帝在并、益、荆、揚四州置大總管，其餘州置總管。總管分上、中、下三等，品秩爲流内視從二品、正三品、從三品。

　　[2]衆：宋刻遞修本、汲古閣本、中華本同，殿本、庫本作"獄"。

　　[3]流徙：處以流刑。據本書《刑法志》載：隋流刑有一千里、一千五百里和二千里三類。

　　[4]《承聖降録》：《北史》卷七七《裴政傳》作《承聖實録》。

　　[5]劉行本：人名。傳見本書卷六二，《北史》卷七〇有附傳。

　　[6]南金：人名。即裴南金，裴政之子。事亦見《北史·裴政傳》。

　　[7]膳部郎：官名。掌祭器、酒膳及食料等。正六品。

柳莊

　　柳莊，[1]字思敬，河東解人也。[2]祖季遠，[3]梁司徒從事中郎。[4]父遐，[5]霍州刺史。[6]莊少有遠量，博覽墳

籍，兼善辭令。濟陽蔡大寶有重名於江左，[7] 時爲岳陽
王蕭詧諮議，見莊便歎曰："襄陽水鏡，[8] 復在於兹矣。"
大寶遂以女妻之。俄而，詧辟爲參軍，轉法曹。及詧稱
帝，還署中書舍人，[9] 歷給事黃門侍郎、吏部郎中、鴻
臚卿。[10]

[1] 柳莊：人名。《北史》卷七〇有附傳。

[2] 解：縣名。治所在今山西運城市西南。

[3] 季遠：人名。南朝梁人，官至宜都太守。事見《周書》卷
四二《柳霞傳》、《北史》卷七〇《柳遐傳》。

[4] 司徒從事中郎：官名。爲司徒府屬官，掌領府內諸曹之事。
南朝梁官品第八班。

[5] 遐：人名。即柳遐。傳見《周書》卷四二、《北史》卷七
〇。遐，《周書》作"霞"，《北史》及《通志》卷一五九與本
書同。

[6] 霍州：治所在今安徽霍山縣。

[7] 濟陽：郡名。南朝梁時治所在今河南蘭考縣東北。　蔡大
寶：人名。南朝梁人，博覽群書、學無不綜，時人重之。傳見《周
書》卷四八。

[8] 襄陽：郡名。治所在今湖北襄樊市。　水鏡：指三國時期
司馬德操，號水鏡先生。

[9] 中書舍人：官名。掌詔誥兼呈奏之事。南朝梁官品第四班。

[10] 吏部郎中：梁尚書省無吏部郎中之稱。《通典》卷二三
《職官》引《職官錄》有"梁吏部郎"。吏部郎，官名。掌選舉、
考課等事。南朝梁官品第十一班。　鴻臚卿：官名。位視尚書左
丞，掌導護贊拜。南朝梁官品第九班。

及高祖輔政，蕭歸令莊奉書入關。[1] 時三方構難，[2]

高祖懼巋有異志，及莊還，謂莊曰："孤昔以開府從役江陵，深蒙梁主殊眷。今主幼時艱，猥蒙顧托，中夜自省，實懷慚懼。梁主弈葉重光，委誠朝廷，而今已後，方見松筠之節。君還本國，幸申孤此意於梁主也。"遂執莊手而別。時梁之將帥咸潜請興師，與尉迥等爲連衡之勢，進可以盡節於周氏，退可以席卷山南。唯巋疑爲不可。會莊至自長安，具申高祖結托之意，遂言於巋曰："昔袁紹、劉表、王凌、諸葛誕之徒，[3]並一時之雄傑也。及據要害之地，擁哮闞之群，[4]功業莫建，而禍不旋踵者，良由魏武、晉氏挾天子，保京都，仗大義以爲名，故能取威定霸。今尉迥雖曰舊將，昏耄已甚；消難、王謙，[5]常人之下者，非有匡合之才。況山東、庸、蜀從化日近，周室之恩未洽，在朝將相多爲身計，競效節於楊氏。以臣料之，迥等終當覆滅，隋公必移周國。[6]未若保境息民，以觀其變。"巋深以爲然，衆議遂止。未幾，消難奔陳，迥及謙相次就戮，巋謂莊曰："近者，若從衆人之言，社稷已不守矣。"

[1]蕭巋：人名。即南朝西梁明帝。傳見本書卷七九，《周書》卷四八有附傳。

[2]三方構難：指尉遲迥、司馬消難和王謙起兵反對楊堅輔政。

[3]袁紹、劉表、王凌、諸葛誕：皆人名。均爲東漢末三國時期割據諸侯。袁紹傳見《後漢書》卷七四上、《三國志》卷六，劉表傳見《後漢書》卷七四下、《三國志》卷六，王凌傳見《三國志》卷二八，諸葛誕傳見《三國志》卷二八。

[4]哮闞（kàn）：指猛獸發怒。此用猛獸喻戰士。

［5］消難：人名。即司馬消難。北周末年官任鄖州總管，起兵反對楊堅篡周，旋被討滅，逃奔南朝陳。傳見《周書》卷二一，《北史》卷五四有附傳。　王謙：人名。北周柱國大將軍、益州總管，因反對楊堅輔政，兵敗被殺。傳見《周書》卷二一，《北史》卷六〇有附傳。

［6］隋公：即隋國公。楊堅在北周襲爵隋國公，此以爵代名。

高祖踐阼，莊又入朝，高祖深慰勉之。及爲晋王廣納妃于梁，[1]莊因是往來四五反，前後賜物數千段。蕭琮嗣位，[2]遷太府卿。[3]及梁國廢，授開府儀同三司，[4]尋除給事黄門侍郎，并賜以田宅。

［1］廣：人名。隋煬帝楊廣，時爲晋王。紀見本書卷三、四，《北史》卷一二。

［2］蕭琮：人名。南朝西梁政權末帝。《周書》卷四八、本書卷七九有附傳。

［3］太府卿：官名。掌金帛府帑。南朝梁官品第十八班。

［4］開府儀同三司：官名。亦簡稱開府。隋文帝因改北周十一等勳官之制形成十一等散實官，用以酬勤勞，無實際職掌。開府儀同三司是第六等，可開府置僚佐。正四品上。

莊明習舊章，雅達政事，凡所駁正，帝莫不稱善。蘇威爲納言，[1]重莊器識，常奏帝云：“江南人有學業者，多不習世務；習世務者，又無學業。能兼之者，不過於柳莊。”高熲亦與莊甚厚。[2]莊與陳茂同官，[3]不能降意，茂見上及朝臣多屬意於莊，心每不平，常謂莊爲輕己。帝與茂有舊，曲被引召，數陳莊短。經歷數載，譖愬頗行。[4]尚書省嘗奏犯罪人依法合流,[5]而上處以大辟。[6]莊奏曰:"臣聞張釋之有言:[7]'法者,天子所與天下共也。今法如是,更重之,是法不信於民心。'方今海內無事,正是示信之時,伏願陛下思釋之之言,則天下幸甚。"帝不從,由是忤旨。俄屬尚藥進丸藥不稱旨,[8]茂因密奏莊不親監臨,帝遂怒。

[1]納言:官名。門下省長官,職掌封駁制敕,並參與軍國大政決策等,居宰相之職,置二員。正三品。

[2]高熲:人名。傳見本書卷四一、《北史》卷七二。

[3]陳茂:人名。傳見本書卷六四,《北史》卷七五有附傳。

[4]譖愬:毀謗攻訐。

[5]尚書省:官署名。隋三省之一,掌政令執行。

[6]大辟:古五刑之一,謂死刑。

[7]張釋之:人名。西漢文帝時任廷尉。傳見《史記》卷一〇二、《漢書》卷五〇。

[8]尚藥:官署名。隋初,門下省統尚藥等六局,以典御領之,煬帝以之隸殿內省,並改爲奉御。掌宮廷醫藥與疾病治療。按,尚藥局屬門下省,故給事黃門侍郎有監臨之責。

十一年,[1]徐璒等反於江南,[2]以行軍總管長史隨軍討之。[3]璒平,即授饒州刺史,[4]甚有治名。後數載卒官,年六十二。

[1]十一年:此"十一年"爲"九年"之誤。按,徐璒爲南朝陳將領,其叛亂在平陳後不久,然具體時間史籍並無明確記載。本書卷四七《韋洸傳》載:"及陳平,拜江州總管,率步騎二萬,略

定九江。陳豫章太守徐璒據郡持兩端，洸遣開府吕昂、長史馮世基以兵相繼而進。既至城下，璒僞降，其夜率所部二千人襲擊昂。昂與世基合擊，大破之，擒璒於陣。”又《通鑑》卷一七七《隋紀》“開皇九年二月”條亦載：“詔遣柱國韋洸等安撫嶺外，陳豫章太守徐璒據南康拒之，……洸擊斬徐璒。”則徐璒爲韋洸擒斬當無疑，時間據《通鑑》在開皇九年。又本書《韋洸傳》及卷六五《慕容三藏傳》、《通鑑》卷一七七《隋紀》“開皇十年”條均載，韋洸陣亡於開皇十年蕃禺王仲宣之亂。故徐璒反叛的時間不可能晚於開皇十年，當以《通鑑》“開皇九年”爲準，而柳莊以行軍總管長史隨軍征討的時間也當在“開皇九年”。

［2］徐璒：人名。南朝陳時任豫章太守。事略見本書卷八〇、《北史》卷九一《譙國夫人傳》。

［3］行軍總管：出征軍統帥名。北周至隋時所置的統領某部或某路出征軍隊的軍事長官。根據需要其上還可置行軍元帥以統轄全局。屬臨時差遣任命之職，事罷則廢。　長史：官名。此爲行軍總管府長史，掌管府事。

［4］饒州：治所在今江西鄱陽縣。

源師

源師，[1]字踐言，河南雒陽人也。父文宗，[2]有重名於齊。開皇初，終於莒州刺史。[3]師早有聲望，起家司空府參軍事，[4]稍遷尚書左外兵郎中，[5]又攝祠部。[6]後屬孟夏，以龍見請雩。[7]時高阿那肱爲相，[8]謂真龍出見，大驚喜，問龍所在。師整容報曰：“此是龍星初見，依禮當雩祭郊壇，非謂真龍別有所降。”阿那肱忿然作色曰：“何乃干知星宿！”[9]祭竟不行。師出而竊歎曰：

“國家大事，在祀與戎。[10]禮既廢也，何能久乎？齊亡無日矣！”七年，[11]周武帝平齊，授司賦上士。[12]

[1]源師：人名。《北齊書》卷四三、《北史》卷二八有附傳。

[2]文宗：人名。即源彪，字文宗。北朝人，入隋任莒州刺史。傳見《北齊書》卷四三，《北史》卷二八有附傳。按，岑仲勉言：“文宗實名彪字文宗，但全傳均稱曰文宗，蓋唐人諱虎之故。”（岑仲勉：《隋書求是》，中華書局2004年版，第113頁）

[3]莒州：治所在今山東沂水縣。

[4]起家：官制用語。從家中徵召出來，始授以官職。　司空府參軍事：官名。北齊司空府設諸曹參軍事，分掌各曹事務。從六品。

[5]尚書左外兵郎中：官名。全稱是尚書左外兵曹郎中。爲尚書省五兵部所轄五曹之一左外兵曹的長官，置一員，掌河南及潼關以東諸州丁帳，及發詔徵兵等事。北齊官品第六品。

[6]攝：官制用語。以本官代理或兼理他官之職事。　祠部：官署名。尚書省禮部所轄四曹之一，掌祠祀、祭享、天文、漏刻、國忌、廟諱、卜祝、醫藥及僧尼簿籍之政令。

[7]龍見請雩（yú）：《左傳》桓公五年有“龍見而雩”之語。龍星見，因其盛德在火，則萬物炳然，陽驕而旱，故當雩。龍，指龍星，二十八宿之東方蒼龍中角、亢、房、心、尾諸宿。雩，古代爲求雨而舉行的祭祀。

[8]高阿那肱：人名。北齊後主高緯時任大丞相。傳見《北齊書》卷五〇、《北史》卷九二。

[9]何乃干知星宿：《北齊書·高阿那肱傳》爲“漢兒强知星宿”。《北史·源師傳》爲“漢兒多事，强知星宿”。

[10]國家大事，在祀與戎：語出《左傳》成公十三年。

[11]七年：據《周書》卷六《武帝紀下》、《北齊書》卷八

《幼主紀》，周武帝平齊時間在北周建德六年、北齊隆化二年，公元577年，非武平七年（576），故此時間誤。

　　[12]司賦上士：官名。掌賦均之政令。北周官品正三命。

　　高祖受禪，除魏州長史，[1]入爲尚書考功侍郎，仍攝吏部。[2]朝章國憲，多所參定。十七年，歷尚書左、右丞，[3]以明幹著稱。時蜀王秀頗違法度，[4]乃以師爲益州總管司馬。[5]俄而，秀被徵，秀恐京師有變，將謝病不行。師數勸之不可違命，秀作色曰：“此自我家事，何預卿也！”師垂涕對曰：“師荷國厚恩，忝參府幕，僚吏之節，敢不盡心。但比年以來，國家多故，秦孝王寢疾，[6]奄至薨殂，庶人二十年太子，[7]相次淪廢。聖上之情，何以堪處！而有敕追王，已淹時月，今乃遷延未去，百姓不識王心，儻生異議，內外疑駭，發雷霆之詔，降一介之使，王何以自明？願王自計之。”秀乃從徵。秀廢之後，益州官屬多相連坐，師以此獲免。後加儀同三司。[8]

　　[1]魏州：治所在今河北大名縣東北。　　長史：官名。此爲州府上佐之一，佐理一州事務，開皇三年改別駕爲長史。上州正五品，中州從五品，下州正六品。

　　[2]吏部：官署名。隋爲尚書省六部之首，下統吏部、主爵、司勳、考功等曹（司），以吏部尚書爲長官，掌全國文職官員銓選、勳封、考課之政。

　　[3]尚書左、右丞：官名。爲尚書省屬官，左、右各一人，分掌尚書都省事務，糾駁諸司文案。隋初爲從四品下，煬帝大業三年升爲正四品。按，中華本此處作“尚書左右丞”，未加標點。檢中

華本本書《百官志下》載：“（尚書省）屬官左、右丞各一人。”二者實爲兩官職，故當爲“尚書左、右丞”。又《北史》卷二八《源師傳》祇載其累遷尚書左丞，未載尚書右丞。

[4]蜀王秀：隋文帝楊堅第四子楊秀，封蜀王。傳見本書卷四五、《北史》卷七一。

[5]益州：隋開皇三年置大總管府。治所在今四川成都市。總管司馬：官名。爲諸州總管府的上佐官，協助總管統領府中軍務。其品階史無明載，但隋代諸州總管府和諸州府均分爲上、中、下三等，三等州司馬的品階分別爲正五品下、從五品下、正六品下，故三等總管府司馬的品階亦當與三等州司馬略同。而益州爲大總管府，其司馬更應高於上州司馬，當在正五品下以上。

[6]秦孝王：隋文帝楊堅第三子楊俊。傳見本書卷四五、《北史》卷七一。

[7]庶人：指隋文帝長子楊勇。傳見本書卷四五、《北史》卷七一。

[8]儀同三司：官名。亦簡稱儀同。隋文帝因改北周十一等勳官之制形成十一等散實官，用以酬勤勞，無實際職掌。儀同三司是十一等散實官的第八等，可開府置僚佐。正五品上。

煬帝即位，拜大理少卿。[1]帝在顯仁宫，[2]敕宫外衛士不得輒離所守。有一主帥，私令衛士出外，帝付大理繩之。師據律奏徒，帝令斬之，師奏曰：“此人罪誠難恕，若陛下初便殺之，自可不關文墨。既付有司，義歸恒典，脱宿衛近侍者更有此犯，將何以加之？”帝乃止。轉刑部侍郎。[3]師居職强明，有口辯，而無廉平之稱。未幾，卒官。有子崐玉。[4]

[1]大理少卿：官名。隋大理寺副長官，協助大理卿掌刑獄之

事。正四品。

　　[2]顯仁宮：宮名。在今河南宜陽縣西南。

　　[3]刑部侍郎：官名。尚書省刑部副長官，掌刑罰之事。正四品。

　　[4]崐玉：人名。即源崐玉，源師之子。事亦見《元和姓纂》卷四《源》。

郎茂

　　郎茂，[1]字蔚之，[2]恒山新市人也。[3]父基，[4]齊潁川太守。[5]茂少敏慧，七歲誦《騷》《雅》，[6]日千餘言。十五，師事國子博士河間權會，[7]受《詩》《易》《三禮》及玄象、刑名之學。[8]又就國子助教長樂張率禮受《三傳》群言，[9]至忘寢食。家人恐茂成病，恒節其燈燭。及長，稱爲學者，頗解屬文。年十九，丁父憂，[10]居喪過禮。

　　[1]郎茂：人名。《北史》卷五五有附傳。

　　[2]蔚之：《北史·郎茂傳》作“慰之”，他處均作“蔚之”。

　　[3]恒山：地名。治所在今河北定州市。按，“恒山”北魏置中山郡，隋避隋文帝父楊忠諱改。　新市：地名。在今河北正定縣東北。

　　[4]基：人名。即郎基。傳見《北齊書》卷四六、《北史》卷五五。

　　[5]潁川：郡名。北齊時治所在今安徽鳳臺縣境。

　　[6]《騷》《雅》：指《離騷》和《詩經》中的《大雅》《小雅》。

　　[7]國子博士：官名。北齊爲國子寺所轄國子學教官，置五人，

掌以儒經教授國子學生，國有疑事則掌承問對。正五品。　河間：郡名。治所在今河北河間市。　權會：人名。北齊著名儒者，曾監修太史局事。傳見《北齊書》卷四四、《北史》卷八一。

[8]玄象：研究天象之學。　刑名：研究刑律之學。

[9]國子助教：官名。爲國子寺所轄國子學教官，掌訓教胄子。北齊官品從七品。　長樂：郡名。治所在今河北冀州市。　張率禮：人名。北齊人，事亦見《册府元龜》卷七九八《總録部·勤學》。

[10]丁父憂：遭逢父親喪事。古代喪服禮制規定，父母死後，子女須守喪，三年内不得做官、婚娶、赴宴、應考、舉樂，等等。

仕齊，解褐司空府行參軍。[1]會陳使傅縡來聘，[2]令茂接對之。後奉詔於秘書省刊定載籍。[3]遷保城令，[4]有能名，百姓爲立《清德頌》。及周武平齊，上柱國王誼薦之，[5]授陳州户曹。[6]屬高祖爲亳州總管，[7]見而悦之，命掌書記。時周武帝爲《象經》，[8]高祖從容謂茂曰：“人主之所爲也，感天地，動鬼神，而《象經》多糾法，將何以致治？”茂竊歎曰：“此言豈常人所及也！”乃陰自結納，高祖亦親禮之。後還家，爲州主簿。[9]

[1]司空府行參軍：官名。三公府設法、墨、田、水、鎧、集、士七曹行參軍事。北齊官品從七品上。

[2]傅縡：人名。南朝陳人，陳後主時任秘書監、右衛將軍兼中書通事舍人，被譖賜死。傳見《陳書》卷三〇、《南史》卷六九。

[3]秘書省：官署名。北齊掌四部圖書之校勘、繕録、整理和收藏事宜。

[4]保城：縣名。北齊時治所在今河南羅山縣西。

[5]上柱國：官名。北周武帝建德四年（575）始置，爲十一等勳官的第一等，可開府置官屬。北周官品正九命。 王誼：人名。傳見本書卷四〇，《北史》卷六一有附傳。

[6]陳州：北周時治所在今河南沈丘縣南。 戶曹：官名。州府屬官，掌一州戶口、籍帳、婚嫁等事。因州等級不同，北周品秩從六品以下不等。

[7]亳州：北周時治所在今安徽亳州市。 總管：官名。東魏孝敬帝武定六年（548）始置。西魏也置。北周明帝武成元年（559）正式改都督諸州軍事爲總管，總管之設乃成定制。北周之制，總管加使持節諸軍事。總管或單任，然多兼帶刺史。故總管職權雖以軍事爲主，實際是一地區若干州、防（鎮）的最高軍政長官。

[8]《象經》：内容不詳。本書《經籍志三》《舊唐書·經籍志下》《新唐書·藝文志三》均載《象經》一卷，周武帝撰。唯《舊唐書》卷七九、《新唐書》卷一〇七《吕才傳》載爲《三局象經》。

[9]州主簿：官名。北周各州置主簿，爲州佐官之一，掌官署監印，檢核文書簿籍，勾稽缺失等事。“命品未詳”（參見王仲犖《北周六典》卷一〇《州牧刺史第二十六》，第652頁），但隋初雍州主簿爲流内視正八品，其餘諸州主簿爲流内視從八品，可作參考。

高祖爲丞相，以書召之，言及疇昔，甚歡。授衛州司録，[1]有能名。尋除衛國令。[2]時有繫囚二百，茂親自究審數日，釋免者百餘人。歷年辭訟，不詣州省。魏州刺史元暉謂茂曰：[3]“長史言衛國民不敢申訴者，畏明府耳。”[4]茂進曰：“民猶水也，法令爲隄防，隄防不固，必致奔突，苟無決溢，使君何患哉？”暉無以應之。有民張元預，[5]與從父弟思蘭不睦。丞尉請加嚴法，茂曰：

"元預兄弟，本相憎疾，又坐得罪，彌益其忿，非化民之意也。"於是遣縣中耆舊更往敦諭，[6]道路不絕。元預等各生感悔，詣縣頓首請罪。茂曉之以義，遂相親睦，稱爲友悌。

[1]衛州：治所在今河南淇縣。　司録：官名。州府佐官，總録一府之事。正八品。

[2]衛國：縣名。治所在今河南清豐縣東南。

[3]元暉：人名。傳見本書卷四六，《北史》卷一五有附傳。

[4]明府：本意爲明法之府，隋唐時稱縣令爲明府。

[5]張元預：人名。具體事迹不詳，此事亦載於《北史》卷五五《郎茂傳》、《册府元龜》卷七○三《令長部·教化》。

[6]耆舊：德高望重的長者。

茂自延州長史轉太常丞，[1]遷民部侍郎。[2]時尚書右僕射蘇威立條章，[3]每歲責民間五品不遜。[4]或答者乃云："管內無五品之家。"不相應領，類多如此。又爲餘糧簿，擬有無相贍。茂以爲繁紆不急，皆奏罷之。數歲，以母憂去職。[5]未期，[6]起令視事。又奏身死王事者，子不退田，品官年老不減地，[7]皆發於茂。茂性明敏，剖決無滯，當時以吏幹見稱。仁壽初，[8]以本官領大興令。[9]

[1]延州：治所在今陝西延安市東南。　太常丞：官名。隋太常寺副官，設二人，掌判本寺日常公務。隋初爲從六品下，煬帝大業五年升爲從五品。

[2]民部侍郎：官名。隋煬帝大業三年置民部侍郎，佐尚書掌

全國土地、戶口、賦稅等事。正四品。按，《北史》卷五五《郎茂傳》作"戶部侍郎"，檢《通典》卷二三《職官》載：隋初尚書省有度支曹，設度支尚書，開皇三年改爲民部，唐高宗永徽時避李世民諱又改爲戶部。

[3]尚書右僕射：官名。隋尚書省置左右僕射各一人，地位僅次於尚書令，是宰相之職。從二品。

[4]五品不遜：指五常不恭順，民間的不親、不義、不友、不恭、不孝行爲。故下文答者未理解本意，所云"管內無五品之家"是"不相應領"。語出《尚書·舜典》。

[5]母憂：遭逢母親喪事。亦稱"丁母憂"，參前"丁父憂"條。

[6]期：音jī。

[7]年老：諸本同，《北史》卷五五《郎茂傳》作"左貶"。中華本《北史》校勘記有考，疑"左貶"是而"年老"非。

[8]仁壽：隋文帝楊堅年號（601—604）。

[9]領：官制用語。以地位較高的官兼理地位較低的職務。

大興：縣名。治所在今陝西西安市。

煬帝即位，遷雍州司馬，[1]尋轉太常少卿。[2]後二歲，拜尚書左丞，參掌選事。[3]茂工法理，爲世所稱。時工部尚書宇文愷、右翊衛大將軍于仲文競河東銀窟。[4]茂奏劾之曰："臣聞貴賤殊禮，士、農異業，所以人知局分，家識廉恥。宇文愷位望已隆，祿賜優厚，拔葵去織，寂爾無聞，求利下交，曾無愧色；于仲文大將、宿衛近臣，趨侍階庭，朝夕聞道，虞、芮之風，[5]抑而不慕，分銖之利，知而必爭。何以貽範庶寮，示民軌物！若不糾繩，將虧政教。"愷與仲文竟坐得罪。茂撰《州郡圖經》一百卷奏之，[6]賜帛三百段，以書付秘府。[7]

[1]司馬：官名。隋州僚屬之一，開皇三年改治中爲司馬，名義上紀綱衆務，通判列曹，實無具體職任。上州正五品、中州從五品、下州正六品。

[2]太常少卿：官名。輔太常卿掌宗廟郊社禮樂，通判寺事。從四品。

[3]參掌：官制用語。指除本官職責之外，奉皇帝特敕掌管他職事務。

[4]工部尚書：官名。隋尚書省工部長官，掌百工、屯田、山澤之政令。正三品。　宇文愷：人名。傳見本書卷六八，《北史》卷六〇有附傳。　右翊衛大將軍：官名。煬帝大業三年改左、右衛名左、右翊衛，職掌未變，掌宮掖禁禦，督攝仗衛。右翊衛大將軍即右衛大將軍之改名。正三品。　于仲文：人名。傳見本書卷六〇，《北史》卷二三有附傳。

[5]虞、芮之風：虞、芮指春秋時期虞國和芮國。典出《詩·大雅·緜》：“虞芮質厥成，文王蹶厥生。”注云：虞、芮二國君爭田，久不能平，預求質於周王。入周，見民俗想讓，皆慚，相讓而回。

[6]《州郡圖經》：《北史》卷五五《郎茂傳》所載同，然《北史》所題撰者爲“茂與崔祖濬（贖）撰”。又本書《經籍志二》有《隋諸州圖經集》一百卷，題爲郎蔚之撰。《舊唐書·經籍志上》與《新唐書·藝文志二》有《隋圖經集記》一百卷，郎蔚之撰。

[7]秘府：禁中藏圖書秘籍之所。

　　于時帝每巡幸，王綱已紊，法令多失。茂既先朝舊臣，明習世事，然善自謀身，無謇諤之節。[1]見帝忌刻，不敢措言，唯竊歎而已。以年老，上表乞骸骨，[2]不許。會帝親征遼東，[3]以茂爲晉陽宮留守。[4]其年，恒山贊治王文同與茂有隙，[5]奏茂朋黨，附下罔上。詔遣納言蘇威、御史大夫裴蘊雜治之。[6]茂素與二人不平，因深文巧詆，成其罪狀。帝大怒，及其弟司隸別駕楚之皆除名爲民，[7]徙且末郡。[8]茂怡然受命，[9]不以爲憂。在途作《登壠賦》以自慰，詞義可觀。復附表自陳，帝頗悟。十年，追還京兆，歲餘而卒，時年七十五。有子知年。[10]

[1]謇諤：正直。

[2]乞骸骨：古代官吏因年老請求退職，意爲使骸骨得歸葬其故鄉，亦稱“乞骸”。

[3]遼東：地區名。指遼水以東地區，此指高麗國。

[4]晉陽宮：宮名。在今山西太原市西南古城營西古城。　留守：使職名。古代帝王出巡或出征時，常在京師、陪都設留守，以親王或重丞爲之。

[5]恒山：《北史》卷五五《郎茂傳》作“常山”。　贊治：官名。據本書《百官志下》，煬帝改州爲郡，郡置太守；罷長史、司馬，置贊治一人以貳之，協助郡守處理一郡事務。品級隨郡等級不同，從從四品至正六品不等。按，本書卷七四《王文同傳》爲“郡丞”。《北史》卷八七《王文同傳》爲“郡贊務”，“務”即“治”，唐避高宗李治諱改。據《通典》卷三三《職官·郡丞》及本書《百官志下》載：大業三年，罷長史、司馬，置贊治一人，後又改爲郡丞。故此處與本書《王文同傳》所載爲同一官職，但史書未記載改郡丞時間。　王文同：人名。傳見本書卷七四、《北史》

卷八七。

［6］納言：官名。門下省長官，職掌封駁制敕，並參與軍國大政決策等，居宰相之職。置二員，正三品。　御史大夫：官名。御史臺長官，職掌國家刑憲典章之政令，司彈劾糾察百官等。置一員。其品級，隋大業五年（此據本書《百官志下》，而《唐六典》卷一三《御史臺》爲“大業八年”）前是從三品，此年降爲正四品。　裴蘊：人名。傳見本書卷六七、《北史》卷七四。

［7］司隸別駕：官名。隋煬帝大業三年始置司隸臺，掌巡察之事，與御史臺、謁者臺合稱三臺。置別駕二人，分察畿内，一人按東都，一人按京師。從五品。　楚之：人名。郎穎，字楚之，唐朝武德年間曾任大理卿。事見《舊唐書》卷一八九下、《新唐書》卷一九九《郎餘令傳》。

［8］且末：郡名。隋煬帝大業五年置。治所在今新疆且末縣西南，一說在今且末縣城。按，《舊唐書》卷七五《韋雲起傳》載：“司隸別駕郎楚之並坐朋黨，配流漫頭赤水。”檢本書《地理志上》，河源郡（治所在今青海興海縣東南）有漫頭山、赤水縣。二書所載不知何者爲確，待考。

［9］受：汲古閣本、殿本、庫本、中華本同，然宋刻遞修本、《北史·郎茂傳》作“任”。

［10］知年：人名。唐朝時任貝州刺史。事略見新、舊《唐書·郎餘令傳》。

高構

高構，[1]字孝基，北海人也。[2]性滑稽，多智，辯給過人，好讀書，工吏事。弱冠，州補主簿。[3]仕齊河南王參軍事，[4]歷徐州司馬，[5]蘭陵、平原二郡太守。[6]齊滅後，周武帝以爲許州司馬。[7]

[1]高構：人名。傳另見《北史》卷七七。

[2]北海：郡名。治所在今山東青州市。

[3]補：官制用語。調選官吏補充某職官之缺位。

[4]河南王：此爲北齊高孝瑜封爵，傳見《北齊書》卷一一、《北史》卷五二。

[5]徐州：北齊時治所在今江蘇徐州市。

[6]蘭陵：郡名。北齊時治所在今山東棗莊市西南。　平原：郡名。北齊時治所在今山東聊城市東北。

[7]許州：北齊時治所在今河南許昌市。

　　高祖受禪，轉冀州司馬，[1]甚有能名。徵拜比部侍郎，尋轉民部。時内史侍郎晋平東與兄子長茂争嫡，[2]尚書省不能斷，朝臣三議不决。構斷而合理，上以爲能。召入内殿，勞之曰：“我聞尚書郎上應列宿，觀卿才識，方知古人之言信矣。嫡庶者，禮教之所重，我讀卿判數遍，詞理愜當，意所不能及。”賜米百石。由是知名。尋遷雍州司馬，以明斷見稱。歲餘，轉吏部侍郎，[3]號爲稱職。復徙雍州司馬，坐事左轉盩厔令，[4]甚有治名。[5]上善之，復拜雍州司馬。又爲吏部侍郎，[6]以公事免。

[1]冀州：治所在今河北冀州市。

[2]内史侍郎：官名。隋内史省副長官，佐宰相之職的本省長官内史監、令處理政務。初設四員，正四品下；大業三年減爲二員。正四品。　晋平東：人名。事亦見《北史》卷七七《高構傳》、《册府元龜》卷九七《帝王部·獎善》、《太平御覽》卷二一

七《職官部·户部郎中》。　　長茂：人名。事亦見《北史·高構傳》、《册府元龜》卷九七《帝王部·獎善》、《太平御覽》卷二一七《職官部·户部郎中》。

[3]吏部侍郎：官名。隋文帝時於吏部四曹之一吏部曹置吏部侍郎一員，爲該曹長官。正六品。煬帝大業三年諸曹侍郎並改稱"郎"，又始置侍郎，爲尚書省下轄六部之副長官。正四品。此後，吏部侍郎纔成爲吏部副長官，協助長官吏部尚書掌全國文職官員銓選等政令。

[4]盩厔：縣名。治所在今陝西周至縣。

[5]治：《北史·高構傳》作"能"。

[6]又爲吏部侍郎：宋刻遞修本、汲古閣本及《北史·高構傳》載其時間在"仁壽初"。

　　煬帝立，召令復位。時爲吏部者，多以不稱職去官，唯構最有能名，前後典選之官，皆出其下。時人以構好劇談，頗謂輕薄，然其内懷方雅，特爲吏部尚書牛弘所重。[1]後以老病解職，弘時典選，凡將有所擢用，輒遣人就第問其可不。河東薛道衡才高當世，[2]每稱構有清鑒，所爲文筆，必先以草呈構，而後出之。構有所詆訶，道衡未嘗不嗟伏。大業七年，終于家，時年七十二。所舉杜如晦、房玄齡等。[3]後皆自致公輔。論者稱構有知人之鑒。

[1]吏部尚書：官名。尚書省下轄六部之一吏部的長官，置一員，掌全國文職官員銓選、考課等政令，統吏部、主爵、司勳、考功四曹。正三品。　　牛弘：人名。傳見本書卷四九、《北史》卷七二。

［2］薛道衡：人名。傳見本書卷五七，《北史》卷三六有附傳。

［3］杜如晦、房玄齡：皆人名。均爲唐代貞觀時期名相。傳並見《舊唐書》卷六六、《新唐書》卷九六。

開元中，^[1]昌黎豆盧寔爲黃門侍郎，^[2]稱爲慎密。河東裴術爲右丞，^[3]多所糾正。河東士燮、平原東方舉、安定皇甫聿道，^[4]俱爲刑部，^[5]並執法平允。弘農劉士龍、清河房山基爲考功，^[6]河東裴鏡民爲兵部，^[7]並稱明幹。京兆韋焜爲民曹，^[8]屢進讜言。南陽韓則爲延州長史，^[9]甚有惠政。此等事行遺闕，皆有吏幹，爲當時所稱。

［1］開元：汲古閣本、殿本、庫本同，宋刻遞修本、中華本及《北史》卷七七《高構傳》作"開皇"。《大隋故金紫光禄大夫豆盧公（寔）墓誌銘並序》載："大業二年，特詔除黃門侍郎。"故此時間當爲"大業"。然後所引人名，多爲開皇時人。

［2］昌黎：郡名。三國魏置，治所在今遼寧義縣，北齊廢。按，此言郡望，用舊郡名。　豆盧寔：人名。生平見於《全隋文補遺》卷四《大隋故金紫光禄大夫豆盧公（寔）墓誌銘並序》，岑仲勉《隋書求是》亦附有小傳。　黃門侍郎：官名。隋初於門下省置給事黃門侍郎四員，爲門下省的次官，協助長官納言掌封駁制敕，參議政令的制定。正四品上。煬帝大業三年去"給事"之名，但稱黃門侍郎，並減置二員。正四品。

［3］裴術：人名。事迹不詳，名亦見《北史·高構傳》、《册府元龜》卷四六七《臺省部·舉職》。　右丞：官名。尚書右丞。爲尚書省屬官，與尚書左丞對置，各一人，分掌尚書都省事務，糾駁諸司文案，總判兵、刑、工三部之事。隋初爲從四品下，煬帝大業三年升爲正四品。

[4]河東：中華本同。然宋刻遞修本、汲古閣本、殿本、庫本、《北史·高構傳》及《册府元龜》卷四六七《臺省部·舉職》均作"河內"。　士燮：人名。事迹不詳，名亦見《北史·高構傳》、《册府元龜》卷四六七《臺省部·舉職》。　平原：郡名。治所在今山東平原縣西南。　東方舉：人名。事迹不詳，名亦見《北史·高構傳》、《册府元龜》卷四六七《臺省部·舉職》。　安定：郡名。治所在今甘肅涇川縣北。　皇甫聿道：人名。事迹不詳，名亦見《北史·高構傳》、《册府元龜》卷四六七《臺省部·舉職》。

[5]刑部：官署名。隋初沿置都官，開皇三年改爲刑部，是尚書省下轄六部之一。職掌刑法、徒隸、勾覆及關禁之政，領刑部、都官、比部、司門四司。

[6]弘農：郡名。治所在今河南靈寶市。　劉士龍：人名。弘農人，隋開皇中爲考功侍郎，大業八年以尚書右丞爲撫慰使，因事被斬。事略見《通鑑》卷一八一《隋紀》大業八年條。　清河：郡名。治所在今河北清河縣西北。　房山基：人名。事迹不詳。考功：官名。此指"考功侍郎"或"考功郎"。隋尚書省吏部考功曹長官，置一員，掌全國文武官員的考課和生平事迹。隋初爲正六品上，開皇三年升爲從五品。煬帝大業三年改諸曹侍郎爲郎，考功侍郎遂改稱考功郎。

[7]裴鏡民：人名。事迹不詳，名亦見《册府元龜》卷四六七《臺省部·舉職》。　兵部：官名。此指"兵部侍郎"或"兵部郎"。隋文帝時於兵部四曹之一兵部曹置兵部侍郎一員，爲該曹長官。正六品。煬帝大業三年諸曹侍郎並改稱"郎"，又始置"侍郎"，爲尚書省下轄六部之副長官。此後，兵部侍郎纔成爲兵部副長官，協助長官兵部尚書掌全國軍衛武官選授之政令等。正四品。

[8]韋焜：人名。隋時任户部郎、貝州司馬等職。　民曹：官署名。六部之一的民部。《北史·高構傳》作"户部曹"，當避唐諱改。

[9]南陽：郡名。治所在今河南南陽市。　韓則：人名。事迹

不詳，名亦見《北史・高構傳》、《冊府元龜》卷四六七《臺省部・舉職》。

張虔威

張虔威，[1]字元敬，清河東武城人也。[2]父晏之，[3]齊北徐州刺史。[4]虔威性聰敏，涉獵群書。其世父嵩之謂人曰：[5]“虔威，吾家千里駒也。”年十二，州補主簿。十八爲太尉中兵參軍，[6]後累遷太常丞。及齊亡，仕周爲宣納中士。[7]

[1]張虔威：人名。《北史》卷四三有附傳。虔威，《北史》作“乾威”。

[2]東武城：縣名。治所在今河北清河縣東北。

[3]晏之：人名。即張晏之，北齊人，官至兗州刺史，未拜而卒。傳見《北齊書》卷三五，《北史》卷四三有附傳。

[4]北徐州：北周平齊後改稱沂州。治所在今山東臨沂市西。

[5]嵩之：人名。即張嵩之。東魏孝靜帝武定中，任開府主簿。事見《魏書》卷六四、《北史》卷四三《張彝傳》。

[6]太尉中兵參軍：官名。北齊太尉府中兵參軍，掌中央兵軍事。正六品上。

[7]宣納中士：官名。職掌不詳。北周正二命。（參見王仲犖《北周六典》卷七《六官餘録第十三》，第495頁）

高祖得政，引爲相府典籤。[1]開皇初，晉王廣出鎮并州，[2]盛選僚佐，以虔威爲刑獄參軍，[3]累遷爲屬。王甚美其才，與河内張衡俱見禮重，[4]晉邸稱爲“二張”

焉。及王爲太子，遷員外散騎侍郎、太子内舍人。[5]

[1]典籤：官名。此爲丞相府處理文書之官。

[2]并州：治所在今山西太原市西南古城營。

[3]刑獄參軍：官名。東晉公府及節鎮等幕府僚屬始設刑獄參軍，掌刑獄。北齊、北周王府多有之。隋開皇三年官制改革，公王府屬官設法曹參軍事掌刑獄之事，無刑獄參軍之設，此或沿用舊名，乃“法曹參軍事”。

[4]河内：郡名。治所在今河南沁陽市。　張衡：人名。傳見本書卷五六、《北史》卷七四。　俱：底本原作“甚”，宋刻遞修本、汲古閣本、殿本、庫本、中華本均作“俱”，《北史》卷四三亦作“俱”，今據改。

[5]員外散騎侍郎：官名。屬散官，隋門下省置六人，掌部從朝直，並出使勞問。正五品上。　太子内舍人：官名。爲東宮門下坊的次官，協助長官左庶子掌侍從贊相，駁正啓奏，並通判本坊事。隋初置四員，正五品上；煬帝減爲二員，正五品。

　　煬帝即位，授内史舍人、儀同三司。尋以藩邸之舊，加開府。尋拜謁者大夫，[1]從幸江都，[2]以本官攝江都贊治，稱爲幹理。虞威嘗在塗見一遺囊，恐其主求失，因令左右負之而行。後數日，物主來認，悉以付之。淮南太守楊縯嘗與十餘人同來謁見，[3]帝問虞威曰：“其首立者爲誰？”虞威下殿就視而答曰：“淮南太守楊縯。”帝謂虞威曰：“卿爲謁者大夫，而乃不識參見人，何也？”虞威對曰：“臣非不識楊縯，但慮不審，所以不敢輕對。石建數馬足，[4]蓋慎之至也。”帝甚嘉之。其廉慎皆此類也。于時帝數巡幸，百姓疲敝，虞威因上封事

以諫。帝不悦，自此見疏。未幾，卒官。有子爽，[5]仕
至蘭陵令。[6]

[1]謁者大夫：官名。煬帝大業三年始置謁者臺，與御史臺、
司隸臺合稱三臺。謁者大夫爲謁者臺長官，掌執詔勞問、出使慰
撫，受理冤枉而申奏之。從四品。

[2]江都：郡名。治所在今江蘇揚州市。

[3]淮南：郡名。治所在今安徽壽縣。　楊綝：人名。《北史》
卷六八有附傳。

[4]石建數馬足：典出《史記》卷一〇三、《漢書》卷四六
《石建傳》。石建爲人謹慎，曾寫"馬"字少書一點，甚惶恐。

[5]爽：人名。即張爽，隋任蘭陵縣令。事亦見《北史》卷四
三《張乾威傳》。

[6]蘭陵：縣名。治所在今山東棗莊市東南。

　　虔威弟虔雄，[1]亦有才器。秦孝王俊爲秦州總管，[2]
選爲法曹參軍。[3]王嘗親案囚徒，虔雄誤不持狀，口對
百餘人，皆盡事情，同輩莫不嘆服。後歷壽春、陽城二
縣令，[4]俱有治績。

[1]虔雄：人名。即張虔雄。事亦見《北史》卷四三《張乾威
傳》、《册府元龜》卷七九九《總錄部·聰悟》。

[2]秦州：治所在今甘肅天水市。

[3]法曹參軍：官名。隋公王府、總管府皆置法曹，主刑法事，
長官爲參軍事。第七品。

[4]壽春：縣名。治所在今安徽壽縣東南。　陽城：縣名。治
所在今河南登封市東南。

榮毗　兄建緒

榮毗，[1]字子諶，北平無終人也。[2]父權，[3]魏兵部尚書。[4]毗少剛鯁有局量，涉獵群言。仕周，釋褐漢王記室，[5]轉内史下士。[6]

[1]榮毗：人名。傳另見《北史》卷七七。

[2]北平：郡名。治所在今河北盧龍縣。按，此郡開皇初廢，此言郡望用南北朝舊郡名。　無終：縣名。治所在今天津薊縣。

[3]權：人名。即榮權。事見《周書》卷四八、《北史》卷九三《蕭詧傳》。

[4]魏：即北魏（386—557），亦稱後魏。都平城（今山西大同市東北），公元494年遷都洛陽（今河南洛陽市東北白馬寺東）。公元534年分裂爲東魏和西魏兩個政權。東魏（534—550）都於鄴（今河北臨漳縣西南鄴鎮東），西魏（535—557）都於長安（今陝西西安市西北郊）。　兵部尚書：《周書》《北史》均未載榮權任兵部尚書。又據《通典》卷二三《職官·兵部尚書》載：兵部尚書至隋乃有，北魏爲七兵尚書，北齊爲五兵（左中兵、右中兵、左外兵、右外兵、都兵），北周大司馬屬有兵部中大夫、小兵部下大夫。此不知具體所指。

[5]釋褐：亦稱解褐。脱去平民衣服而換上官服，喻指始任官職。　漢王：爵名。北周宗室親王宇文贊的封爵名。　記室：官名。北周王府、總管府均設有記室，掌章表書記文檄。品秩不詳。

[6]内史下士：官名。掌書王命，同中書舍人之職。北周正一命。（參見王仲犖《北周六典》卷四《春官府第九》，第174頁）

開皇中，累遷殿内監。[1]時以華陰多盜賊，[2]妙選長吏，楊素薦毗爲華州長史，[3]世號爲能。素之田宅，多在華陰，左右放縱，毗以法繩之，無所寬貸。毗因朝集，[4]素謂之曰：“素之舉卿，適以自罰也。”毗答曰：“奉法一心者，但恐累公所舉。”素笑曰：“前者戲耳。卿之奉法，素之望也。”時晉王在揚州，[5]每令人密覘京師消息。遣張衡於路次往往置馬坊，以畜牧爲辭，實給私人也。州縣莫敢違，毗獨遏絕其事。上聞而嘉之，賚絹百匹，轉蒲州司馬。[6]漢王諒之反也，[7]河東豪傑以城應諒。刺史丘和覺，[8]遁歸關中。長史勃海高義明謂毗曰：[9]“河東要害，國之東門，若失之，則爲難不細。城中雖復恟恟，非悉反也。但收桀黠者十餘人斬之，自當立定耳。”毗然之。義明馳馬追和，將與協計。至城西門，爲反者所殺，毗亦被執。及諒平，拜治書侍御史。帝謂之曰：“今日之舉，馬坊之事也，無改汝心。”帝亦敬之。毗在朝侃然正色，爲百寮所憚。後以母憂去職。歲餘，起令視事，尋卒官。贈鴻臚少卿。[10]

[1]殿內監：官名。隋初於門下省置殿內局，置監二人爲之長，掌駕前奉引。正六品下。按，《北史》卷七七《榮毗傳》作“殿中局監”。

[2]華陰：縣名。隋治所在今陝西華陰市。

[3]楊素：人名。傳見本書卷四八，《北史》卷四一有附傳。
華州：治所在今陝西華縣。

[4]朝集：隋天下州郡每年派遣使臣進京報告州郡政務治理狀況，其使臣稱爲朝集使。

[5]揚州：治所在今江蘇揚州市。

[6]蒲州：治所在今山西永濟縣西南。

[7]漢王諒：隋文帝楊堅第五子楊諒，開皇元年封漢王。傳見本書卷四五、《北史》卷七一。

[8]丘和：人名。歷北周、隋、唐三朝，隋封平城郡公，仁壽年間任蒲州刺史。傳見《舊唐書》卷五九、《新唐書》卷九〇。按，宋刻遞修本、汲古閣本及《北史·榮毗傳》"覺"下有一"變"字。

[9]勃海：郡名。治所在今山東陽信縣西南。　高義明：人名。隋朝人，事亦見《北史·榮毗傳》、《通鑑》卷一八〇《隋紀》仁壽四年。

[10]鴻臚少卿：官名。此爲贈官。隋初爲正四品上，煬帝大業三年降爲從四品。

毗兄建緒，性甚亮直，兼有學業。仕周爲載師下大夫、儀同三司。[1]及平齊之始，留鎮鄴城，因著《齊紀》三十卷。建緒與高祖有舊，及爲丞相，加位開府，拜息州刺史。[2]將之官，時高祖陰有禪代之計，因謂建緒曰："且躊躇，當共取富貴。"建緒自以周之大夫，因義形於色曰："明公此旨，非僕所聞。"高祖不悅，建緒遂行。開皇初來朝，上謂之曰："卿亦悔不？"建緒稽首曰："臣位非徐廣，[3]情類楊彪。"[4]上笑曰："朕雖不解書語，[5]亦知卿此言不遜也。"歷始、洪二州刺史，[6]俱有能名。

[1]載師下大夫：官名。掌任土之法，辨夫家田里之數，會六畜車乘之稽，審賦役斂弛之節，制畿疆修廣之域，頒施會之要，審牧產之政。北周正四命。（參見王仲犖《北周六典》卷三《地官府

第八》，第100頁）

　　[2]息州：北周時治所在今河南息縣。

　　[3]徐廣：人名。東晉、南朝宋人，東晉時官至秘書監。傳見
《晉書》卷八二、《宋書》卷五五、《南史》卷三三。

　　[4]楊彪：人名。漢獻帝時位至三公，獻帝東遷，盡節護主。
《後漢書》卷五四有附傳。

　　[5]書語：書傳中之語，常含有引經據典、咬文嚼字之意。

　　[6]始：州名。治所在今四川劍閣縣。　洪：州名。治所在今
江西南昌市。

陸知命

　　陸知命，[1]字仲通，吳郡富春人也。[2]父敖，[3]陳散
騎常侍。[4]知命性好學，通識大體，以貞介自持。釋褐
陳始興王行參軍，[5]後歷太學博士、南獄正。[6]及陳滅，
歸于家。會高智慧等作亂于江左，[7]晉王廣鎮江都，以
其三吳之望，[8]召令諷諭反者。知命説下賊十七城，得
其渠帥陳正緒、蕭思行等三百餘人。[9]以功拜儀同三司，
賜以田宅。復用其弟恪爲汧陽令。[10]知命以恪非百里
才，上表陳讓，朝廷許之。

　　[1]陸知命：人名。傳另見《北史》卷七七。

　　[2]吳郡：治所在今江蘇蘇州市。　富春：縣名。治所在今浙
江富陽縣。按，富春縣，秦置，東晉咸安二年（372）改爲富陽縣，
此言郡望，用舊縣名。

　　[3]敖：人名。即陸敖，南朝陳人。名亦見《北史·陸知命
傳》。

[4]散騎常侍：官名。南朝陳集書省長官。掌侍從皇帝左右，獻納得失；省諸奏聞文書，意異者，隨事爲駮；常侍高功者一人爲祭酒，掌糾劾禁令。第三品。

[5]始興王：爵名。全稱是始興郡王，南朝陳陳伯茂封爵名，陳十二等爵的第一等。

[6]太學博士：官名。國子寺設太學博士，掌以經術教授生徒。南朝陳第八品。　南獄正：官名。據本書《刑法志》，南朝陳以廷尉寺爲北獄，以建康縣爲南獄，並置正、監、平，分掌獄事。品秩不詳。

[7]高智慧：人名。越州會稽人，隋開皇十年十一月舉兵反，後被鎮壓遭誅。事略見於本書卷二《高祖紀下》、卷三八《劉昉傳》，《通鑑》卷一七七《隋紀》開皇十年十一月條。

[8]三吳：地區名。東晉南朝時所指説法不一：一説指吳郡（治所在今江蘇蘇州市）、吳興（治所在今浙江湖州市南）、會稽（治所在今浙江紹興市）三郡；一説指吳郡、吳興、丹陽（治所在今江蘇南京市）三郡；一説指吳郡、吳興、義興（治所在今江蘇宜興市）三郡。

[9]陳正緒：人名。隋時人。僅此一見，事迹不詳。　蕭思行：人名。隋時人。僅此一見，事迹不詳。

[10]恪：人名。即陸恪，隋時人。事亦見《北史·陸知命傳》、《册府元龜》卷八一九《總録部·知子》。　汧陽：縣名。治所在今陝西千陽縣西北。

時見天下一統，知命勸高祖都洛陽，因上《太平頌》以諷焉。文多不載。數年不得調，詣朝堂上表，請使高麗，[1]曰：“臣聞聖人當宸，[2]物色芻蕘，[3]匹夫奔踶，[4]或陳狂瞽。[5]伏願暫輟旒纊，[6]覽臣所謁。昔軒轅馭曆，[7]既緩夙沙之誅，[8]虞舜握圖，[9]猶稽有苗之伐，[10]陛下當百代之末，膺千載之期，四海廓清，三邊底定，唯高麗小豎，狼顧燕垂。王度含弘，[11]每懷遵養者，良由惡殺好生，欲諭之以德也。臣請以一節，[12]宣示皇風，使彼君臣面縛闕下。"書奏，天子異之。歲餘，授普寧鎮將。[13]人或言其正直者，由是待詔於御史臺。[14]

[1]高麗：古國名。此時亦稱高句麗。故地在今朝鮮半島北部。傳見本書卷八一、《北史》卷九四、《舊唐書》卷一九九上、《新唐書》卷二二〇。

[2]當扆：指依屏風而坐，意指天子臨朝聽政。

[3]芻蕘：此爲謙辭，意草野之人。

[4]奔蹏：原謂馬乘時即奔跑，立時則踢人，此指普通人勞累奔波。典出《漢書》卷六《武帝紀》："故馬或奔蹏而致千里，士或有負俗之累而立功名。"

[5]狂瞽：此爲謙辭，意愚妄無知。

[6]旒纊：帝王冠冕上之垂旒與黈纊，亦借指帝王視聽。

[7]軒轅：即黃帝。詳見《史記》卷一《五帝本紀》。

[8]夙沙：古部落名。在今山東膠東一帶。

[9]圖：指河圖洛書。

[10]有苗：古部落名。亦稱"三苗"，堯、舜、禹時南方較强大的部族。

[11]含：中華本同。汲古閣本、殿本、庫本作"舍"，誤。

[12]節：符節，古代使臣奉命出行，必執符節以爲憑證。

[13]普寧：縣名。隋開皇十八年以前，治所在今四川仁壽縣東，十八年改仁壽縣；開皇十九年以奉化縣改名，治所在今四川榮縣。　鎮將：官名。隋於邊緣或內地置鎮爲軍事據點，掌捍禦防守，長官爲鎮將。上鎮將，從四品下；中鎮將，從五品下；下鎮

將，正六品下。

　　[14]御史臺：官署名。掌國家刑憲典章之政令，司彈劾糾察百官等，長官爲御史大夫。

　　煬帝嗣位，拜治書侍御史，侃然正色，爲百寮所憚，帝甚敬之。後坐事免。歲餘，復職。時齊王暕頗驕縱，[1]暱近小人，知命奏劾之。暕竟得罪，百寮震慄。遼東之役，爲東暆道受降使者，[2]卒於師，時年六十七。贈御史大夫。[3]

　　[1]齊王暕：隋煬帝楊廣第二子楊暕，封齊王。傳見本書卷五九、《北史》卷七一。

　　[2]東暆（yí）道：特區名。以東暆縣爲中心設置的特區。隋朝在戰爭中於地方設置的特區，稱“道”。東暆，西漢置縣，治所在今韓國江原南道江陵，一説在今朝鮮江原道元山、德源一帶。

　　[3]御史大夫：官名。此爲贈官。從三品。

房彥謙

　　房彥謙，[1]字孝冲，本清河人也。七世祖諶，[2]仕燕太尉掾，[3]隨慕容氏遷于齊。子孫因家焉，世爲著姓。[4]高祖法壽，[5]魏青、冀二州刺史，[6]壯武侯。[7]曾祖伯祖，[8]齊郡、平原二郡太守。[9]祖翼，[10]宋安太守，[11]並世襲爵壯武侯。父熊，[12]釋褐州主簿，行清河、廣川二郡守。[13]

　　[1]房彥謙：人名。《北史》卷三九有附傳。

［2］諶：人名。即房諶。事亦見《北史》卷三九《房法壽傳》。

［3］掾：官府中僚佐官的通稱。

［4］著：宋刻遞修本、汲古閣本、中華本同，殿本、庫本作"燕"。

［5］法壽：人名。即房法壽，北朝人。傳見《魏書》卷四三、《北史》卷三九。

［6］青：州名。北魏時治所在今山東青州市。　冀：州名。北魏時治所在今河北冀州市。

［7］壯武侯：爵名。北魏十一等爵的第六等。從二品。

［8］伯祖：人名。即房伯祖，北朝人。事見《魏書》卷四三、《北史》卷三九《房法壽傳》。

［9］齊郡：北魏時治所在今山東淄博市東北。

［10］翼：人名。即房翼，北朝人。事見《魏書》卷四三、《北史》卷三九《房法壽傳》。

［11］宋安：郡名。北魏時治所在今河南光山縣西南。

［12］熊：人名。即房熊，北朝人。事見《北史》卷三九《房豹傳》。

［13］廣川：郡名。治所在今河北景縣西南。

彥謙早孤，不識父，爲母兄之所鞠養。長兄彥雅雖有清鑒，[1]以彥謙天性穎悟，每奇之，親教讀書。年七歲，誦數萬言，爲宗黨所異。十五，出後叔父子貞，[2]事所繼母，有逾本生，子貞哀之，撫養甚厚。後丁所繼母憂，勺飲不入口者五日。事伯父樂陵太守豹，[3]竭盡心力，每四時珍果，口弗先嘗。遇期功之戚，必蔬食終禮，宗從取則焉。其後受學于博士尹琳，[4]手不釋卷，遂通涉五經。解屬文，工草隸，雅有詞辯，風概高人。

[1]長兄彦雅雖有清鑒：汲古閣本、殿本、庫本同，宋刻遞修本、中華本、《北史》卷三九《房彦謙傳》作“長兄彦詢，雅有清鑒”。檢《北史》卷三九房熊長子爲彦詢。故底本此漏一“詢”字。

[2]子貞：人名。即房子貞，北朝人。事亦見《北史・房彦謙傳》、《册府元龜》卷七五五《總録部・孝》。

[3]伯父：各本均同。中華本《北史・房彦謙傳》校勘記云：“張森楷云：‘“伯”當作“叔”。按見上文。’”檢《北史》卷三九《房豹傳》載：“無子，以兄熊子彦詡嗣。”又《北史・房彦詢傳》亦云：“特爲叔豹所愛重。”　樂陵：郡名。北齊時治所在今山東樂陵市東北。　豹：人名。北朝人。傳見《北齊書》卷四六，《北史》卷三九有附傳。

[4]尹琳：人名。北齊人。事亦見《北史・房彦謙傳》、《册府元龜》卷七九八《總録部・勤學》。

年十八，屬廣寧王孝珩爲齊州刺史，[1]辟爲主簿。時禁網疏闊，州郡之職，尤多縱弛。及彦謙在職，清簡守法，州境肅然，莫不敬憚。及周師入鄴，齊主東奔，[2]以彦謙爲齊州治中。[3]彦謙痛本朝傾覆，將糾率忠義，潛謀匡輔，事不果而止。齊亡，歸于家。周帝遣柱國辛遵爲齊州刺史，[4]爲賊帥輔帶劍所執。[5]彦謙以書諭之，帶劍慚懼。送遵還州，諸賊並各歸首。

[1]廣寧王：爵名。全稱是廣寧郡王，爲北齊十一等爵的第一等。正一品。　孝珩：人名。北齊文襄帝第二子。傳見《北齊書》卷一一、《北史》卷五二。　齊州：治所在今山東濟南市。

[2]齊主：此指北齊幼主高恒。紀見《北齊書》卷八、《北史》卷八。

[3]治中：官名。又稱治中從事或治中從事史，刺史自辟僚佐之一，主衆曹文書。北齊三等上州爲正六品下、中州爲從六品下。按，《北史》卷三九《房彦謙傳》作"齊州中從事"，當避唐高宗李治諱省"治"字。

[4]柱國：官名。全稱爲柱國大將軍。爲北周十一等勳官的第二等，可開府置官屬。正九命。　辛遵：人名。事略見本書卷五四、《北史》卷六五《田仁恭傳》。

[5]輔帶劍：人名。北周人。事亦見《北史・房彦謙傳》、《册府元龜》卷八七一《總録部・救患》。

　　及高祖受禪之後，遂優游鄉曲，誓無仕心。開皇七年，刺史韋藝固薦之，[1]不得已而應命。吏部尚書盧愷一見重之，[2]擢授承奉郎，[3]俄遷監察御史。[4]後屬陳平，奉詔安撫泉、括等十州。[5]以銜命稱旨，賜物百段，米百石，衣一襲，奴婢七口。遷秦州總管録事參軍。[6]嘗因朝集，時左僕射高熲定考課，[7]彦謙謂熲曰："《書》稱三載考績，黜陟幽明。[8]唐、虞以降，代有其法。黜陟合理，褒貶無虧，便是進必得賢，退皆不肖。如或舛謬，法乃虛設。比見諸州考校，執見不同，進退多少，參差不類。況復愛憎肆意，致乖平坦，清介孤直，未必高名，卑諂巧宦，翻居上等。直爲真僞混淆，是非瞀亂。宰貴既不精練，斟酌取捨。曾經驅使者，多以蒙識獲成；未歷臺省者，皆爲不知被退。又四方懸遠，難可詳悉，唯量準人數，半破半成，徒計官員之少多，莫顧善惡之衆寡，欲求允當，其道無由。明公鑒達幽微，平心遇物，今所考校，必無阿枉，脱有前件數事，未審何以裁之？唯願遠布耳目，精加採訪，褒秋毫之善，貶纖介之惡，非直有光至治，亦足標獎賢能。"詞氣侃然，觀者屬目。頴爲之動容，深見嗟賞。因歷問河西、隴右官人景行，[9]彥謙對之如響。頴顧謂諸州總管、刺史曰："與公言，不如獨與秦州考使語。"後數日，頴言於上，上弗能用。以秩滿，遷長葛令，[10]甚有惠化，百姓號爲慈父。

[1]韋藝：人名。本書卷四七、《北史》卷六四有附傳。

[2]吏部尚書：官名。尚書省下轄六部之一吏部的長官。掌全國文職官員銓選、考課等政令，統吏部、主爵、司勳、考功四曹，置一員，正三品。　盧愷：人名。傳見本書卷五六，《北史》卷三〇有附傳。

[3]承奉郎：官名。隋開皇三年於吏部別置朝議等八郎、旅騎等八尉，上階爲郎，下階爲尉。散官番直，常出使監檢，無具體職掌。從八品上。煬帝大業三年罷廢。

[4]監察御史：官名。隋御史臺設監察御史十二人，掌巡按州縣，巡察館驛、監軍及出使等。隋初爲從八品上。大業三年增至十六人，升爲從七品。

[5]泉：州名。隋開皇九年以豐州改置，治所在今福建福州市。
括：州名。隋開皇十二年以處州改名，治所在今浙江麗水市東南。

[6]總管：官署名。此指總管府。隋於并、益、荆、揚四州置大總管，其餘州置總管。總管分上、中、下三等。總管的統轄範圍可達數州至十餘州，成一軍政管轄區。　錄事參軍：官名。此爲總管府屬官，掌省覆文書，勾稽缺失。品秩不詳。

[7]左僕射：官名。隋尚書省置左右僕射各一人，地位僅次於尚書令。由於隋尚書令不常置，僕射成爲尚書省實際長官，是宰相

之職。從二品。

［8］三載考績，黜陟幽明：語出《尚書·舜典》。

［9］河西：又稱“河右”，古代泛指黃河以西地區，在今寧夏、甘肅一代。　隴右：泛指隴山以西地區。大約在今六盤山以西、黃河以東一帶。　景行：高尚德行。

［10］長葛：縣名。治所在今河南長葛市東北老城。

　仁壽中，上令持節使者巡行州縣，[1]察長吏能不。以彥謙爲天下第一，超授都州司馬。[2]吏民號哭相謂曰："房明府今去，[3]吾屬何用生爲！"其後百姓思之，立碑頌德。都州久無刺史，州務皆歸彥謙，名有異政。

［1］持節使者：漢朝官員奉使外出時，或由皇帝授予節杖，以提高其威權。魏、晉以後，凡重要軍事長官出征或出鎮時，加使持節，可誅殺二千石以下官員。皇帝派遣大臣出巡或祭吊等事時，也使持節，以表示權力和尊崇。

［2］都州：治所在今湖北荆門市西北。

［3］明府：漢以來縣令的別稱。

　內史侍郎薛道衡，一代文宗，位望清顯，所與交結，皆海內名賢。重彥謙爲人，深加友敬。及兼襄州總管，[1]辭翰往來，交錯道路。煬帝嗣位，道衡轉牧番州，[2]路經彥謙所，留連數日，屑涕而別。黃門侍郎張衡，亦與彥謙相善。于時帝營東都，窮極侈麗，天下失望。又漢王構逆，罹罪者多。彥謙見衡當塗而不能匡救，以書諭之曰：

[1]兼：官制用語。假職未真授之稱。按，殿本、庫本、中華本同，宋刻遞修本、汲古閣本及《北史》卷三九《房彥謙傳》作"爲"。

[2]番州：隋仁壽年間改廣州置，治所在今廣東廣州市。

"竊聞賞者所以勸善，刑者所以懲惡。故疏賤之人，有善必賞，尊貴之戚，犯惡必刑，未有罰則避親，賞則遺賤者也。今諸州刺史，受委宰牧，善惡之間，上達本朝，懾憚憲章，不敢怠慢。國家祗承靈命，作民父母，刑賞曲直，升聞於天，賁畏照臨，亦宜謹肅。故文王云：'我其夙夜，畏天之威。'[1]以此而論，雖州、國有殊，高下懸邈，然憂民慎法，其理一也。

[1]我其夙夜，畏天之威：語出《詩·周頌·我將》。

"至如并州釁逆，須有甄明。若楊諒實以詔命不通，慮宗社危逼，徵兵聚衆，非爲干紀。則當原其本情，議其刑罰，上副聖主友于之意，下曉愚民疑惑之心。若審知內外無虞，嗣后篡統，而好亂樂禍，妄有覬覦，則管、蔡之誅，[1]當在於諒。同惡相濟，無所逃罪，梟懸孥戮，[2]國有常刑。其間乃有情非協同，力不自固，或被擁逼，淪陷凶威，遂使籍没流移，[3]恐爲冤濫。恢恢天網，豈其然乎？罪疑從輕，斯義安在？昔叔向置鬻獄之死，[4]晉國所嘉，釋之斷犯蹕之刑，[5]漢文稱善。[6]羊舌寧不愛弟，[7]廷尉非苟違君，[8]但以執法無私，不容輕重。

[1]管、蔡之誅：典出《史記》卷三三《魯周公世家》。周成王年少，周公旦攝行國政，管叔、蔡叔與武庚叛亂，周公旦伐誅之。

[2]梟懸：斬首懸掛示衆。　孥戮：誅及子孫。

[3]籍没：中國古代刑罰之一，没收財物人口入官。

[4]叔向置鬻獄之死：典出《左傳》昭公十四年。春秋時晋國羊鮒（即羊舌鮒）貪贓枉法爲仇家所殺，其異母胞兄叔向（即羊舌肸）時做大夫，以爲羊鮒之罪當戮尸棄市，以明國法。叔向，人名。春秋時晋國大夫羊舌肸。

[5]釋之斷犯蹕之刑：典出《史記》卷一○二、《漢書》卷五○《張釋之傳》。漢文帝時有人衝撞皇帝車駕，張釋之斷以罰金，時稱公道。

[6]漢文：漢文帝劉恒。紀見《史記》卷一○、《漢書》卷四。

[7]羊舌：即羊舌肸，前文所云叔向。

[8]廷尉：指張釋之，曾任漢廷尉。

“且聖人大寶，是曰神器，苟非天命，不可妄得。故蚩尤、項籍之驍勇，[1]伊尹、霍光之權勢，李老、孔丘之才智，[2]呂望、孫武之兵術，[3]吳、楚連磐石之據，[4]産、禄承母后之基，[5]不應歷運之兆，終無帝王之位。況乎蕞爾一隅，蜂扇蟻聚，楊諒之愚鄙，群小之凶慝，而欲憑陵畿甸，覬幸非望者哉！開闢以降，書契云及，帝皇之跡，可得而詳。自非積德累仁，豐功厚利，孰能道洽幽顯，義感靈祇！是以古之哲王，昧旦丕顯，履冰在念，御朽競懷。逮叔世驕荒，[6]曾無戒懼，肆於民上，騁嗜奔欲，不可具載，請略陳之。

[1]蚩尤：傳說中古代九黎族首領，與黃帝戰於涿鹿，兵敗被殺。　項籍：人名。即項羽。紀見《史記》卷七，傳見《漢書》卷三一。

[2]李老：人名。即老子，春秋時人，姓李名耳，字聃。傳見《史記》卷六三。

[3]呂望：太公望呂尚。詳見《史記》卷三二《齊太公世家》。孫武：人名。即孫子。傳見《史記》卷六五。

[4]吳、楚連磐石之據：此指漢高祖劉邦所分封的吳、楚諸侯國，公元前145年聯合七國以誅晁錯爲名發動武裝叛亂。事見《史記》卷一〇一《袁盎晁錯列傳》。

[5]産、禄承母后之基：典出《史記》卷九、《漢書》卷三《呂太后本紀》。産、禄爲高祖呂后兄子呂産、呂禄。

[6]叔世：猶末世。

　　“曩者齊、陳二國，並居大位，自謂與天地合德，日月齊明，罔念憂虞，不恤刑政。近臣懷寵，稱善而隱惡，史官曲筆，掩瑕而録美。是以民庶呼嗟，終閉塞於視聽，公卿虛譽，日敷陳於左右。法網嚴密，刑辟日多，徭役煩興，老幼疲苦。昔鄭有子産，[1]齊有晏嬰，[2]楚有叔敖，[3]晉有士會。[4]凡此小國，尚足名臣，齊、陳之疆，豈無良佐？但以執政壅蔽，懷私徇軀，忘國憂家，外同內忌。設有正直之士，才堪幹持，[5]於己非宜，即加擯壓；倘遇諂佞之輩，行多穢匿，於我有益，遽蒙薦舉。以此求賢，何從而至！夫賢材者，非尚膂力，豈繫文華，唯須正身負戴，確乎不動。譬棟之處屋，如骨之在身，所謂棟梁骨鯁之材也。齊、陳不任骨鯁，信近讒諛，天高聽卑，監其淫僻，故總收神器，歸我大隋。向使二國祇敬上玄，惠恤鰥寡，委任方直，斥遠浮華，卑菲爲心，惻隱爲務，[6]河朔彊富，江湖險隔，各保其業，民不思亂，泰山之固弗可動也。然而寢臥積薪，宴安鴆毒，遂使禾黍生廟，霧露霑衣，弔影撫心，何嗟及矣！故詩云：‘殷之未喪師，克配上帝。宜鑒于殷，駿命不易。’[7]萬機之事，何者不須熟慮哉！

[1]子産：人名。春秋時鄭國大臣。事見《史記》卷四二《鄭世家》。

[2]晏嬰：人名。春秋時齊國大臣晏子。傳見《史記》卷六二。

[3]叔敖：人名。春秋時楚國孫叔敖。傳見《史記》卷一一九。

[4]士會：人名。事見《史記》卷三九《晉世家》。

[5]幹持：幹練有持事之才。按，“持”，殿本、庫本、中華本同，宋刻遞修本、汲古閣本及《北史》卷三九《房彥謙傳》作“時”。

[6]爲：殿本、庫本、中華本同，宋刻遞修本、汲古閣本及《北史·房彥謙傳》作“是”。

[7]“殷之未喪師”至“駿命不易”：語出《詩·大雅·文王》。

“伏惟皇帝望雲就日，仁孝凤彰，錫社分珪，[1]大成規矩。及總統淮海，盛德日新，當璧之符，遐邇僉屬。讚歷甫爾，[2]寬仁已布，率土蒼生，翹足而喜。并州之亂，變起倉卒，職由楊諒詭惑，詿誤吏民，非有構怨本朝，棄德從賊者也。而有司將帥，稱其願反，非止誣陷良善，亦恐大點皇猷。足下宿當重寄，早預心膂，粵自藩邸，柱石見知。方當書名竹帛，傳芳萬古，稷、契、伊、呂，[3]彼獨何人？既屬明時，須存謇諤，立當世之大誠，作將來之憲範。豈容曲順人主，以愛虧刑，又使脅從之徒，橫貽罪譴？忝蒙眷遇，輒寫微誠，野人愚瞽，不知忌諱。”

　　衡得書歎息，而不敢奏聞。

　　[1]錫社：猶錫土，賜土封國。　分珪：猶封圭，帝王以圭授予受分封者，後泛指帝王分賜官爵。
　　[2]讚：宋刻遞修本、中華本同，汲古閣本、殿本、庫本及《北史》卷三九《房彥謙傳》作“纘”。
　　[3]稷、契（xiè）、伊、呂：指後稷、傳説中商的祖先契、伊尹、呂望。

　　彥謙知王綱不振，遂去官隱居不仕，將結構蒙山之下，[1]以求其志。會置司隸官，[2]盛選天下知名之士。朝廷以彥謙公方宿著，時望所歸，徵授司隸刺史。[3]彥謙亦慨然有澄清天下之志，凡所薦舉，皆人倫表式。其有彈射，當之者曾無怨言。司隸別駕劉炇，[4]陵上侮下，訐以爲直，刺史憚之，皆爲之拜。唯彥謙執志不撓，亢禮長揖，有識嘉之。炇亦不敢爲恨。

　　[1]蒙山：此指不詳。
　　[2]司隸：官署名。司隸臺，隋大業三年始置，與御史臺、謁者臺合稱三臺。有大夫、別駕、刺史、從事等官。後罷本臺而留司隸從事一官行其職，不常置，多臨時選京官清明者權攝之。

[3]司隸刺史：官名。隋煬帝大業三年始置，爲司隸臺的屬官，置十四人，掌巡察畿外。正六品。

[4]司隸別駕：官名。隋煬帝大業三年始置司隸臺，置別駕二人，分察畿內，一人按東都，一人按京師。從五品。 劉炬：人名。隋時人。事亦見《北史》卷三九《房彥謙傳》、《册府元龜》卷五一五《憲官部·剛正》。

大業九年，從駕度遼，監扶餘道軍。[1]其後隋政漸亂，朝廷靡然，莫不變節。彥謙直道守常，介然孤立，頗爲執政者之所嫉，出爲涇陽令。[2]未幾，終于官，時年六十九。

[1]監扶餘道軍：即扶餘道監軍。扶餘道，即以扶餘爲中心的戰爭特區。監軍，使職名。監督軍隊將帥官員，爲臨時性差遣，隋多以御史爲之。

[2]涇陽：縣名。治所在今陝西涇陽縣西北。

彥謙居家，每子侄定省，[1]常爲講説督勉之，亹亹不倦。[2]家有舊業，資產素殷。又前後居官，所得俸禄，皆以周恤親友，家無餘財，車服器用，務存素儉。自少及長，一言一行，未嘗涉私，雖致屢空，怡然自得。嘗從容獨笑，顧謂其子玄齡曰：“人皆因禄富，我獨以官貧。所遺子孫，在於清白耳。”所有文筆，恢廓閑雅，有古人之深致。又善草隸，人有得其尺牘者，皆寶玩之。太原王邵，[3]北海高構，蓚縣李綱，[4]河東柳彧、薛孺，[5]皆一時知名雅澹之士，彥謙並與爲友。雖冠蓋成列，而門無雜賓。體資文雅，深達政務，有識者咸以遠大許之。

　　[1]定省：泛指探望父母或親長。

　　[2]亹（wěi）亹：勤勉不倦貌。

　　[3]太原：郡名。治所在今山西太原市。　王邵：各本均同，《北史》卷三九《房彥謙傳》作“劭”，檢本書卷六九、《北史》卷三五有《王劭傳》。故此“邵”當作“劭”。

　　[4]蔣縣：治所在今河北景縣。　李綱：人名。隋文帝時任太子洗馬。傳見《舊唐書》卷六二、《新唐書》卷九九。

　　[5]柳彧：人名。傳見本書卷六二、《北史》卷七七。　薛孺：人名。本書卷五七、《北史》卷三六有附傳。

　　初，開皇中，平陳之後，天下一統，論者咸云將致太平。彥謙私謂所親趙郡李少通曰：[1]“主上性多忌剋，不納諫爭。太子卑弱，諸王擅威。在朝唯行苛酷之政，未施弘大之體。天下雖安，方憂危亂。”少通初謂不然，及仁壽、大業之際，其言皆驗。大唐馭宇，追贈徐州都督、臨淄縣公。[2]謚曰定。

　　[1]李少通：人名。事亦見《北史》卷三九《房彥謙傳》、《大唐新語》卷七《知微》。

　　[2]都督：官名。此爲贈官。　臨淄縣公：爵名。唐九等爵的第五等。從二品。此爲贈官。

　　史臣曰：大夏云構，非一木之枝；帝王之功，非一士之略。長短殊用，大小異宜，榱桷棟梁，[1]莫可棄也。李諤等或文能遵義，或才足幹時，識用顯於當年，故事

留於臺閣。參之有隋多士，取其開物成務，皆廊廟之榱

桷，[2]亦北辰之眾星也。

　　[1]榙桴：亦作“棁梲”。原指建築上柱頭斗拱與梁上短柱，
此喻指小才。
　　[2]榱桷：屋椽，此指建築組成部分之一。

隋書　卷六七

列傳第三十二

虞世基

　　虞世基，[1]字茂世，[2]會稽餘姚人也。[3]父荔，[4]陳太子中庶子。[5]世基幼沉静，喜愠不形於色，博學有高才，兼善草隷。陳中書令孔奐見而歎曰：[6]“南金之貴，[7]屬在斯人。”少傅徐陵聞其名，[8]召之，世基不往。後因公會，[9]陵一見而奇之，顧謂朝士曰：“當今潘、陸也。”[10]因以弟女妻焉。

　　[1]虞世基：人名。傳另見《北史》卷八三。
　　[2]茂：《北史·虞世基傳》作“懋”。
　　[3]會稽：郡名。治所在今浙江紹興市。　餘姚：縣名。治所在今浙江餘姚市。
　　[4]荔：人名。即虞荔，南朝陳人。傳見《陳書》卷一九、《南史》卷六九。
　　[5]陳：即南朝陳（557—589），都建康（今江蘇南京市）。太子中庶子：官名。南朝陳爲東宮門下坊的長官，掌侍從太子左

右，規諫諷議，獻納得失等。置四人，第五品。

[6]中書令：官名。掌撰詔命，記會時事，典作文書。南朝陳第三品。　孔奐：人名。南朝梁、陳時人，陳太建九年（577）擔任中書令，十一年轉太常卿。傳見《陳書》卷二一，《南史》卷二七有附傳。

[7]南金之貴：指南方出產銅中的極品，此喻指南方優秀傑出人才。

[8]少傅：官名。即太子少傅，職掌輔佐太子，位視左右僕射。南朝陳第三品。　徐陵：人名。南朝梁、陳時人，陳後主即位，任太子少傅。傳見《陳書》卷二六，《南史》卷六二有附傳。

[9]公會：因公事相會晤。

[10]潘、陸：指晉時潘安、陸機，二人皆以文名。潘安正史無傳，陸機傳見《晉書》卷五四。

　　仕陳，釋褐建安王法曹參軍事，[1]歷祠部、殿中二曹郎，[2]太子中舍人。[3]遷中庶子、散騎常侍、尚書左丞。[4]陳主嘗於莫府山校獵，[5]令世基作《講武賦》，於坐奏之曰：

[1]釋褐：官制用語。亦稱解褐。脫去平民衣服而換上官服，喻指始任官職。　建安王：爵名。全稱是建安郡王，陳十二等爵的第一等。此爲南朝陳陳叔卿封爵名。陳叔卿傳見《陳書》卷二八、《南史》卷六五。　法曹參軍事：官名。南朝陳諸公王府皆置法曹，主刑法事，長官爲參軍事。第八品。

[2]祠部：官名。即祠部郎。南朝陳尚書省祠部曹設祠部郎，佐尚書掌禮樂事。第六品。　殿中：官名。即殿中郎。南朝陳尚書省殿中曹設殿中，郎佐尚書左僕射或祠部尚書掌表疏及禮樂之事。第六品。

[3]太子中舍人：官名。綜典東宮奏事文書之事，功高者一人，與中庶子祭酒共掌其坊之政令。南朝陳第五品。

[4]中庶子：即太子中庶子。　散騎常侍：官名。南朝陳集書省長官。掌侍從皇帝左右，獻納得失；省諸奏聞文書，異議者，隨事爲駁；常侍高功者一人爲祭酒，掌糾劾禁令。第三品。　尚書左丞：官名。職掌佐尚書令、尚書僕射理尚書省政事。南朝陳第四品。

[5]陳主：此指陳後主陳叔寶。紀見《陳書》卷六、《南史》卷一〇。　莫府山：地名。即幕府山，在今江蘇南京市北。按，此“莫”通“幕”，《通鑑》卷一二五《宋紀》元嘉二十七年十二月壬午條：“上又登莫府山。”胡三省注云：“幕府山在今建康府城西二十五里，晋元帝初渡江，丞相王導建幕府於其上。”

“夫玩居常者，未可論匡濟之功；應變通者，然後見帝王之略。何則？化有文質，[1]進讓殊風，世或澆淳，[2]解張累務。雖復順紀合符之后，[3]望雲就日之君，[4]且修戰於版泉，[5]亦治兵於丹浦。[6]是知文德武功，蓋因時而並用，經邦創制，固與俗而推移。所以樹鴻名，垂大訓，拱揖百靈，[7]包舉六合，[8]其唯聖人乎！

[1]文質：文采與質樸，此指某一時代風尚。

[2]澆淳：浮薄與濃厚，多指社會風氣。

[3]順紀合符之后：此指黄帝。典出《史記》卷一《五帝本紀》。黄帝以雲爲紀，曾合符釜山。

[4]望雲就日之君：此指帝堯。典出《史記·五帝本紀》：“（帝堯）就之如日，望之如雲。”後亦指賢明君主恩澤施及萬民。

[5]版泉：古地名。亦作“阪泉”。相傳黄帝與炎帝戰於阪泉之野。其地所在有三説：一是在山西陽曲縣東北，相傳舊名漢山；

二是在河北涿鹿縣東南；三是在山西運城市南。

〔6〕丹浦：丹水之濱。相傳堯與有苗戰於丹水之浦。

〔7〕百靈：指各種神靈。

〔8〕六合：指天地四方。亦泛指天下。

　　"鶉火之歲，[1]皇上御宇之四年也。萬物交泰，九有乂安，[2]俗躋仁壽，民資日用。然而足食足兵，猶載懷於履薄；可久可大，尚懍乎於御朽。至如昆吾遠賮，[3]肅慎奇琛，[4]史不絕書，府無虛月。貝冑雍弧之用，犀渠闕鞏之殷，鑄名劍於尚方，[5]積雕戈於武庫。[6]熊羆百萬，貔豹千群，利盡五材，[7]威加四海。爰於農隙，有事春蒐，[8]舍爵策勳，觀使臣之以禮，沮勸賞罰，乃示民以知禁。盛矣哉，信百王之不易，千載之一時也！昔上林從幸，相如於是頌德。[9]長楊校獵，子雲退而爲賦。[10]雖則體物緣情，不同年而語矣，英聲茂實，蓋可得而言焉。其辭曰：

〔1〕鶉火之歲：歲在鶉火之意。古代將黃道附近一周天按照由西向東方向分爲十二次，即星紀、玄枵、諏訾、降婁、大梁、實沈、鶉首、鶉火、鶉尾、壽星、大火、析木。歲在鶉火，指歲星（木星）運行到鶉火位置，用以紀年。

〔2〕乂（yì）安：太平無事。

〔3〕昆吾：古族名。存在於夏商之際，己姓。族人善於製造陶器和鑄造銅器。夏啓曾命人在昆吾鑄鼎。　賮（jìn）：納貢的財禮。

〔4〕肅慎：古族名。大約分布於今黑龍江松花江流域，西周初年曾進貢。　琛（chēn）：奇珍異寶。

〔5〕尚方：古代製造帝王所用器物之所。

[6]武庫：儲藏兵器之庫。

[7]五材：指金、木、水、火、土五種物質。

[8]蒐（sōu）：打獵。

[9]上林從幸，相如於是頌德：典出《史記》卷一一七《司馬相如列傳》、《漢書》卷五七《司馬相如傳》。上林，指西漢皇室之上林苑。相如，人名。即司馬相如。

[10]長楊校獵，子雲退而爲賦：典出《漢書》卷八七《揚雄傳》。長楊，指西漢皇室長楊射熊館。子雲，人名。即揚雄，字子雲，漢賦四大家之一。傳見《漢書》卷八七。

　　“惟則天以稽古，統資始於群分。膺録圖而出震，[1]樹司牧以爲君。[2]既濟寬而濟猛，亦乃武而乃文。北怨勞乎殷履，南伐盛於唐勛。彼周干與夏戚，粤可得而前聞。我大陳之創業，乃撥亂而爲武。戡定艱難，平壹區宇。從喋喋之樂推，爰蒼蒼而再補。故累仁以積德，諒重規而襲矩。惟皇帝之休烈，體徇齊之睿哲。[3]敷九疇而咸敘，[4]奄四海而有截。既搜揚於帝難，又文思之安安。幽明請吏，俊乂在官。御璇璣而七政辨，[5]朝玉帛而萬國歡。昧旦丕顯，未明思治。道藏往而知來，功參天而兩地。運聖人之上德，盡生民之能事。於是禮暢樂和，刑清政肅。西臮析支，[6]東漸蟠木。[7]罄圖謀而効祉，[8]漏川泉而褆福。在靈貺而必臻，亦何思而不服。

[1]録圖：圖録或圖籙，爲圖讖符命之書。　　出震：出於東方，八卦中的“震”卦位應東方。喻指皇帝登基。

[2]司牧：泛指官吏。

[3]徇：宋刻遞修本、中華本同，汲古閣本、殿本、庫本作

"狗"。

[4]九疇：典出《尚書‧洪範》。傳說天帝賜予禹治理天下之九條大法，即《洛書》，後亦泛指治理天下之大法。

[5]璇璣：喻指權柄、帝位。　七政：一指日、月及金、木、水、火、土五星；一指春、秋、冬、夏、天文、地理、人文。

[6]臮（jì）：到、至。　析支：又稱鮮支、賜支、河曲羌。古代西戎族名之一，分布在今青海積石山至貴德縣河曲一帶。

[7]蟠木：傳說中東方山名，一說即扶桑。

[8]祉：宋刻遞修本、汲古閣本、中華本同，殿本、庫本作"社"。

"雖至治之隆平，[1]猶戒國而强兵。選羽林於六郡，[2]詔蹶張於五營。[3]兼折衝而餘勇，咸重義而輕生。遂乃因農隙以教民，在春蒐而習戰。命司馬以示法，[4]帥掌固而清甸。[5]導甸始以前驅，[6]伏鉤陳而後殿。[7]抗鳥旌於析羽，飾魚文於被練。爾乃革軒按轡，玉虬齊鞅。屯左矩以啓行，擊右鍾而傳響。交雲罕之掩映，紛劍騎而來往。指攝提於斗極，[8]洞閶闔之弘敞。跨玄武而東臨，款黃山而北上。隱圓闕之迢遰，[9]届方澤之壇爽。

[1]至：宋刻遞修本、中華本同，汲古閣本、殿本、庫本作"致"。

[2]選羽林於六郡：典出漢武帝選隴西、天水、安定、北地、上郡、西河六郡良家子宿衛建章宮，稱建章營騎。後改名羽林騎，取爲國羽翼、如林之盛之意。

[3]蹶張：勇健有力之士。　五營：指屯騎、越騎、步兵、長

水、射聲五校尉所領之軍隊。

〔4〕司馬：官名。《周禮·夏官》載有大司馬，掌軍旅之事。

〔5〕掌固：官名。《周禮·夏官》："掌固，掌修城郭溝池樹渠之固。"

〔6〕旬始：星官名。位北斗旁，氣如雄鷄。

〔7〕鉤陳：星官名。紫微宮外營陳星也。

〔8〕攝提：星名。屬亢宿，共六星。位於大角星兩側。

〔9〕遰（dì）：宋刻遞修本、中華本同，汲古閣本、殿本、庫本作"遞"。

"于斯時也，青春晚候，朝陽明岫。日月光華，煙雲吐秀。澄波瀾於江海，静氛埃於宇宙。乘輿乃御太一之玉堂，[1] 授軍令於紫房。[2] 藴龍韜之妙算，誓武旅於戎場。鋭金顔於庸蜀，躪鐵騎於漁陽。彀神弩而持滿，彏天弧而並張。[3] 曳虹旗之正正，振夔鼓之鎗鎗。八陳蕭而成列，[4] 六軍儼以相望。[5] 拒飛梯於縈帶，[6] 篸樓車於武岡。[7] 或掉鞅而直指，乍交綏而弗傷。裁應變而蛇擊，俄蹈厲以鷹揚。中小枝於戟刃，徹蹲札於甲裳。聊七縱於孟獲，[8] 乃兩禽於卞莊。[9] 始軒軒而鶴舉，遂離離以雁行。振川谷而横八表，蕩海岳而耀三光。諒窈冥之不測，羌進退而難常。亦有投石扛鼎，超乘挾輈。衝冠篸劍，鐵楯銅頭。熊渠殪兕，武勇操牛。雖任鄙與賁、育，[10] 故無得而爲仇。

〔1〕乘輿：皇帝所乘之車，亦代指皇帝。　太一：亦作太乙，道教中神仙之一。　玉堂：指神仙居所。

〔2〕紫房：道家煉丹房。

　　〔3〕彏（jué）：急張弓。

　　〔4〕八陳：亦作八陣，泛指古代作戰陣法。

　　〔5〕六軍：原指天子六軍，此泛指軍隊。

　　〔6〕飛梯：軍事上攻城所用的長梯。　縈帶：指護城河。

　　〔7〕樓車：古代戰車，上設望樓，用以瞭望敵人。

　　〔8〕七縱於孟獲：典出《三國志》卷三五《蜀書·諸葛亮傳》。裴松之注：諸葛亮七擒孟獲。

　　〔9〕兩禽於卞莊：典出《史記》卷七〇《張儀列傳》。卞莊子一舉擒雙虎之功。

　　〔10〕任鄙與賁、育：典出《史記》卷七九《范睢蔡澤列傳》。賁指孟賁，育指夏育。任鄙、孟賁、夏育均爲春秋戰國時勇士。

　　“九攻既決，三略已周。鳴鐲振響，風卷電收。於是勇爵班，金奏設，登元凱而陪位，[1]命方邵而就列。[2]三獻式序，八音未闋。舞干戚而有豫，聽鼓鞞而載悦。[3]俾挾纊與投醪，咸忘軀而殉節。方席卷而橫行，見王師之有征。登燕山而斅封豕，臨瀚海而斬長鯨。望云亭而載躒，[4]禮升中而告成。實皇王之神武，信蕩蕩而難名者也。”

　　〔1〕元凱：亦稱“元愷”，典出《左傳》文公十八年：高辛氏有才子八人，稱爲八元；高陽氏有才子八人，稱爲八愷。後連用喻指皇帝的輔佐大臣。

　　〔2〕方邵：亦稱“方召”，輔佐周宣王中興的大臣方叔與召虎，後連用喻指國家重臣。

　　〔3〕鞞：音 bǐng。

　　〔4〕躒（bì）：指帝王車駕。

陳主嘉之，賜馬一匹。

及陳滅歸國，爲通直郎，[1]直內史省。[2]貧無產業，每傭書養親，怏怏不平。嘗爲五言詩以見意，情理悽切，世以爲工，作者莫不吟詠。未幾，拜內史舍人。[3]

[1]通直郎：官名。隋初門下省通直散騎侍郎的簡稱，掌規諫，侍從皇帝左右備顧問，不典事。從五品上。煬帝大業三年（607）罷。按，《通鑑》卷一七七《隋紀》開皇九年十二月條："詔弘與許善心、姚察及通直郎虞世基參定雅樂。"胡三省注云："按煬帝始置通直郎，從六品，屬謁者臺。《虞世基傳》云，以通直郎直內史省。其通直散騎侍郎歟？品從五。"胡氏注所論在理，今從。

[2]直：官制用語。一般以他官臨時差遣處理本署事務。　內史省：官署名。隋避諱改中書省爲內史省，爲三省之一，置監、令各一員，尋廢監，置令二員爲長官。下置侍郎、舍人等官員。掌皇帝詔令出納宣行，爲機要之司。

[3]內史舍人：官名。爲內史省的屬官，掌參議表章，草擬詔敕。隋初置八人，正六品上，開皇三年升爲從五品。煬帝大業三年減置四人，大業末改內史省爲內書省，內史舍人遂改稱爲內書舍人。

煬帝即位，顧遇彌隆。秘書監河東柳顧言博學有才，[1]罕所推謝，至是與世基相見，歎曰："海內當共推此一人，非吾儕所及也。"俄遷內史侍郎，[2]以母憂去職，[3]哀毀骨立。有詔起令視事，拜見之日，殆不能起，帝令左右扶之。哀其羸瘠，詔令進肉，世基食輒悲哽，不能下。[4]帝使謂之曰："方相委任，當爲國惜身。"前後敦勸者數矣。帝重其才，親禮逾厚，專典機密，與納

言蘇威、左翊衛大將軍宇文述、黃門侍郎裴矩、御史大夫裴蘊等參掌朝政。^[5]

[1]秘書監：官名。爲秘書省的長官，置一員，掌圖書經籍、天文曆法之事，統領著作、太史二曹。隋初爲正三品，煬帝大業三年降爲從三品，後又改稱爲秘書令。　河東：郡名。治所在今山西永濟市西南。　柳顧言：人名。柳䛒，字顧言。傳見本書卷五八、《北史》卷八三。

[2]内史侍郎：官名。隋内史省副長官，佐宰相之職的本省長官内史監、令處理政務。初設四員，正四品下。大業三年減爲二員，正四品。

[3]母憂：遭逢母親喪事。古代喪服禮制規定，父母死後，子女須守喪，三年内不得做官、不得婚娶、不得赴宴、不得應考、不得舉樂，等等。

[4]不能下：《北史》卷八三《虞世基傳》作"不能下節"。

[5]納言：官名。門下省長官，職掌封駁制敕，並參與軍國大政決策等，居宰相之職。置二員，正三品。　蘇威：人名。傳見本書卷四一，《北史》卷六三有附傳。　左翊衛大將軍：官名。隋初中央軍事機關十二衛有左右衛，大業三年改爲左右翊衛，各置大將軍一人，掌宮掖禁禦，督攝仗衛。正三品。　宇文述：人名。傳見本書卷六一、《北史》卷七九。　黃門侍郎：官名。隋初於門下省置給事黃門侍郎四員，爲門下省的次官，協助長官納言掌封駁制敕，參議政令的制定。正四品上。煬帝大業三年去"給事"之名，但稱"黃門侍郎"，並減置二員。正四品。　裴矩：人名。傳見本卷、《舊唐書》卷六三、《新唐書》卷一〇〇，《北史》卷三八有附傳。　御史大夫：官名。御史臺長官，職掌國家刑憲典章之政令，司彈劾糾察百官等。置一員。其品級，隋大業五年（按，此據本書《百官志下》，而《唐六典》卷一三《御史臺》爲"大業八年"）

前是從三品，此年降爲正四品。　裴蘊：人名。傳見本卷、《北史》卷七四。　參掌：官制用語。指除本官職責之外，奉皇帝特敕掌管他職事務。

于時天下多事，四方表奏日有百數。帝方凝重，事不庭決，入閣之後，始召世基口授節度。世基至省，方爲敕書，日且百紙，無所遺謬。其精審如是。遼東之役，[1]進位金紫光禄大夫。[2]後從幸雁門，[3]帝爲突厥所圍，[4]戰士多敗。世基勸帝重爲賞格，親自撫循，又下詔停遼東之事。帝從之，師乃復振。及圍解，勳格不行，又下伐遼之詔。由是言其詐衆，朝野離心。

[1]遼東：地區名。泛指遼水以東地區。因高麗國位於遼東，故此“遼東之役”指隋征伐高麗之事。

[2]金紫光禄大夫：官名。屬散實官。隋文帝置特進、左右光禄大夫等，以加文武官之有德聲者，並不理事。因其金印紫綬，故名。隋初爲從二品，煬帝大業三年降爲正三品。

[3]雁門：郡名。隋大業三年改代州置。治所在今山西代縣。

[4]突厥：古族名、國名。廣義包括突厥、鐵勒諸部落，狹義專指突厥。公元六世紀時游牧於金山（今阿爾泰山）以南，因金山形似兜鍪，俗稱“突厥”，遂以名部落。西魏廢帝元年（552），土門自號伊利可汗，建立突厥汗國，樹庭於鬱督軍山（今杭愛山東段，鄂爾渾河左岸）。隋開皇二年西面可汗達頭與大可汗沙鉢略不睦，分裂爲西突厥、東突厥兩個汗國。傳見本書卷八四、《周書》卷五〇、《北史》卷九九、《舊唐書》卷一九四、《新唐書》卷二一五。

　　帝幸江都，[1]次鞏縣，[2]世基以盜賊日盛，請發兵屯洛口倉，[3]以備不虞。帝不從，但答云：“卿是書生，定猶恇怯。”于時天下大亂，世基知帝不可諫止，又以高熲、張衡等相繼誅戮，[4]懼禍及己，雖居近侍，唯諾取容，不敢忤意。盜賊日甚，郡縣多沒。世基知帝惡數聞之，後有告敗者，乃抑損表狀，不以實聞。是後外間有變，帝弗之知也。嘗遣太僕楊義臣捕盜於河北，[5]降賊數十萬，列狀上聞。帝歎曰：“我初不聞賊頓如此，義臣降賊何多也！”世基對曰：“鼠竊雖多，未足爲慮。義臣剋之，擁兵不少，久在閫外，[6]此最非宜。”帝曰：“卿言是也。”遽追義臣，放其兵散。又越王侗遣太常丞元善達間行賊中，[7]詣江都奏事，稱李密有眾百萬，[8]圍逼京都，[9]賊據洛口倉，城內無食，若陛下速還，烏合必散，不然者，東都決沒。[10]因歔欷嗚咽，帝爲之改容。世基見帝色憂，進曰：“越王年小，此輩誑之。若如所言，善達何緣來至？”帝乃勃然怒曰：“善達小人，敢廷辱我！”因使經賊中，向東陽催運，[11]運善達遂爲群盜所殺。此後，外人杜口，莫敢以賊聞奏。

　　[1]江都：郡名。治所在今江蘇揚州市。

　　[2]鞏縣：治所在今河南鞏義市西南。

　　[3]洛口倉：倉廩名。因其地處洛水入黃口故名，又名興洛倉。在今河南鞏義市東南。煬帝大業二年置，倉城周圍二十餘里，有窖三千個，每窖儲糧八百石。

　　[4]高熲：人名。傳見本書卷四一、《北史》卷七二。　張衡：人名。傳見本書卷五六、《北史》卷七四。

〔5〕太僕：官名。即太僕卿。隋太僕寺長官，置一員，掌國家厩牧、車輿等事務。隋初爲正三品，煬帝大業三年降爲從三品。
　　楊義臣：人名。即尉遲義臣。傳見本書卷六三、《北史》卷七三。
　　河北：泛指黄河以北地區。

〔6〕閫（kǔn）外：本指城郭之外，此意指擔任要職。

〔7〕越王侗：隋煬帝之孫，元德太子楊昭次子楊侗，封越王。傳見本書卷五九、《北史》卷七一。　　太常丞：官名。隋太常寺副官，設二人，掌判本寺日常公務。隋初爲從六品下，煬帝大業五年升爲從五品。　　元善達：人名。隋末任太常丞。事亦見《北史》卷八三《虞世基傳》、《貞觀政要》卷五《仁義》、《通鑑》卷一八三《隋紀》義寧元年四月條。

〔8〕李密：人名。傳見本書卷七〇、《舊唐書》卷五三、《新唐書》卷八四，《北史》卷六〇有附傳。　　百萬：《北史·虞世基傳》作“數萬”。

〔9〕京都：此指都城長安。

〔10〕東都：此指洛陽，治所在今河南洛陽市。

〔11〕東陽：郡名。治所在今浙江金華市。

　　世基貌沉審，言多合意，是以特見親愛，朝臣無與爲比。其繼室孫氏，性驕淫，世基惑之，恣其奢靡。雕飾器服，無復素士之風。孫復攜前夫子夏侯儼入世基舍，[1]而頑鄙無賴，爲其聚斂。鬻官賣獄，賄賂公行，其門如市，金寶盈積。其弟世南，[2]素國士，而清貧不立，未曾有所贍。由是爲論者所譏，朝野咸共疾怨。宇文化及殺逆也，[3]世基乃見害焉。

〔1〕夏侯儼：人名。隋時人。事亦見《北史》卷八三《虞世基傳》、《册府元龜》卷三三八《宰輔部·貪黷》。

[2]世南：人名。即虞世南，唐太宗李世民凌煙閣二十四功臣之一。傳見《舊唐書》卷七二、《新唐書》卷一〇二。

[3]宇文化及：人名。傳見本書卷八五，《北史》卷七九有附傳。

長子蕭，[1]好學多才藝，時人稱有家風。弱冠早没。蕭弟熙，[2]大業末爲符璽郎。[3]次子柔、晦，並宣義郎。[4]化及將亂之夕，宗人虞伋知而告熙曰：[5]"事勢以然，吾將濟卿南度，且得免禍，同死何益！"熙謂伋曰："棄父背君，求生何地？感尊之懷，自此訣矣。"及難作，兄弟競請先死，行刑人於是先世基殺之。

[1]蕭：人名。即虞蕭。事亦見《北史》卷八三《虞世基傳》。

[2]熙：人名。即虞熙。《北史》卷八三有附傳。

[3]大業：隋煬帝楊廣年號（605—618）。　符璽郎：官名。隋初門下省置符璽局，長官爲監，置二員，掌天子印璽之用。正六品下。煬帝大業三年改爲郎，亦置二員。從六品。

[4]柔：人名。即虞柔。事亦見《北史·虞世基傳》。　晦：人名。即虞晦。事亦見《北史·虞世基傳》。　宣義郎：官名。屬文散官。從七品。

[5]虞伋：人名。隋時人。事亦見《北史·虞世基傳》。

裴藴

裴藴，[1]河東聞喜人也。[2]祖之平，[3]梁衛將軍。[4]父忌，[5]陳都官尚書，[6]與吳明徹同没于周，[7]賜爵江夏郡公，[8]在隋十餘年而卒。

[1] 裴蘊：人名。傳另見《北史》卷七四。

[2] 聞喜：縣名。治所在今山西聞喜縣。

[3] 之平：人名。即裴之平。南朝梁時人，官至右尉將軍、太子詹事。《梁書》卷二八、《南史》卷五八有附傳。

[4] 梁：即南朝梁（502—557），都建康（今江蘇南京市）。衛將軍：官名。此爲右衛將軍，掌理禁衛。南朝梁第十二班。按，《梁書・裴之平傳》、《陳書》卷二五《裴忌傳》爲“右衛將軍”。又本書《百官志上》載梁官職無衛將軍之設。此“衛將軍”上當脫一“右”字。

[5] 忌：人名。即裴忌。傳見《陳書》卷二五，《南史》卷五八有附傳。

[6] 都官尚書：官名。爲尚書省所轄六部之一都官部的長官，置一員，掌刑法獄訟、徒隸囚帳等。南朝陳第三品。

[7] 吳明徹：人名。南朝陳時人，太建九年，陳宣帝命吳明徹進軍呂梁，爲北周大將軍王軌所執。傳見《陳書》卷九、《南史》卷六六。　周：即北周（557—581），都長安（今陝西西安市西北）。

[8] 江夏郡公：爵名。北周十一等爵的第五等。正九命。（參見王仲犖《北周六典》卷八《封爵第十九》，中華書局 1979 年版，第 542 頁）

蘊性明辯，有吏幹。在陳，仕歷直閣將軍、興寧令。[1] 蘊以其父在北，陰奉表於高祖，請爲內應。及陳平，上悉閱江南衣冠之士，[2] 次至蘊，上以爲夙有向化之心，超授儀同。[3] 左僕射高熲不悟上旨，[4] 進諫曰：“裴蘊無功於國，寵逾倫輩，臣未見其可。”上又加蘊上儀同，[5] 熲復進諫，上曰：“可加開府。”[6] 熲乃不敢復言，即日拜開府儀同三司，禮賜優洽。歷洋、直、棣三州刺史，[7]俱有能名。

[1]直閤將軍：官名。掌宮掖禁衛，督攝仗衛。南朝陳從四品。興寧：縣名。治所在今廣東興寧市西北。

[2]江南：泛指長江以南地區，此指南朝陳統治區域。　衣冠之士：指門第華貴、深悉禮教的門閥士人。

[3]儀同：官名。全稱是儀同三司。隋文帝因改北周十一等勳官之制形成十一等散實官，用以酬勤勞，無實際職掌。儀同三司是十一等散實官的第八等，可開府置僚佐。正五品上。

[4]左僕射：官名。隋尚書省置左右僕射各一人，地位僅次於尚書令。由於隋尚書令不常置，僕射成爲尚書省實際長官，是宰相之職。從二品。

[5]上儀同：官名。全稱是上儀同三司，十一等散實官的第七等，可開府置僚佐。從四品上。

[6]開府：官名。全稱是開府儀同三司，十一等散實官的第六等，可開府置僚佐。正四品。

[7]洋：州名。治所在今陝西西鄉縣。　直：州名。治所在今陝西石泉縣東南。　棣：州名。治所在今山東陽信縣西南。

　　大業初，考績連最。煬帝聞其善政，徵爲太常少卿。[1]初，高祖不好聲技，遣牛弘定樂，[2]非正聲清商及九部四舞之色，[3]皆罷遣從民。至是，蘊揣知帝意，奏括天下周、齊、梁、陳樂家子弟，[4]皆爲樂户。[5]其六品已下，至于民庶，有善音樂及倡優百戲者，皆直太常。[6]是後異技淫聲咸萃樂府，皆置博士弟子，遞相教傳，增益樂人至三萬餘。帝大悅，遷民部侍郎。[7]

[1]太常少卿：官名。輔太常卿掌宗廟郊社禮樂、國家禮樂、郊廟社稷祭祀等事務，通判寺事。隋初置一員，正四品上；煬帝大業三年增置二員，降爲從四品。

[2]牛弘：人名。傳見本書卷四九、《北史》卷七二。

[3]正聲：符合音律的純正音樂。　清商：商聲，古五音之一，因其調凄凉，故稱。　九部：據本書《音樂志下》：大業中，煬帝定樂，以清樂、西凉、龜兹、天竺、康國、疏勒、安國、高麗、禮畢爲九部。　四舞：據本書《音樂志下》爲鞞舞、鐸舞、巾舞、拂舞。

[4]齊：即北齊（550—577），或稱高齊，都鄴（今河北臨漳縣西南鄴鎮東）。

[5]樂户：供奉皇室音樂的人家。

[6]直：當值。　太常：官署名。即太常寺，掌宗廟郊社禮樂事。

[7]民部侍郎：官名。隋煬帝大業三年置民部侍郎，佐尚書掌全國土地、户口、賦税等事。置一員，正四品。按，《北史》卷七四《裴藴傳》作“户部侍郎”，因唐高宗永徽時避李世民諱改爲户部，蓋一職也。

于時猶承高祖和平之後，禁網疏闊，户口多漏。或年及成丁，猶詐爲小，未至於老，已免租賦。藴歷爲刺史，素知其情，因是條奏，皆令貌閲。[1]若一人不實，則官司解職，鄉正里長皆遠流配。[2]又許民相告，若糾得一丁者，令被糾之家代輸賦役。是歲大業五年也。[3]諸郡計帳，[4]進丁二十四萬三千，新附口六十四萬一千五百。[5]帝臨朝覽狀，謂百官曰：“前代無好人，致此阨冒。今進民户口皆從實者，全由裴藴一人用心。古語云，得賢而治，驗之信矣。”由是漸見親委，拜京兆贊治，[6]發擿纖毫，吏民懾憚。

[1]貌閱：檢查户口時閱驗人的年齡和相貌。

[2]鄉正里長：鄉官名。隋基層社會五百家爲鄉，置鄉正一人；百家爲里，置里長一人，負責基層賦役徵收和治安維護等事務。流配：中國古代刑罰之一，將犯人發配到邊遠地區。

[3]大業五年：隋大索貌閱時間本書《食貨志》、《通鑑》、《册府元龜》記載各不相同，以大業五年較爲可信（參見唐長孺《隋代大索貌閱的時間》，載《山居存稿》，中華書局 1989 年版，第 305—309 頁）。

[4]計帳：亦稱籍帳、計簿，載録人事、人口、賦役之簿書（參見［日］池田温著、龔澤銑譯《中國古代籍帳研究》，中華書局 1984 年版）。

[5]五百：宋刻遞修本、中華本與底本同，殿本、庫本作“二百”。又《通鑑》卷一八一《隋紀》大業五年十一月條，《册府元龜》卷四六一、卷四六七、卷四八六均作“五百”。

[6]京兆贊治：官名。隋文帝改京兆少尹爲司馬，煬帝又改爲贊治，掌通判府事。從四品。

未幾，擢授御史大夫，與裴矩、虞世基參掌機密。蘊善候伺人主微意，若欲罪者，則曲法順情，鍛成其罪。所欲宥者，則附從輕典，因而釋之。是後大小之獄皆以付蘊，憲部、大理莫敢與奪，[1]必稟承進止，然後決斷。蘊亦機辯，所論法理，言若懸河，或重或輕，皆由其口，剖析明敏，時人不能致詰。楊玄感之反也，[2]帝遣蘊推其黨與，謂蘊曰：“玄感一呼而從者十萬，益知天下人不欲多，多即相聚爲盜耳。不盡加誅，則後無以勸。"蘊由是乃峻法治之，所戮者數萬人，皆籍没其家。[3]帝大稱善，賜奴婢十五口。

[1]憲部：官署名。隋大業三年改尚書刑部爲憲部。職掌刑法、徒隸、勾覆及關禁之政。　大理：官署名。即大理寺，掌審獄定刑名，決疑案。按，中華本"憲部大理"間未有點讀，此二者爲不同官署，中間當用頓號分隔。

[2]楊玄感：人名。傳見本書卷七〇，《北史》卷四一有附傳。

[3]籍没：中國古代刑罰之一，没收財物人口入官。

司隸大夫薛道衡以忤意獲譴，[1]蘊知帝惡之，乃奏曰："道衡負才恃舊，有無君之心。見詔書每下，便腹非私議，推惡於國，妄造禍端。論其罪名，似如隱昧，源其情意，深爲悖逆。"帝曰："然。我少時與此人相隨行役，輕我童稚，共高熲、賀若弼等外擅威權，[2]自知罪當誅謂。及我即位，懷不自安，賴天下無事，未得反耳。公論其逆，妙體本心。"於是誅道衡。

[1]司隸大夫：官名。隋煬帝大業三年始置司隸臺，長官爲大夫，置一人，掌諸巡察。正四品。　薛道衡：人名。傳見本書卷五七，《北史》卷三六有附傳。

[2]賀若弼：人名。傳見本書卷五二，《北史》卷六八有附傳。

又帝問蘇威以討遼之策，威不願帝復行，且欲令帝知天下多賊，乃詭答曰："今者之役，不願發兵，但詔赦群盜，自可得數十萬。遣關内奴賊及山東歷山飛、張金稱等頭別爲一軍,[1]出遼西道,[2]諸河南賊王薄、孟讓等十餘頭並給舟楫,[3]浮滄海道,[4]必喜於免罪,競務立功,一歲之間,可滅高麗矣。"[5]帝不懌曰:"我去尚猶未克,鼠竊安能濟乎?"威出後,蘊奏曰:"此大不遜,天下何處有許多賊!"帝悟曰:"老革多姦,將賊脅我。欲搭其口,但隱忍之,誠極難耐。"蘊知上意,遣張行本奏威罪惡,[6]帝付蘊推鞫之,乃處其死。帝曰:"未忍便殺。"遂父子及孫三世並除名。

[1]山東:地區名。戰國、秦、漢時代,通稱華山或崤山以東爲山東。函括今河北、河南、山東等省。魏晉南北朝隋唐時期亦稱太行山以東地區爲山東。　歷山飛:隋末河北農民起義軍領導者魏刀兒綽號。大業十一年起義,活動於冀州、定州之間,一度有衆十餘萬人。唐武德元年(618)爲竇建德所殺。(參見漆俠《隋末農民起義》,上海人民出版社1954年版;王永興《隋末農民戰爭史料彙編》,中華書局1980年版)　張金稱:人名。隋末山東農民起義軍領導者之一,大業七年聚衆起義,十三年爲隋將楊義臣擊敗。事見本書卷四《煬帝紀下》、《新唐書》卷八五《竇建德傳》、《通鑑》卷一八一至卷一八三等。(另參見漆俠《隋末農民起義》、王永興《隋末農民戰爭史料彙編》)

[2]遼西道:特區名。大體指今遼寧遼河以西大凌河流域以及以南、河北遷西與樂亭縣以東地區。隋朝在戰爭中於地方設置的特區,稱"道"。

[3]河南:泛指黃河以南地區。　王薄:人名。隋末山東農民起義軍領導者之一,大業七年以長白山(今山東鄒平縣南)爲據點起兵反隋,活動於今山東中部一帶。後爲隋將張須陀所敗,唐武德二年降唐任齊州總管。(參見漆俠《隋末農民起義》;王永興《隋

末農民戰爭史料彙編》；陶懋炳《王薄事迹考》，《湖南師範學院學報》1981年第2期） 孟讓：人名。隋末山東農民起義軍領導者之一。曾任隋齊郡主簿，大業九年起兵反隋，後爲隋將王世充擊敗，投奔瓦崗軍，被封齊郡公。瓦崗軍爲王世充所敗，孟讓去向不明。（參見漆俠《隋末農民起義》、王永興《隋末農民戰爭史料彙編》）

[4]滄海道：特區名。此指征高麗戰爭中水路一綫。

[5]高麗：古國名。此時亦稱高句麗。故地在今朝鮮半島北部。傳見本書卷八一、《北史》卷九四、《舊唐書》卷一九九上、《新唐書》卷二二〇。

[6]張行本：人名。隋白衣平民。事亦見本書卷四一《蘇威傳》。

　　蘊又欲重己權勢，令虞世基奏罷司隸刺史以下官屬，[1]增置御史百餘人。於是引致姦黠，共爲朋黨，郡縣有不附者，陰中之。于時軍國多務，凡是興師動衆，京都留守，及與諸蕃互市，[2]皆令御史監之。賓客附隸，徧於郡國，侵擾百姓，帝弗之知也。以度遼之役，進位銀青光禄大夫。[3]

[1]司隸刺史：官名。隋煬帝大業三年始置，爲司隸臺的屬官，置十四人，掌巡察畿外。正六品。

[2]互市：往來貿易。

[3]銀青光禄大夫：官名。屬散實官。隋文帝置特進、左右光禄大夫等，以加文武官之有德聲者，並不理事。隋初爲正三品，煬帝大業三年降爲從三品。

　　及司馬德戡將爲亂，[1]江陽長張惠紹夜馳告之。[2]蘊共惠紹謀，欲矯詔發郭下兵民，盡取榮公護兒節度，[3]收在外逆黨宇文化及等，仍發羽林殿脚，[4]遣范富婁等入自西苑，[5]取梁公蕭鉅及燕王處分，[6]扣門援帝。謀議已定，遣報虞世基。世基疑反者不實，抑其計。須臾，難作，蘊歎曰："謀及播郎，竟悮人事。"遂見害。子憒爲尚輦直長，[7]亦同日死。

[1]司馬德戡：人名。傳見本書卷八五，《北史》卷七九有附傳。

[2]江陽：縣名。治所在今江蘇揚州市。　張惠紹：人名。具體事迹不詳。

[3]榮公：爵名。全稱榮國公。隋九等爵的第三等。從一品。護兒：人名。即來護兒。傳見本書卷六四、《北史》卷七六。按，中華本校勘記云："（榮公來護兒）原脱'來'字，今補。"當從。（另參羅振玉《隋書斠議》，書目文獻出版社 1996 年版，第 41 頁）

[4]羽林殿脚：據《通鑑》卷一八〇《隋紀》大業元年八月載：殿脚爲隋煬帝出巡江都時爲其大船牽挽之船工。此言"羽林殿脚"，或爲羽林禁軍兼有挽船職掌，抑或以殿脚編爲禁軍。

[5]范富婁：人名。隋煬帝羽林禁軍低級將領。事亦見《北史》卷七四《裴蘊傳》、《册府元龜》卷三三六《宰輔部·識闇》。西苑：宮名。隋大業十二年仿東都洛陽西苑之制，於江都郡東南所起之宮苑。

[6]蕭鉅：人名。事見本書卷七九《蕭琮傳》。　燕王：爵名。隋九等爵的第二等。從一品。此指隋煬帝長孫，元德太子楊昭長子楊倓。傳見本書卷五九、《北史》卷七一。

[7]憒：人名。即裴憒。事另見《北史·裴蘊傳》。　尚輦直長：官名。隋大業三年殿內省置尚輦局，直長爲副，掌宮廷輿輦、傘扇等事務。正七品。

裴矩

裴矩，字弘大，河東聞喜人也。祖他，[1]魏都官尚書。[2]父訥之，[3]齊太子舍人。[4]矩繈褓而孤，及長好學，頗愛文藻，有智數。世父讓之謂矩曰：[5]“觀汝神識，足成才士，欲求官達，[6]當資幹世之務。”矩始留情世事。齊北平王貞爲司州牧，[7]辟爲兵曹從事，[8]轉高平王文學。[9]及齊亡，不得調。高祖爲定州總管，[10]召補記室，[11]甚親敬之。以母憂去職。

[1]他：人名。即裴他。按，諸本均同，然檢《北史》卷三八、《舊唐書》卷六三《裴矩傳》，均言其祖爲“佗”。又《魏書》《北史》有“裴佗傳”，並載子“讓之”，即政之世父也。可知本書“他”爲“佗”之誤。

[2]都官尚書：官名。掌軍事、刑獄等事。北魏爲第三品。按，宋刻遞修本、中華本、庫本同，汲古閣本、殿本作“郡官尚書”。檢《魏書·官氏志》無郡官尚書之設，汲古閣本、殿本誤。又《魏書·裴佗傳》《北史·裴佗傳》均不載其曾任都官尚書事。

[3]訥之：人名。即裴訥之。事見《北史·裴佗傳》。

[4]太子舍人：官名。北齊東宮典書坊之屬官，置二十八員，掌令書表啓之事。從六品下。

[5]世父：伯父。　讓之：人名。即裴讓之，北齊時官至清河太守。傳見《北齊書》卷三五。

[6]官：他本及《北史》卷三八《裴矩傳》均作“宦”。

[7]北平王：爵名。全稱是北平郡王，北齊高貞封爵名。爲十一等爵的第一等。正一品。　貞：人名。北齊武成帝高湛第五子高

貞。傳見《北齊書》卷一二。　司州牧：官名。北齊京都鄴城所在地司州最高行政長官，因其地位有別於諸州刺史，故特稱"牧"，歷由宗室諸王任之。北齊爲從二品。

[8]兵曹從事：官名。此指司州兵曹從事。爲司州所轄列曹從事之一，屬州內僚佐官，掌判本州兵丁籍帳及兵役徵調等事務。北齊流內視從八品。

[9]高平王：爵名。全稱是高平郡王，北齊武成帝高湛第六子高仁英封爵名。爲十一等爵的第一等。正一品。　文學：官名。此指王府文學。爲諸王府的屬官，掌王府內經籍圖書之事，修撰文章，並奉侍諸王問對，侍奉文章之職。北齊正六品上。

[10]定州：治所在今河北定州市。　總管：官名。東魏孝敬帝武定六年（548）始置。西魏也置。北周明帝武成元年（559）正式改都督諸州軍事爲總管，總管之設乃成定制。北周之制，總管加使持節諸軍事。總管或單任，然多兼帶刺史。故總管職權雖以軍事爲主，實際是一地區若干州、防（鎮）的最高軍政長官。

[11]補：官制用語。調選官吏補充某職官之缺位。　記室：官名。全稱是總管府記室參軍事，北周王府、總管府均設有記室，掌章表書記文檄。品秩不詳。

　　高祖作相，[1]遣使者馳召之，參相府記室事。及受禪，遷給事郎，[2]奏舍人事。[3]伐陳之役，領元帥記室。既破丹陽，[4]晉王廣令矩與高熲收陳圖籍。明年，奉詔巡撫嶺南，[5]未行而高智慧、汪文進等相聚作亂，[6]吳、越道閉，[7]上難遣矩行。矩請速進，上許之。行至南康，[8]得兵數千人。時俚帥王仲宣逼廣州，[9]遣其所部將周師舉圍東衡州。[10]矩與大將軍鹿愿赴之，[11]賊立九柵，屯大庾嶺，[12]共爲聲援。矩進擊破之，賊懼，釋東衡州，據原長嶺。[13]又擊破之，遂斬師舉，進軍自南海援廣州。[14]仲宣懼而潰散。矩所綏集者二十餘州，又承制署其渠帥爲刺史、縣令。[15]及還報，上大悦，命升殿勞苦之，顧謂高熲、楊素曰：[16]"韋洸將二萬兵，[17]不能早度嶺，朕每患其兵少。裴矩以三千敝卒，徑至南康。[18]有臣若此，朕亦何憂！"以功拜開府，賜爵聞喜縣公賚物二千段。[19]除民部侍郎，[20]尋遷內史侍郎。

[1]相：據本書卷一《高祖紀上》爲"左大丞相"。北魏孝莊帝永安元年（528）始置大丞相，永安三年廢。北周静帝大象二年（580）又置左、右大丞相。以宇文贇爲右大丞相，但僅有虚名；以楊堅爲左大丞相，總攬朝政。旋去左右之號，獨以楊堅爲大丞相。實爲控制朝廷的權臣。

[2]給事郎：官名。隋文帝開皇六年（586）於尚書省吏部置給事郎，爲散官番直，無具體職掌。正八品上。煬帝大業三年罷吏部給事郎，而取其名於門下省另置給事郎四人，位在黄門侍郎之下，掌省讀奏案。從五品。此當爲吏部給事郎。

[3]舍人：官名。即內史舍人，爲內史省的屬官，掌參議表章，草擬詔敕。隋初置八人，正六品上，開皇三年升爲從五品。煬帝大業三年減置四人，大業末改內史省爲內書省，內史舍人遂改稱爲內書舍人。

[4]丹陽：郡名。治所在今江蘇南京市。

[5]嶺南：地區名。亦稱嶺外、嶺表。泛指五嶺以南地區，相當於今廣東、廣西兩省及越南北部一帶。

[6]高智慧：人名。越州會稽人，隋開皇十年十一月舉兵反，後被鎮壓遭誅。事略見本書卷二《高祖紀下》、《通鑑》卷一七七《隋紀》開皇十年十一月條。　汪文進：人名。隋時人，開皇十年聚衆叛亂，占據東陽，自稱天子，署置百官，楊素率軍討平之。事

亦見本書《高祖紀下》、卷六四《來護兒傳》、卷八五《段達傳》。

〔7〕吳：地區名。今江蘇一帶。　越：地區名。今浙江一帶。

〔8〕南康：縣名。治所在今江西南康市西南。

〔9〕俚：古代南方族名。　王仲宣：人名。南陳末年嶺南地區的夷人酋長，隋開皇九年平陳後仍聚衆反抗隋朝的統治，發兵圍攻廣州，韋洸戰死，其後被多路隋軍擊敗潰散。事亦見本書卷六五《慕容三藏傳》、卷八〇《譙國夫人傳》，《陳書》卷一四《王勇傳》，《北史》卷三八《裴矩傳》、卷六四《韋洸傳》、卷九一《譙國夫人洗氏傳》。　廣州：治所在今廣東廣州市。

〔10〕周師舉：人名。酋帥王仲宣部將。事亦見《北史·裴矩傳》、《通鑑》卷一七七《隋紀》開皇十年十一月條、《册府元龜》卷六五六《奉使部·立功》。　東衡州：治所在今廣東韶關市南武水西。

〔11〕鹿愿：人名。隋朝將領，隋文帝開皇九年與裴矩、譙國夫人共同平定王仲宣叛亂，隋煬帝大業五年，爲黔安夷帥向思多所殺。事亦見本書卷六四《王辯傳》、卷八〇《譙國夫人傳》。

〔12〕大庾嶺：地名。五嶺之一。在今江西大余、廣東南雄二縣之間。

〔13〕原：底本、宋刻遞修本、汲古閣本、殿本、庫本均作"愿"，中華本校勘記云："'原'原作'愿'，據《北史》本傳及《册府》六五六改。"今從改。

〔14〕南海：地名。在今廣東廣州市。

〔15〕渠帥：部落首領。

〔16〕楊素：人名。傳見本書卷四八，《北史》卷四一有附傳。

〔17〕韋洸：人名。本書卷四七、《北史》卷六四有附傳。

〔18〕南康：各本均同，然《北史·裴矩傳》、《通鑑》卷一七七《隋紀》開皇十年十一月條作"南海"。中華書局新修訂本校勘記云："前稱矩至南康，得兵數千，進而自南海援廣州，'南康'與上文不協，疑作'南海'是。"

[19]聞喜縣公：爵名。隋九等爵的第五等。從一品。

[20]除：官制用語。拜官、授職。

　　時突厥強盛，都藍可汗妻大義公主，[1]即宇文氏之女也，由是數爲邊患。後因公主與從胡私通，長孫晟先發其事，[2]矩請出使説都藍，顯戮宇文氏。上從之。竟如其言，公主見殺。後都藍與突利可汗搆難，[3]屢犯亭鄣，[4]詔太平公史萬歲爲行軍總管，[5]出定襄道，[6]以矩爲行軍長史，[7]破達頭可汗於塞外。[8]萬歲被誅，功竟不錄。上以啓民可汗初附，[9]令矩撫慰之，還爲尚書左丞。[10]其年，文獻皇后崩，[11]太常舊無儀注，矩與牛弘據齊禮參定之。轉吏部侍郎，[12]名爲稱職。

[1]都藍可汗：突厥族首領。全稱爲頡伽施多那都藍可汗。事略見本書卷八四、《北史》卷九九《突厥傳》。　大義公主：原北周宗室趙王宇文招之女，大象元年封千金公主，嫁與突厥攝圖可汗，隋受禪，賜姓楊氏，改封大義公主。事略見本書卷五一、《北史》卷二二《長孫晟傳》。

[2]長孫晟：人名。本書卷五一、《北史》卷二二有附傳。

[3]突利可汗：突厥族首領，名染干。事略見本書《突厥傳》、《北史·突厥傳》。

[4]亭鄣：邊塞要地設置的堡壘。

[5]太平公：爵名。史萬歲襲爵太平縣公。隋九等爵的第五等。從一品。　史萬歲：人名。傳見本書卷五三、《北史》卷七三。行軍總管：出征軍統帥名。北周至隋時所置的統領某部或某路出征軍隊的軍事長官。根據需要其上還可置行軍元帥以統轄全局。屬臨時差遣任命之職，事罷則廢。

　　[6]定襄道：特區名。大體指今山西忻州所轄地一帶。

　　[7]行軍長史：官名。北周至隋時出征軍統帥屬下的幕府僚佐官，位居幕府内衆幕僚之首，掌領幕府行政事務。屬臨時差遣任命之職，事罷則廢。

　　[8]達頭可汗：突厥族首領，名玷厥。事略見本書《突厥傳》、《北史·突厥傳》。

　　[9]啓民可汗：東突厥可汗，名染干，全稱意利珍豆啓民可汗，開皇十七年隋文帝册突利可汗爲啓民可汗。事略見本書卷八四、《北史》卷九九《突厥傳》。

　　[10]尚書左丞：官名。職掌佐尚書令、尚書僕射理尚書省政事。從四品上。

　　[11]文獻皇后：隋文帝皇后，名獨孤伽羅。傳見本書卷三六、《北史》卷一四。　　崩：古代帝王、皇后死稱崩。

　　[12]吏部侍郎：官名。隋文帝時於吏部四曹之一吏部曹置吏部侍郎一員，爲該曹長官。正六品上。煬帝大業三年諸曹侍郎並改稱“郎”，又始置侍郎，爲尚書省下轄六部之副長官。正四品。此後，吏部侍郎纔成爲吏部副長官。協助長官吏部尚書掌全國文職官員銓選等政令。

　　煬帝即位，營建東都，矩職修府省，九旬而就。時西域諸蕃，[1]多至張掖，[2]與中國交市。帝令矩掌其事。矩知帝方勤遠略，諸商胡至者，矩誘令言其國俗山川險易，撰《西域圖記》三卷，入朝奏之。其序曰：

　　[1]西域：地區名。漢以後對玉門關（今甘肅敦煌市西北）以西地區的總稱。狹義專指葱嶺以東而言；廣義則指凡通過狹義西域所能到達的地區，包括亞洲中西部、印度半島、歐洲東部和非洲北部在内。

[2]張掖：郡名。隋大業三年改甘州置。治所大約在今甘肅張掖市。

　　"臣聞禹定九州，[1]導河不逾積石；[2]秦兼六國，設防止及臨洮。[3]故知西胡雜種，[4]僻居遐裔，禮教之所不及，書典之所罕傳。自漢氏興基，開拓河右，[5]始稱名號者，有三十六國，其後分立，乃五十五王。仍置校尉、都護，[6]以存招撫。然叛服不恒，屢經征戰，後漢之世，頻廢此官。雖大宛以來，[7]略知户數，而諸國山川，未有名目。至如姓氏風土，服章物產，全無纂録，世所弗聞。復以春秋遞謝，年代久遠，兼并誅討，互有興亡。或地是故邦，改從今號，或人非舊類，因襲昔名。兼復部民交錯，封疆移改，戎狄音殊，事難窮驗。于闐之北，[8]葱嶺以東，[9]考于前史，三十餘國。其後更相屠滅，僅有十存。自餘淪没，掃地俱盡，空有丘墟，不可記識。

　　[1]禹：亦稱夏禹，傳說古部落聯盟首領。詳見《史記》卷二《夏本紀》。　九州：說法不一。《尚書·禹貢》將當時中原地區劃分爲冀、兗、青、徐、揚、荆、豫、梁、雍九州。

　　[2]積石：此指積石山，在今青海東南部。

　　[3]臨洮：此指秦置臨洮，治所在今甘肅岷縣。

　　[4]西胡：古代對葱嶺内外西域各族的泛稱。

　　[5]河右：即河西，古代泛指黄河以西地區，今寧夏、甘肅一帶。

　　[6]校尉：官名。漢朝掌管少數民族地區事務的長官。　都護：官名。此指漢朝所置管理西域地區最高長官，負責監護西域諸國。

［7］大宛：古國名。大約在今中亞費爾干納盆地。

［8］于闐：古國名。大約在今新疆和田一帶。

［9］蔥嶺：地名。今帕米爾高原與喀喇崑崙山脉的總稱。

“皇上膺天育物，無隔華夷，率土黔黎，[1]莫不慕化。風行所及，日入以來，職貢皆通，無遠不至。臣既因撫納，監知關市，[2]尋討書傳，訪採胡人，或有所疑，即譯衆口。[3]依其本國服飾儀形，王及庶人，各顯容止，即丹青模寫，爲《西域圖記》，共成三卷，合四十四國。仍別造地圖，窮其要害。從西頃以去，北海之南，[4]縱横所亘，將二萬里。諒由富商大賈，周游經涉，故諸國之事，罔不徧知。復有幽荒遠地，卒訪難曉，不可憑虛，是以致闕。而二漢相踵，西域爲傳，户民數十，即稱國王，徒有名號，乃乖其實。今者所編，皆餘千户，利盡西海，[5]多産珍異。其山居之屬，非有國名，及部落小者，多亦不載。

［1］黔黎：黔首黎民，指百姓。

［2］監知：監督主持。　關市：邊境上的互市市場。

［3］譯：殿本、庫本同，宋刻遞修本、汲古閣本、中華本及《北史》卷三八《裴矩傳》作“詳”。

［4］北海：泛指北方極偏遠之地。

［5］西海：泛指西方。

“發自敦煌，[1]至于西海，凡爲三道，各有襟帶。[2]北道從伊吾，[3]經蒲類海、鐵勒部、突厥可汗庭，[4]度北流河水，[5]至拂菻國，[6]達于西海。其中道從高昌、焉

耆、龜兹、疏勒，[7]度葱嶺，又經鏺汗、蘇對沙那國、
康國、曹國、何國、大小安國、穆國，[8]至波斯，[9]達于
西海。其南道從鄯善、于闐、朱俱波、喝槃陀，度葱
嶺，又經護密、吐火羅、挹怛、帆延、漕國，至北婆羅
門，達于西海。[10]其三道諸國，亦各自有路，南北交
通。其東女國、南婆羅門國等，[11]並隨其所往，諸處得
達。故知伊吾、高昌、鄯善，並西域之門戶也。總湊敦
煌，是其咽喉之地。

[1]敦煌：郡名。治所在今甘肅敦煌市。

[2]襟帶：此指山川屏障環繞，猶如衣襟和腰帶。

[3]伊吾：地名。約在今新疆哈密地區。

[4]蒲類海：古湖泊名。今新疆巴里坤湖。　鐵勒部：古族名。
分布於今土拉河至裏海的廣大地區。

[5]北流河水：流向朝北之河，此處所指不詳。

[6]拂菻國：西域古國名。指東羅馬帝國及西亞地中海一帶。

[7]高昌、焉耆、龜兹、疏勒：均爲西域古國名。大約分布在
今新疆維吾爾自治區至中亞一帶。詳見本書卷八三《西域傳》。

[8]鏺汗、蘇對沙那國、康國、曹國、何國、大小安國、穆國：
均爲西域古國名。大約分布在今新疆維吾爾自治區至中亞一帶。詳
見本書卷八三《西域傳》。

[9]波斯：古國名。在今伊朗地區。

[10]“其南道從鄯善”至“達于西海”：鄯善、于闐、朱俱
波、喝槃陀、護密、吐火羅、挹怛、帆延、漕國，均爲西域古國的
名稱。大約分布在今新疆維吾爾自治區至中亞一帶。詳見本書《西
域傳》。按，中華本校勘記云：“（喝槃陀）‘喝’原作‘唱’，據
《北史》本傳改。”今從改。又云：“（帆延）本書《煬帝紀下》作

‘失范延’，又《漕國傳》作‘帆延’。”婆羅門，古印度國的別稱。

　　[11]東女國：中華本校勘記云：“《北史》本傳作‘東安國’。”本書《西域傳》有女國無安國。

　　“以國家威德，將士驍雄，汎濛汜而揚旌，[1]越崑崙而躍馬，[2]易如反掌，何往不至！但突厥、吐渾分領羌胡之國，[3]爲其擁遏，故朝貢不通。今並因商人密送誠款，引領翹首，願爲臣妾。聖情含養，澤及普天，服而撫之，務存安輯。故皇華遣使，弗動兵車，諸蕃即從，渾、厥可滅。混一戎夏，其在兹乎！不有所記，無以表威化之遠也。”

　　[1]汎（fàn）：浮起。　濛汜：指日落之處。
　　[2]崑崙：指崑崙山，在今新疆與西藏之間。
　　[3]吐渾：古族名。即吐谷渾。本遼東鮮卑之種，姓慕容氏，西晋時西遷至群羌故地，北朝至隋唐時期游牧於今青海北部和新疆東南部地區。傳見本書卷八三、《晋書》卷九七、《魏書》卷一〇一、《周書》卷五〇、《北史》卷九六、《舊唐書》卷一九八、《新唐書》卷二二一上。

　　帝大悦，賜物五百段，每日引矩至御坐，親問西方之事。矩盛言胡中多諸寶物，吐谷渾易可并吞。帝由是甘心，將通西域，四夷經略，咸以委之。轉民部侍郎，未視事，遷黄門侍郎。帝復令矩往張掖，引致西蕃，至者十餘國。

　　大業三年，[1]帝有事於恒岳，[2]咸來助祭。帝將巡河右，復令矩往敦煌。矩遣使説高昌王麴伯雅及伊吾吐屯設等，^[3]啗以厚利，導使入朝。及帝西巡，次燕支山，^[4]高昌王、伊吾設等及西蕃胡二十七國，謁於道左。皆令佩金玉，被錦罽，^[5]焚香奏樂，歌儛諠譟。復令武威、張掖士女盛飾縱觀，^[6]騎乘填咽，周亘數十里，以示中國之盛。帝見而大悅。竟破吐谷渾，拓地數千里，並遣兵戍之。每歲委輸巨億萬計，諸蕃懾懼，朝貢相續。帝謂矩有綏懷之略，進位銀青光祿大夫。

[1]大業三年：按，《通鑑》載其事在大業四年八月，其條《考異》曰："《裴矩傳》云'三年'，誤也。今從《帝紀》。"檢本書卷四《煬帝紀下》、《北史》卷一二《隋煬帝紀》，大業四年八月有"親祀恒岳"事，故此"三年"當爲"四年"之誤。

[2]恒岳：北岳恒山，在今山西境内。

[3]高昌：古國名。在今新疆吐魯番市東。　麴伯雅：人名。高昌國王，公元601至613年在位，後因政變失位，公元620年復位。事見本書卷八三、《舊唐書》卷一九八、《新唐書》卷二二一上《高昌傳》。　吐屯設：突厥官名。突厥所設，爲伊吾最高長官。

[4]燕支山：在今甘肅永昌、民樂二縣之間。

[5]罽（jì）：毛織物。

[6]武威：郡名。隋大業三年置，治所在今甘肅武威市。　縱觀：恣意觀看。

其冬，帝至東都，矩以蠻夷朝貢者多，諷帝令都下大戲。徵四方奇技異藝，陳於端門街，^[1]衣錦綺、珥金翠者以十數萬。又勒百官及民士女列坐棚閣而縱觀焉。皆被服鮮麗，終月乃罷。又令三市店肆皆設帷帳，^[2]盛列酒食，遣掌蕃率蠻夷與民貿易，所至之處，悉令邀延就坐，醉飽而散。蠻夷嗟歎，謂中國爲神仙。帝稱其至誠，顧謂宇文述、牛弘曰："裴矩大識朕意，凡所陳奏，皆朕之成算。未發之頃，矩輒以聞。自非奉國用心，孰能若是！"

[1]端門街：隋東都洛陽皇城南面三門，中曰端門，端門外之街即端門街。

[2]三市：東都洛陽東市曰豐都，南市曰大同，北市曰通遠。

帝遣將軍薛世雄城伊吾，[1]令矩共往經略。矩諷諭西域諸國曰："天子爲蕃人交易懸遠，[2]所以城伊吾耳。"咸以爲然，不復來競。及還，賜錢四十萬。矩又白狀，令反間射匱，[3]潜攻處羅，[4]語在《突厥傳》。[5]後處羅爲射匱所迫，竟隨使者入朝。帝大悦，賜矩以貂裘及西域珍器。

[1]薛世雄：人名。傳見本書卷六五、《北史》卷七六。

[2]懸遠：相距很遠。

[3]射匱：突厥首領名。此爲達頭可汗之孫。事略見本書卷八四、《北史》卷九九《突厥傳》。

[4]處羅：突厥首領名。全稱泥撅處羅可汗，名達漫。事略見本書卷八四《西突厥傳》、《北史·突厥傳》。

[5]《突厥傳》：中華本作《西突厥傳》，其校勘記云："原脱'西'字，今補。"又羅振玉《隋書斠議》亦云當作《西突厥傳》。檢本書《西突厥傳》實載有裴矩語，故此當爲《西突厥傳》。

從帝巡于塞北，[1]幸啓民帳。時高麗遣使先通于突厥，啓民不敢隱，引之見帝。矩因奏狀曰："高麗之地，本孤竹國也。[2]周代以之封于箕子，[3]漢世分爲三郡，[4]晋氏亦統遼東。今乃不臣，別爲外域，故先帝疾焉，欲征之久矣。但以楊諒不肖，[5]師出無功。當陛下之時，安得不事，使此冠帶之境，仍爲蠻貊之鄉乎？[6]今其使者朝於突厥，親見啓民，合國從化，必懼皇靈之遠暢，慮後伏之先亡。[7]脅令入朝，當可致也。"帝曰："如何？"矩曰："請面詔其使，放還本國，遣語其王，令速朝覲。不然者，當率突厥，即日誅之。"帝納焉。高元不用命，[8]始建征遼之策。王師臨遼，以本官領武賁郎將。[9]明年，復從至遼東。兵部侍郎斛斯政亡入高麗，[10]帝令矩兼掌兵事。以前後度遼之役，[11]進位右光禄大夫。[12]于時皇綱不振，人皆變節，左翊衛大將軍宇文述、内史侍郎虞世基等用事，文武多以賄聞。唯矩守常，無贓穢之響，以是爲世所稱。

[1]塞北：指長城以北，泛指北方地區。

[2]孤竹國：商周時期方國之一，在今河北盧龍縣西南。

[3]箕子：名胥余，殷商貴族，周武王滅商將其封於朝鮮。

[4]三郡：檢《漢書》卷六《武帝紀》載：元封三年夏，以朝鮮地爲"樂浪、臨屯、玄菟、真番郡"。同書卷九五《朝鮮傳》記載亦同。

[5]楊諒：人名。隋文帝楊堅第五子。傳見本書卷四五、《北史》卷七一。

[6]蠻貊（mò）：泛指四方落後部族。

[7]後伏：傅云龍《隋書考證》及本書殿本考證云："'伏'當作'服'。"所言是。《公羊傳》僖公四年云："楚有王者則後服。"

後服，較遲降服。

[8]高元：指高麗王元。事略見本書卷八一《高麗傳》。

[9]領：此指地位較高的官員兼理較低職位。　武賁郎將：官名。隋煬帝大業三年改革官制，於十二衛每衛置護軍四人，掌副貳將軍，尋又改護軍爲武賁郎將。正四品。

[10]兵部侍郎：官名。隋文帝時於兵部四曹之一兵部曹置兵部侍郎一員，爲該曹長官。正六品上。煬帝大業三年諸曹侍郎並改稱"郎"，又始置侍郎，爲尚書省下轄六部之副長官。此後，兵部侍郎纔成爲兵部副長官。協助長官兵部尚書掌全國軍衛武官選授之政令等。正四品。　斛斯政：人名。傳見本書卷七〇，《北史》卷四九有附傳。

[11]役：《北史》卷三八《裴矩傳》作"功"。

[12]右光禄大夫：官名。屬散實官。隋文帝置特進、左右光禄大夫等，以加文武官之有德聲者，並不理事。隋文帝時左、右光禄大夫皆正二品，煬帝大業三年定令，"左"爲正二品，"右"爲從二品。

　　還至涿郡，[1]帝以楊玄感初平，令矩安集隴右。[2]因之會寧，[3]存問曷薩那部落，[4]遣闞達度設寇吐谷渾，[5]頻有虜獲，部落致富。還而奏狀，帝大賞之。後從師至懷遠鎮，[6]詔護北蕃軍事。[7]矩以始畢可汗部衆漸盛，[8]獻策分其勢，將以宗女嫁其弟叱吉設，拜爲南面可汗。叱吉不敢受，始畢聞而漸怨。矩又言於帝曰："突厥本淳，易可離間，但由其內多有群胡，盡皆桀黠，教導之耳。臣聞史蜀胡悉尤多姦計，[9]幸於始畢，請誘殺之。"帝曰："善。"矩因遣人告胡悉曰："天子大出珍物，今在馬邑，欲共蕃內多作交關。[10]若前來者，即得好物。"

胡悉貪而信之，不告始畢，率其部落，盡驅六畜，星馳
爭進，冀先互市。矩伏兵馬邑下，誘而斬之。詔報始畢
曰：“史蜀胡悉忽領部落走來至此，云背可汗，請我容
納。突厥既是我臣，彼有背叛，我當共殺。今已斬之，
故令往報。”始畢亦知其狀，由是不朝。十一年，帝北
巡狩，始畢率騎數十萬，圍帝於雁門。詔令矩與虞世基
每宿朝堂，以待顧問。及圍解，從至東都。屬射匱可汗
遣其猶子，率西蕃諸胡朝貢，[11]詔矩醻接之。

[1]涿郡：治所在今北京城西南。

[2]隴右：泛指隴山以西地區。大約在今六盤山以西、黃河以
東一帶。

[3]會寧：郡名。治所在今甘肅永登縣東南。

[4]曷薩那部落：即突厥處羅部，因從煬帝征高麗，賜號曷薩
那可汗。

[5]闕達度：曷薩那之弟。按，《新唐書》卷二一五《突厥傳》
與本書同，然《通鑑》卷一八二《隋紀》大業九年八月條作“闕
度設”。

[6]懷遠鎮：在今遼寧遼陽縣西北。隋煬帝三征高麗時常駐蹕
於此。

[7]護：監督。

[8]始畢可汗：突厥首領。啓民可汗子咄吉世。事略見本書卷
八四、《北史》卷九九《突厥傳》。

[9]史蜀胡悉：人名。事亦見《北史》卷三八《裴矩傳》、《新
唐書》卷一〇〇《裴矩傳》、《通鑑》卷一八二《隋紀》大業十一
年八月條。

[10]馬邑：郡名。煬帝改朔州爲馬邑郡。治所在今山西朔州

市。　交關：交易。

[11]朝貢：古時番屬國或外國使者入朝貢獻方物、特産。

尋從幸江都宮。[1]時四方盜賊蜂起，郡縣上奏者不可勝計。矩言之，帝怒，遣矩詣京師接候蕃客，以疾不行。及義兵入關，帝令虞世基就宅問矩方略。矩曰："太原有變，京畿不静，遥爲處分，恐失事機。唯願鑾輿早還，[2]方可平定。"矩復起視事。俄而驍衛大將軍屈突通敗問至，[3]矩以聞，帝失色。矩素勤謹，未嘗忤物，又見天下方亂，恐爲身禍，其待遇人，多過其所望，故雖至厮役，皆得其歡心。時從駕驍果數有逃散，[4]帝憂之，以問矩。矩答曰："方今車駕留此，已經二年。驍果之徒，盡無家口，人無匹合，則不能久安。臣請聽兵士於此納室。"帝大喜曰："公定多智，此奇計也。"因令矩檢校爲將士等娶妻。[5]矩召江都境内寡婦及未嫁女，皆集宮監，又召將帥及兵等恣其所取。因聽自首，先有姦通婦女及尼、女冠等，[6]並即配之。由是驍果等悦，咸相謂曰："裴公之惠也。"

[1]江都宮：宮名。隋煬帝置，在今江蘇揚州市西。

[2]鑾輿：天子車駕。

[3]驍衛大將軍：官名。此指左驍衛大將軍。隋左驍騎衛府最高長官，職掌宿衛。正三品。按，《舊唐書》卷五九、《新唐書》卷八九《屈突通傳》作"左驍衛大將軍"。據本書《百官志》：煬帝即位改左右備身府爲左右驍衛府。故而此"驍衛大將軍"前當脱一"左"字。　屈突通：人名。隋唐名將，參與鎮壓楊玄感叛亂及隋末農民起義，後降唐，爲貞觀時凌煙閣二十四功臣之一。傳見

《舊唐書》卷五九、《新唐書》卷八九。

[4]驍果：軍士名。募民爲之。以折衝、果毅、武勇、雄武等郎將領之，武勇郎將爲副長官，主掌宿衛。上屬於左右備身府。

[5]檢校：代辦。

[6]女冠：女道士。

宇文化及之亂，矩晨起將朝，至坊門，[1]遇逆黨數人，控矩馬詣孟景所。[2]賊皆曰："不關裴黃門。"[3]既而化及從百餘騎至，矩迎拜，化及慰諭之。令矩參定儀注，推秦王子浩爲帝，[4]以矩爲侍內，[5]隨化及至河北。及僭帝位，以矩爲尚書右僕射，[6]加光祿大夫，[7]封蔡國公，[8]爲河北道安撫大使。[9]

[1]坊門：隋城邑居住區以坊爲單位，各坊設有坊門。

[2]孟景：人名。即孟秉，隋末爲禁軍鷹揚郎將，參與縊殺隋煬帝的江都宮變，武德二年爲竇建德所殺。事亦見本書卷八五《宇文化及傳》、《北史》卷七九《宇文化及傳》、《通鑑》卷一八五《唐紀》武德元年三月條等。按，景，各本及本書《煬帝紀下》、《北史》卷一二《隋煬帝紀》、《北史·宇文化及傳》皆同。但本書卷八五《宇文化及傳》和《通鑑》卷一八五《唐紀》武德元年三月條作"秉"。本書《煬帝紀下》中華本校勘記云："'景'應作'秉'。唐人諱'昞'，因'秉''昞'同音，遂改'秉'爲'景'。"所言是，當從。

[3]裴黃門：裴矩官爲黃門侍郎，此蓋以官名人。

[4]秦王：此指隋文帝第三子秦孝王楊俊。傳見本書卷四五、《北史》卷七一。　浩：人名。秦孝王楊俊長子楊浩。傳見本書卷四五、《北史》卷七一。

[5]侍內：此指掌管內廷之官。

［6］尚書右僕射：官名。隋於尚書省置左、右僕射各一人爲副貳，地位僅次於長官尚書令。但因隋代尚書令不常置，僕射則成爲尚書省的實際長官，是宰相之職。從二品。

［7］光禄大夫：官名。屬散實官。煬帝大業三年廢特進，改置光禄大夫等九大夫。從一品。

［8］蔡國公：爵名。隋九等爵的第三等。從一品。

［9］河北道：特區名。在黄河中下游以北設置的特區。隋朝在戰爭中於地方設置的特區，稱“道”。　安撫大使：使職名。朝廷派往某地區安撫民情的使職，用則設，不用則廢，無固定職掌和官品。

　　及宇文氏敗，爲竇建德所獲，[1]以矩隋代舊臣，遇之甚厚。復以爲吏部尚書，[2]尋轉尚書右僕射，專掌選事。建德起自群盜，未有節文，[3]矩爲制定朝儀。旬月之間，憲章頗備，擬於王者。建德大悦，每諮訪焉。及建德度河討孟海公，[4]矩與曹旦等於洺州留守。[5]建德敗於武牢。[6]群帥未知所屬，曹旦長史李公淹、大唐使人魏徵等説旦及齊善行令歸順。[7]旦等從之，乃令矩與徵、公淹領旦及八璽，[8]舉山東之地歸于大唐。授左庶子，[9]轉詹事、民部尚書。[10]

［1］竇建德：人名。隋末反隋主力之一，唐武德元年於河北稱帝建立夏國。傳見《舊唐書》卷五四、《新唐書》卷八五。

［2］吏部尚書：官名。隋尚書省下轄六部之一吏部的長官。掌全國文職官員銓選、考課等政令，統吏部、主爵、司勳、考功四曹。置一員，正三品。此爲竇建德仿隋制所設官職。

［3］節文：禮儀、儀式。

[4]孟海公：人名。隋末農民起義軍領導者，大業九年起事，主要活動於曹、戴二州地區，後爲李世民所敗，武德四年斬於長安（參見王永興《隋末農民戰爭史料彙編》）。

[5]曹旦：人名。竇建德之妻兄，爲竇建德大將，屢建戰功。虎牢之戰後，與裴矩等降唐。事亦見《北史》卷三八《裴矩傳》、《舊唐書·竇建德傳》。　洺州：治所在今河北永年縣東南。

[6]武牢：即虎牢關，唐避“虎”諱改。在今河南滎陽市西北。

[7]李公淹：人名。初事竇建德，後降唐，貞觀年間曾出使嶺南。事見《北史·裴矩傳》、《新唐書》卷二二二下《南平獠傳》。

魏徵：人名。唐初名臣。傳見《舊唐書》卷七一、《新唐書》卷九七。　齊善行：人名。竇建德妹婿，擔任竇建德夏政權左僕射。後降唐，貞觀中任夔州都督。事見《法書要録》卷三及新、舊《唐書·竇建德傳》。

[8]八璽：秦漢以後，天子除傳國璽外，尚有皇帝行璽、皇帝之璽、皇帝信璽、天子行璽、天子之璽、天子信璽，稱“六璽”，武德初增神璽、受命璽，合稱“八璽”。

[9]左庶子：官名。即太子左庶子。掌侍從贊相，駁正啓奏，制比門下省侍中。正四品。

[10]詹事：官名。即太子詹事府長官，統領東宮三寺、十率府之政。正三品。　民部尚書：官名。尚書省六部之一民部的長官，職掌全國土地、户口、賦税、錢糧之政令。置一員，正三品。

史臣曰：世基初以雅澹著名，兼以文華見重，亡國羈旅，特蒙任遇。參機衡之職，[1]預帷幄之謀，[2]國危未嘗思安，君昏不能納諫。方更鬻官賣獄，黷貨無厭，顛隕厥身，亦其所也。裴蘊素懷姦險，巧於附會，作威作福，唯利是視，滅亡之禍，其可免乎？裴矩學涉經史，頗有幹局，至於恪勤匪懈，夙夜在公，求諸古人，殆未之有。與聞政事，多歷歲年，雖處危亂之中，未虧廉謹之節，美矣。然承望風旨，與時消息，使高昌入朝，伊吾獻地，聚粮且末，[3]師出玉門，[4]關右騷然，頗亦矩之由也。

[1]機衡：機要的職位或重要的官職。

[2]帷幄：指天子決策之處或將帥的幕府、軍帳。

[3]且（jū）末：西域古國名。在今新疆且末縣。

[4]玉門：指玉門關。故地在今甘肅敦煌市西北。